Michel Paquin
Roger Reny

La lecture du roman

UNE INITIATION

🔲 la lignée

Dépôt légal: 2ᵉ trimestre 1984
Bibliothèque nationale du Québec
Bibliothèque nationale du Canada
ISBN: 2-920190-04-0

Les Éditions La Lignée Inc.
    C.P. 389
  Beloeil (Québec)
    J3G 5S9
 Tél.: (514) 467-6641
Tous droits de traduction, de reproduction et d'adaptation réservés pour tous les pays.

Le roman dévore aujourd'hui toutes les formes; on est à peu près forcé d'en passer par lui.

Marguerite Yourcenar
Mémoires d'Hadrien

Le romancier est un voleur qui fait main basse sur tout ce qui lui agrée: ici un décor, là un geste, plus loin un sentiment, là encore une circonstance; et puis le voilà qui s'embarque sur la galère avec tous ces éléments épars qui, au fur et à mesure du voyage, trouvent leur place, à moins qu'inutiles ils soient jetés par-dessus bord.

Frédérick Tristan
Les égarés

Remerciements

Nous tenons à souligner la précieuse collaboration de messieurs Vital Gadbois et Pierre Boissonnault. Leurs remarques et suggestions ont maintes fois permis de lever les difficultés que posait la rédaction de ce livre. Nous remercions également madame Farida Elias et madame Andrée Jacques qui ont suivi de près l'élaboration de ce projet. Enfin, nous adressons notre reconnaissance à madame Reine Chevrier-Verrando pour le minutieux travail de dactylographie du manuscrit.

Table des matières

Avant-propos

Chapitre 1 - Le roman

A- THÉORIE

B- OBSERVATION ET ANALYSE

Chapitre 2 - **L'intrigue**

Chapitre 3 - **Le personnage**

Chapitre 4 - **Voix narratives et points de vue de narration**

Chapitre 5 - **Le discours du personnage et sa vie intérieure**

Chapitre 6 - Le temps et l'espace

B- OBSERVATION ET ANALYSE

C- PRODUCTION

Chapitre 7 - **Les thèmes**

A- THÉORIE

Chapitre 9 - **Une méthode d'analyse et d'interprétation**

- Point de vue et discours du personnage
- Thème et espace
- Voix narrative, point de vue et thématisation du temps
- Relation personnage principal / personnages secondaires et thème
- Espace et personnages

Conclusion - **Le projet de lecture**

Avant-propos

La lecture s'impose comme une activité culturelle importante; le roman, comme le genre littéraire qui rejoint le plus grand public. Aussi une lecture active du roman devrait-elle permettre un accueil intéressé au texte littéraire.

Tout lecteur de roman élabore, produit de la signification à partir de ce qu'il lit. Pour bien réaliser cette activité, y prendre goût et en tirer avantage, il doit la saisir globalement, c'est-à-dire comprendre la dynamique de l'activité de lecture et être attentif aux dimensions essentielles du roman. C'est à cette lecture compréhensive, consciente et méthodique du roman que ce livre voudrait contribuer.

La lecture active d'un roman

Une lecture active répond à un ensemble d'intentions, d'objectifs. On lit activement quand on cherche quelque chose dans une oeuvre. Ce livre propose un parcours basé sur les principales composantes du roman. Il met en relief des dimensions qui, règle générale, favorisent la production de sens de la part du lecteur. Il vise à l'essentiel, veut orienter le lecteur, lui éviter l'éparpillement, l'enlisement dans les détails.

Les clés pour la lecture d'un roman

Le projet de lecture d'un roman retient, comme vecteurs importants pour l'élaboration d'une signification de l'oeuvre, les aspects qui font appel aux décisions du lecteur, qui l'impliquent dans une aventure créatrice. Il suggère, à partir des dimensions suivantes, de répondre aux questions que soulève la lecture de la majorité des romans.

- *L'intrigue*
Comment s'agencent les différents épisodes de l'histoire selon une logique narrative?

- *La voix narrative*
Qui raconte l'histoire, qui parle dans le roman?

- *Le point de vue de narration*
Quelle est la façon dont le narrateur perçoit les personnages et l'histoire?

- *La caractérisation des personnages et la dynamique actantielle*
Comment le discours présente-t-il ou fait-il vivre les personnages? Quels rôles jouent-ils dans l'intrigue?

- *L'organisation du temps et de l'espace*
Quels sont l'ordre et la durée des événements? Comment le récit progresse-t-il? Quels sont les lieux importants et comment sont-ils présentés?

- *Les thèmes*
Quels sont les sujets de discussion, les préoccupations des personnages, leur façon de voir le monde, d'y saisir leur rôle? Quelle signification dégage leur façon d'agir? Quel sens prêtent-ils à leurs actions?

Enfin, le projet souligne des pistes qui permettront au lecteur d'établir des relations entre ces diverses dimensions. Celui-ci parviendra ainsi à activer dans l'oeuvre divers réseaux de significations et à en dégager sa propre interprétation.

Quelques choix

Une lecture active et méthodique

Il existe de multiples façons de lire un roman. Chacune correspond à des objectifs différents et à une situation particulière de lecture. La lecture active et méthodique vise une lecture en profondeur d'une oeuvre. Elle correspond, règle générale, à une lecture de type scolaire. Elle constitue un itinéraire qui met en relief les points d'intérêt les plus fréquents pour le récit de fiction. Bien accomplie, cette démarche permettra au lecteur de tirer plus largement profit des autres parcours de lecture, même d'une simple lecture de détente.

Un itinéraire centré sur une approche interne

Un roman s'analyse selon des perspectives nombreuses et variées. On cherchera dans l'oeuvre les traces de l'auteur, les reflets d'une époque, les hantises de l'écrivain, la manifestation de son style... L'itinéraire proposé par ce livre relève avant tout d'une approche interne, c'est-à-dire d'une perspective centrée sur le mode de fonctionnement d'une oeuvre narrative de fiction, sur ses conditions particulières d'existence. Il propose au lecteur les pistes nécessaires à l'élaboration de sa propre signification d'une oeuvre. C'est lui qui nouera les relations, établira les liens entre le point de vue de narration et les techniques, entre les thèmes et les personnages, entre l'organisation de l'espace et l'intrigue. C'est lui qui imposera la cohérence de son processus d'élaboration de sens, lui qui sera responsable de son interprétation de l'oeuvre.

Un point de départ: les formes traditionnelles du récit de fiction

Nous sommes tous baignés dans un ensemble de récits issus des médias, de notre entourage, du monde scolaire ou professionnel. Nous avons tous lu un ou plusieurs romans. Aussi avons-nous tous une perception intuitive du récit de fiction. Faire comme si cette mémoire des diverses formes de narration n'existait pas et tenter d'appréhender celles qui sont propres au nouveau roman soulèverait de nombreux problèmes. Aussi le projet de lecture proposé partira-t-il des centres d'intérêt traditionnels du roman. Il utilisera cet acquis pour faire comprendre l'évolution des composantes du roman moderne. Ce point de départ correspond à la forme du roman dans le code de la fiction réaliste; dans ce cas le **roman** est la narration d'une histoire située dans le temps et dans l'espace et dans laquelle des personnages, présentés comme réels, vivent une série d'événements qui révèlent leur psychologie, leurs obsessions, leur façon de voir et de penser.

Du «De quoi ça parle?» au «Qu'est-ce que ça dit?»

Un contact régulier avec les jeunes lecteurs révèle qu'ils ont des difficultés d'une part à isoler les composantes d'un récit de fiction, d'autre part à établir des relations entre elles. Leur faciliter la compréhension de la structure du roman, de la dynamique des personnages servira d'amorce au processus d'élaboration de sens. Cependant, pour de nombreux autres, ce qui fait obstacle, c'est le texte de surface: la compréhension des épisodes de l'intrigue, des façons d'inscrire les thèmes dans l'oeuvre de fiction permettra de lever ces difficultés élémentaires de lecture. L'itinéraire proposé tient donc compte à la fois du texte et de sa structure.

De plus, les jeunes lecteurs sont souvent fascinés par ce qui est de l'ordre du
«*De quoi ça parle?*», «*Qu'est-ce que ça raconte?*», rebutés par le «*Qu'est-ce
que ça dit?*». Aussi, plutôt que de dénier cet intérêt pour le contenu et l'intrigue, le parcours proposé tendra à le canaliser vers le processus plus global
d'élaboration de sens, d'interprétation.

Morceaux choisis et oeuvres complètes

Il semble que l'on relègue de plus en plus aux oubliettes les morceaux
choisis, préférant les oeuvres complètes. Pour celui qui n'a pas un bagage de
lecture très fourni, les morceaux choisis jouent un rôle fonctionnel. Ils lui offrent une diversité de possibilités narratives qu'il n'envisagerait souvent, sans
eux, que de façon théorique. Cependant, l'extrait ne doit pas remplacer la lecture d'oeuvres. Il devrait plutôt favoriser ce transfert, l'idéal étant bien sûr de
conjuguer l'analyse d'extraits et d'oeuvres et d'opérer, en situation, le passage
de la partie au tout.

La lecture: une des voies de la culture moderne

La lecture active est créatrice. Elle fait appel tant au plaisir spontané de lire
qu'à l'effort intellectuel. Souvent l'oeuvre ouvre les portes de l'imaginaire.
Elle permet et favorise la liberté d'imaginer. On découvrira ainsi des aspects
inattendus de soi et du monde. On saisira ce que l'on avait pensé ou senti con-
fusément. Par l'effort intellectuel, on pénétrera ce qui nous avait semblé
obscur; on s'appropriera ce qu'on nous refusait. Le plaisir et l'effort con-
jugués nous ouvriront à des façons de voir et de dire différentes des nôtres: ils
affermiront notre jugement; ils mettront en relief notre appartenance à une
communauté culturelle, notre héritage humain. Les perspectives humanistes ne
sont pas étrangères à la lecture attentive et méthodique. Au contraire,
reconnaître les conditions d'existence propres à l'oeuvre de fiction permet au
lecteur de se situer par rapport aux formes de l'imaginaire individuel et
culturel.

Vue d'ensemble du livre

Le présent volume est un instrument qui encadre la réalisation de ce projet
de lecture. Voici comment il se présente.

Une introduction au roman sert d'amorce aux principales dimensions du
projet de lecture. Les chapitres subséquents traitent de l'intrigue, de la voix

narrative et du point de vue, des personnages, des techniques romanesques, de l'organisation du temps et de l'espace et des thèmes. Ils explicitent et approfondissent ces dimensions.

Tous les chapitres se présentent de la même façon.

- La première partie du chapitre cerne la **théorie**.
- La deuxième partie propose une phase d'**observation** et d'**analyse**. Une série d'extraits accompagnés de questions, dont le rôle est de canaliser l'observation et de favoriser l'analyse, suscite la découverte ou l'intégration de connaissances utiles à la réalisation du projet.
- La dernière partie de chacun des chapitres correspond à la phase de **production**. Il s'agit alors d'actualiser les connaissances par la production de courts textes. Cette étape est partie intégrante du projet de lecture: elle favorise la construction d'un savoir grâce au développement d'une habileté essentielle à la lecture de textes. Elle rendra le lecteur plus sensible au tissu narratif de l'oeuvre, à sa vie intérieure puisqu'il aura, lui aussi, tenté partiellement la même expérience.
- À la fin du chapitre, une synthèse des principales données permet au lecteur d'effectuer une récapitulation avant d'aborder l'autre étape.

Enfin, un **Guide de lecture** d'un récit de fiction, suivi d'une méthode d'analyse et d'interprétation, permet de faire une révision des données propres à chaque dimension abordée au cours de la démarche et aide à l'actualisation globale du projet. Le **Guide de lecture** est d'ailleurs proposé comme piste de lecture pour l'analyse de trois romans:

- *Le petit prince,*
- *Des souris et des hommes,*
- *L'étranger.*

*

* *

On l'a souligné, ce livre voudrait permettre au lecteur de retirer le plus possible de sa lecture d'un roman, d'y prendre goût, intérêt. Cet objectif sera atteint par des lecteurs volontaires, prêts à fournir un certain effort intellectuel afin de mettre au clair ce qui, dans un roman, leur permet de se retrouver, de s'interroger, d'aller plus avant dans la connaissance de l'oeuvre, d'eux-mêmes et du monde.

Certes, d'autres dimensions de l'univers romanesque resteront à explorer: ses traits sociologiques ou historiques, son esthétique propre, ses liens avec les autres univers littéraires ou non littéraires. Mais ces autres aspects seront, au demeurant, d'autant mieux saisis que cette démarche initiale aura été menée à bien.

CHAPITRE 1

Le roman

A - THÉORIE

Définir l'indéfinissable

L'abondance des définitions du roman illustre moins la difficulté d'en cerner les composantes que d'en arrêter une conception. C'est pourquoi à toute définition du roman, selon le code narratif auquel on se réfère, on trouvera, pour un élément de la définition ou pour l'ensemble, une «*contre-preuve*». Par conséquent, la réflexion doit porter, en premier, sur les façons de penser le roman. Par la suite, il sera possible de proposer des définitions qui les représentent et d'aborder les différentes formes de récit de fiction de même que la place du roman parmi elles.

La représentation et la production de la réalité

Un récit est un ensemble d'événements intégrés à l'unité d'une action. Les récits quotidiens foisonnent: récit d'accident, récit de pêche, récit d'une relation amoureuse... Le romancier, lui, produit des récits de fiction, donc délibérément inventés [1]. Cependant, dans ces récits, une tension se manifeste, à des degrés divers, dans le rapport que le texte entretient avec le monde réel.

Dans certains cas, le texte donne l'illusion de la réalité. C'est comme si toutes ses composantes tendaient à représenter le monde réel. Ainsi, par exemple, le personnage est associé à une personne. On lui confère les attributs d'un individu: un nom, une identité, une situation sociale... L'espace est décrit comme s'il s'agissait de lieux réels; les événements peuvent être resitués par rapport à une chronologie comme s'ils s'étaient réellement passés.

Dans d'autres cas, c'est la tension inverse qui prédomine. On se sert des éléments de la représentation pour dévoiler le fonctionnement du texte, pour montrer qu'il ne renvoie qu'à lui-même, qu'avant et après le texte il n'y a rien. Le texte est production de sa propre réalité; il crée ce qui n'existe pas encore.

Les deux grands codes narratifs

L'exploitation de cette tension entre le texte et le monde réel a donné lieu à deux grandes façons de penser le récit de fiction. Dans le premier cas, le roman est une représentation de la réalité; il est «*la narration d'une fiction*» [2] en ce sens qu'il raconte une histoire d'une certaine manière sans rendre manifeste le fonctionnement du texte comme narration.

Dans le second, il s'agit plus, selon l'expression de Ricardou, de l'aventure d'une écriture, c'est-à-dire de l'utilisation, par le romancier, des éléments de l'histoire, de la fiction, pour bloquer cette référence à la réalité et pour poser «*à l'intérieur (du texte) le problème de son fonctionnement*» [3]. Pour chacun de ces deux grands codes narratifs, il est possible d'arrêter une définition du roman. On notera d'ailleurs que l'une est la remise en question de l'autre.

Le roman miroir ou la narration d'une histoire

Une première définition

Le roman, selon l'expression de Michel Butor, est une forme particulière du récit: un récit de fiction. Dans ce récit, quelqu'un raconte l'histoire survenue à des personnages en un lieu et un temps donnés. Le roman présente donc une action centrale qui amalgame différents épisodes. L'action centrale et les événements qui gravitent autour d'elle forment l'histoire, c'est-à-dire ce qui est raconté. La structure de cette histoire est l'intrigue. Elle se compose d'épisodes, de séries d'événements disposés dans un certain ordre. Cette histoire peut être racontée de multiples façons. La narration, ou la façon de raconter, dépend des choix du romancier quant aux techniques romanesques, à l'organisation du temps et de l'espace.

Le **roman** correspond donc à
- la narration
- que fait quelqu'un
- d'événements intégrés à une même action
- situés dans le temps et dans l'espace
- selon un certain ordre et une certaine durée
- causés ou subis par des personnages
- où l'on peut déceler des thèmes [4].

L'illusion de la réalité

Ces composantes produisent un *monde romanesque* qui reflète la réalité, un certain ordre des choses.

Dans le code narratif de la représentation, le souci de *réalisme* oriente en fait toutes les composantes du roman. L'agencement des épisodes, par exemple, répondra à une certaine logique. La narration est toujours une réorganisation des événements; or, cette organisation devra correspondre à l'idée que l'on se fait du réel. Elle peut ne pas être chronologique, mais elle doit être vraisemblable.

De même, les personnages imposeront une cohérence psychologique qui est celle de la personne. Leurs traits psychologiques, leurs attitudes, leurs relations avec les autres personnages, leurs situations sociales devront créer cette unité qui alimentera l'illusion d'une personne réelle.

Enfin, même s'il y a bouleversement de la chronologie, le récit permettra la reconstruction d'un déroulement chronologique des événements. L'espace servira, entre autres, à resituer l'action dans l'époque où elle se déroule. Plus le souci de réalisme sera grand, plus l'on voudra décrire le réel, témoigner de la réalité sociale. Ainsi on dissimulera l'aspect fictif de l'histoire produite par la narration à l'aide de descriptions détaillées, concrètes, abondantes.

Le roman réfléchi ou l'histoire d'une narration

Une remise en question

La définition qu'on a donnée du roman renvoie aux règles de fonctionnement des textes narratifs qui offrent au lecteur une représentation du monde, qui confèrent aux composantes de l'oeuvre (histoire, personnage, temps, espace...) l'illusion de la réalité. Cependant, la littérature moderne, dans un cheminement continu à partir, entre autres, des oeuvres de Stendhal, Proust, Joyce, Kafka, Faulkner, Beckett, a largement remis en question ce code de narration. Ce questionnement s'est systématisé dans ce qu'il est convenu d'appeler le Nouveau Roman, c'est-à-dire dans les formes romanesques qui ont fait le procès des attributs traditionnels du roman: «*Le roman nouveau (désigne) tout texte qui pose à l'intérieur de lui-même le problème de son fonctionnement*» [5].

Le personnage

Les piliers du monde romanesque traditionnel sont le personnage et l'histoire. Or, dans la littérature moderne, le personnage est apparu comme incongru. Son statut a fait l'objet, dans les oeuvres mêmes, d'incessantes réévaluations.

Ce qui a été mis en cause, c'est principalement l'unité de son identité et sa place prépondérante comme organisateur de la fiction. De nombreux procédés ont été mis en oeuvre pour arriver à cette mise en cause, à travers le personnage, de la fonction de représentation du texte de fiction. Par exemple, les attributs traditionnels du personnage (nom, rôle social, apparence...) seront dissociés en fragments, en composantes inconciliables. Ainsi, ces parties réunies ne constitueront pas l'unité d'une identité. De plus, on établira des ressemblances entre les attributs de plusieurs personnages: trois personnages, par exemple, d'un même roman seront peintres. Ou encore, le même personnage sera impliqué dans des événements incompatibles sur le plan de la logique narrative. Ce ne sont là que quelques procédés employés pour faire éclater cette unité que constitue le personnage.

Ainsi, le personnage qui réagit en fonction d'une personnalité, d'une psychologie, d'une caractérisation sociale s'est progressivement vidé de son altérité et de ce qui la fondait: le renvoi à une personne réelle. Lui a succédé le personnage qui n'existe qu'en fonction du texte qui le crée: son regard, ses perceptions, ses inspirations, ses actions se sont imposés comme son expérience limitée, fragmentaire de la réalité. Avant l'oeuvre, il n'y a pas de personnage; après non plus: «*Le seul 'personnage' important est le (lecteur); c'est dans sa tête que se déroule toute l'histoire, qui est exactement imaginée par lui*» [6].

L'histoire

On l'a dit: avec le nouveau roman, on passe de la narration d'une histoire à l'histoire d'une narration. Pourquoi remettre en cause le récit? C'est que pour les romanciers modernes «*Raconter est devenu proprement impossible, [...] Ce n'est pas l'anecdote qui fait défaut, c'est seulement son caractère de certitude, sa tranquillité, son innocence*» [7]. Bref, devient de plus en plus suspecte l'attitude de celui qui raconte pour faire croire que l'histoire est réelle, qu'elle peut s'imposer comme un relais pour le lecteur dans sa saisie de la réalité. Là encore, c'est en utilisant les éléments même de l'histoire que l'on contestera la référence au réel et que l'on tentera d'imposer «*le déroulement même d'une histoire qui (n'a) d'autre réalité que celle du récit [...]*» [8]. Renonçant à raconter et à accréditer l'idée d'une plénitude et d'une signification du monde, le romancier fera disparaître purement et simplement l'histoire ou offrira un foisonnement d'histoires.

Dans la même veine, le romancier n'hésitera pas à récupérer, au profit du texte, les éléments de la représentation. L'histoire ou les composantes du texte se réfléchiront selon un processus d'auto-représentation, de mise en abyme: «*La mise en abyme [...] offre une sorte de résumé; c'est le micro-récit du récit. Là, elle conteste la fiction en annonçant discrètement, comme en une allégorie, la fin de cette fiction même. Ailleurs, elle permet au récit de s'assumer comme récit en tournant délibérément le dos à toute idée de représentation»* [9]. Ainsi la narration détruit au fur et à mesure l'illusion de la fiction et s'impose comme telle: *«Le roman, ce n'est plus un miroir qu'on promène le long d'une route; c'est l'effet de miroir parfait agissant en lui-même. Il n'est plus représentation: il est auto-représentation*[10].

Le temps, l'espace et les thèmes

Rendre impossible la reconstitution d'un déroulement chronologique; perturber la temporalité; viser à abolir le temps dans le récit; décrire avec une minutie obsessionnelle les lieux, les objets; répéter ces descriptions en faisant varier les composantes; empêcher leur représentation en rendant incompatible l'assemblage des éléments; exagérer les thèmes: érotisme, mort... Voilà quelques moyens utilisés dans le nouveau roman pour mettre en cause l'illusion de la représentation et pour imposer le texte dans son propre fonctionnement, pour mettre en procès le romanesque par une exagération du romanesque.

Une autre lecture

Les mêmes composantes sont utilisées dans les deux codes, mais elles convergent vers des finalités différentes et renvoient à des conceptions différentes et du monde, et du récit. Chaque type de récit appelle également à des lectures différentes. Par exemple, il serait vain, dans un nouveau roman où l'organisation chronologique est mise en cause, de tenter de reconstituer l'histoire; dans ce cas, la fidélité au texte impose de le percevoir avant tout comme un travail d'écriture. Le lecteur devra alors explorer les possibilités que lui offre le texte; il devra à son tour produire ce texte: *«Jusqu'ici, le cas du simple lecteur était désespéré dans la mesure où, justement, il ne voyait pas comment cesser d'être seulement un lecteur. Il ne comprenait pas comment il était possible d'engendrer du texte. Il n'engendrait pas: il en consommait. Ce que j'essaie de faire, je m'en rends de mieux en mieux compte, c'est en somme de transformer le lecteur en écrivain»*[11].

La tradition romanesque du roman miroir

La mise en cause des caractéristiques traditionnelles du roman n'a pas empêché le roman de la tradition de proliférer. Ce roman persévère dans l'exploitation d'une fiction vraisemblable et persuasive. Il *«suppose l'homme capable d'ordonner et d'unifier sa vision de la réalité, de s'accomplir dans l'histoire ou dans ses passions, de communiquer avec autrui, à tout le moins d'expliquer pourquoi il ne le peut»*[12]. S'il est impossible d'en cerner toutes les

orientations, on peut par contre en dégager quelques caractéristiques.
- Il vise à la lisibilité, évite de susciter les résistances de la part du lecteur.
- Il maintient l'histoire comme cadre de structuration du récit et le personnage comme organisateur principal de la fiction.
- Le personnage, même s'il est réduit à une conscience, conserve son unité psychologique, sa cohérence d'action.
- La fiction maintient sa vraisemblance et sa crédibilité d'ensemble: elle renvoie à une image du monde, de la réalité; dévoile un aspect de la société ou de l'homme.
- Le fonctionnement de l'oeuvre est rarement l'objet même du récit: il n'est presque jamais remis en cause [13].

Le lecteur du roman miroir peut certes avoir une simple attitude de consommateur d'anecdotes, mais il peut également activer les réseaux de relations en oeuvre dans le texte et procéder à une lecture aussi créatrice et aussi active que celle du roman réfléchi.

Le roman et les autres récits

Le roman, on l'a vu, est une forme particulière de récit. À ce titre, il implique un processus de narration qui s'enclenche à partir d'une histoire. Parfois, la narration sera engendrée, comme dans le nouveau roman, par des éléments différents: jeux entre des motifs ou des thèmes, métaphores structurales, voire rapprochement de différents textes soumis au travail d'écriture ou liaisons entre des figures abstraites.

Le fait de raconter des événements peut cependant s'actualiser dans plusieurs autres formes narratives: mythe, autobiographie, conte, nouvelle, récit fantastique, bande dessinée, récit de science-fiction, roman policier... Dans le contexte de ce livre, il est impossible d'approfondir les liens et les différences entre ces formes de récit. Cependant, le fait de situer quelques coordonnées permettra aux intéressés de poursuivre la réflexion.

Le récit intervient fréquemment dans la vie de tous les jours. Les diverses formes que prend le récit sont habituellement regroupées en deux grandes catégories: le récit véridique et le récit de fiction [14].

Le récit véridique

Le récit véridique, c'est le récit attesté, c'est-à-dire celui qui se dit ou se veut véridique. Il est soit personnel: mémoire, récit de voyages, autobiographie, confession..., soit impersonnel: l'histoire ou le mythe. Il va de soi que le récit historique n'est pas impersonnel dans le sens où il serait une pure retranscription des faits, mais plutôt parce que celui qui l'écrit doit être fidèle aux faits. Le récit historique est toujours élaboration d'un sens et, en ce domaine, comme en celui de l'information, nul ne peut prétendre à l'objectivité totale. Enfin, le mythe renvoie à «*un récit traditionnel qui établit les fondements d'une civilisation, justifie les croyances et les coutumes d'un groupe humain*» [15].

Le récit de fiction

Le récit de fiction, c'est le récit «*délibérément inventé*». Il peut masquer les indices de cette invention (roman réaliste) ou afficher clairement son appartenance à la fiction: récits fantastiques, récits de science-fiction...

On distingue habituellement le roman du conte et de la nouvelle qui font partie de ce que Nora Scott appelle le «*narratif bref*» [16].

Le conte

Le conte s'inscrit le plus souvent dans le merveilleux, le symbolique, la féérie; c'est le monde du «*Il était une fois...*» où les personnages sont simplifiés, grossis, où l'intention didactique ou moralisatrice affleure souvent (conte moral, conte satirique), voire la démonstration philosophique (contes de Voltaire). Mais une solide tradition souligne aussi la tangente licencieuse de ce type de récit. Provenant de la tradition orale, il conserve cette mise en relief d'un sens à transmettre, qui a le plus souvent une portée édifiante.

La nouvelle

La nouvelle, elle, est un récit bref de construction dramatique qui présente des personnages peu nombreux. On insiste donc sur la narration brève et concentrée, dominée par quelques événements et agencée en fonction d'un effet à produire: «*Le roman s'inscrit en longueur de temps et court ses risques; il peut, à mesure qu'il se fait, apporter à l'auteur bien des surprises; c'est un monde essentiellement libre. Tandis que nous voyons dans la structure de la nouvelle, malgré la liberté des images, une sorte de nécessité*» [17]. Bref, comme le souligne B. Eikhenbaum, «*Tout, dans la nouvelle comme dans l'anecdote, tend vers la conclusion*» [18].

Les orientations

Le roman, le conte, la nouvelle de même que tout autre récit peuvent prendre diverses orientations. Celles-ci ont fait l'objet de multiples typologies. En effet, le classement peut s'opérer à partir des catégories d'intrigues (action, personnages, pensées) [19], du contenu (les thèmes) ou de la nature des faits qui composent l'histoire (roman d'amour, de guerre, d'aventures, d'anticipation, roman historique, populiste, féministe, policier...), de l'écriture (prosaïque, poétique...), du support (bande dessinée, récit filmique, récit oral, récit écrit), du ton (satirique, humoristique, comique, romantique...), de leurs liens avec le réel (réaliste, naturaliste, fantastique, allégorique...), des finalités (décrire le monde en portant un jugement sur lui, raconter une expérience individuelle, inventer un univers surréel...).

Cette démarche n'est guère opératoire. Robert Desnos avait d'ailleurs déjà souligné l'apparente impossibilité d'opérer un classement satisfaisant des types de romans ou des tendances romanesques: «*Roman psychologique, roman d'introspection, réaliste, naturaliste, de moeurs, à thèse, régionaliste, allégorique, fantastique, noir, romantique, populaire, feuilleton, humoristique, d'atmosphère, poétique, d'anticipation, maritime, d'aventures, policier, scientifique, historique, ouf! et j'en oublie! Quel fatras! Quelle confusion!*» [20].

De quelques tendances

Il semble donc plus fructueux de s'attarder à isoler un modèle narratif qui rende compte de la structure du récit par delà cette apparente diversité. On y reviendra dans le chapitre qui traitera de l'intrigue. Cependant, bon nombre d'expressions que l'on retrouve dans ces classements sont fréquemment employées. Aussi donnera-t-on une brève explication des plus fréquentes.

Le roman policier

Le roman policier le plus connu est le roman à énigme. On y retrouve les grands traits du roman sur le plan narratif. Cependant, l'intrigue se module de façon particulière: «*Il y a d'une part plusieurs solutions faciles, à première vue tentantes, mais qui se révèlent fausses l'une après l'autre; d'autre part, une solution tout à fait invraisemblable, à laquelle on n'aboutira qu'à la fin, et qui se révèlera la seule vraie*» [21].

On comprendra qu'il ne s'agit là que d'un des aspects d'un genre foisonnant dont l'évolution a été particulièrement rapide et radicale (Carr, Christie, Simenon, Steeman, Van Dine...). Il s'agit ici du roman dont le héros est l'enquêteur, du «*murder-party*», du roman de tête[22].

Puis le roman policier a bifurqué vers le suspense ou roman de nerfs dans lequel le héros est la victime tragique du destin (Boileau-Narcejac, Patricia Highsmith...). Un chef-d'oeuvre du genre est *Ascenseur pour l'échafaud* de Noël Calef [23]; le prototype de ces récits est *Oedipe-Roi* de Sophocle.

Il a bifurqué également, surtout aux États-Unis, vers le «*thriller*» ou roman de tripes dans lequel le héros est l'assassin, ni plus ni moins symphatique que l'enquêteur (Brown, Chase, Cheyney, Himes, Mc Donald...). Ce sont des romans de violence et d'action, de sexe et d'ambition. *Le dogue* de Mickey Spillane [24] en est un bel exemple.

Enfin, il s'est allié le roman d'espionnage qui fusionne le goût de l'actualité politique, des enjeux économiques et technologiques, et celui de l'exotisme et de l'évasion (Ian Fleming, John Le Carré, Gérard de Villiers...). On jugera du genre en dévorant *La mémoire dans la peau* de Robert Ludlum. [25]

Pour une perspective plus complète, on se référera à quelques études récentes [26].

Le récit fantastique

Le récit fantastique, quant à lui, *«oblige le lecteur à considérer le monde des personnages comme un monde de personnes vivantes et à hésiter entre une explication naturelle et une explication surnaturelle des événements évoqués. Ensuite, cette hésitation peut être ressentie également par un personnage [...] Enfin, il importe que le lecteur adopte une certaine attitude à l'égard du texte: il refusera aussi bien l'interprétation allégorique que l'interprétation 'poétique'»* [27]. Mais cette définition ne satisfait pas tous les spécialistes du genre, comme on le constatera en lisant l'intéressant volume d'Irène Bessière et le dossier de *Québec français* [28].

La science-fiction

La science-fiction, elle aussi, mérite que l'on reconnaisse sa spécificité: Versins la définit comme *«une forme de conjecture romanesque rationnelle»* [29]. En ce sens, elle s'oppose au roman fantastique dans la mesure où elle propose une explication rationnelle ou repose sur une explication vraisemblable d'événements racontés et d'univers proposés. L'expression *roman de science-fiction* a remplacé celle de *roman d'anticipation* sous l'influence américaine et devant la constatation que le genre ne propose pas que des univers de demain. Ce genre de récit fait appel à la culture scientifique contemporaine (technologie, chimie, physique, biologie, génétique; mais aussi écologie, socio-linguistique, anthropologie, sociologie, politique, sexologie...). Le genre s'alimente de plus en plus aux mythologies et se propose comme véhicule voire comme créateur de mythes modernes. Il est surtout produit par des civilisations scientifiques et technologiques avancées (États-Unis, Europe, U.R.S.S., Japon et, de plus en plus, Québec); il apparaît un peu comme la bonne ou mauvaise conscience des cultures matérialistes.

Dune de l'Américain Frank Herbert [30] et *Le silence de la cité* de la Québécoise Élisabeth Vonarburg [31] sont de récents chefs-d'œuvre du genre. On complétera son information en se référant à quelques études récentes [32].

Le récit autobiographique et le récit historique

On a classé le roman dans la catégorie des récits de fiction. Cependant, en ce qui a trait aux romans autobiographiques et aux romans historiques, il y a chevauchement des catégories. Ces formes relèvent également du récit véridique et du récit de fiction.

Le roman autobiographique ou «*roman de mémoire*», selon l'expression de Jocelyne François, est une mise à distance de faits réels et leur réorganisation par un appel à la mémoire et à l'imagination. Dans le roman autobiographique, le narrateur dit JE et ce JE, image et masque de l'auteur, fait référence à des faits qui se sont réellement déroulés.

Que l'on songe à *Pieds nus dans l'aube* de Félix Leclerc, à *Dans un gant de fer* de Claire Martin, à *Ces enfants de ma vie* de Gabrielle Roy... Que l'on songe également à *Enfance* de Maxime Gorki, à *Joue-nous España* de Jocelyne François, à *La dérobade* de Jeanne Cordelier, à *Le pain nu* de Mohamed Choukri, ou enfin, aux *Confessions* de Jean-Jacques Rousseau: «*Le seul et le vrai roman de J.-J. Rousseau est sans doute constitué par les* Confessions. *Pourtant, il n'a reconnu comme roman que* La Nouvelle Héloïse» [33].

Le roman historique constitue, lui aussi, une zone de recoupement entre les catégories. Pour être personnage de roman, le personnage historique doit devenir personnage fictif, sinon l'auteur reste au seuil du récit de fiction. Dorrit Cohn, rappelant l'étude de E.M. Forster, *Aspects of the Novel*, souligne «*qu'il n'appartient pas à un romancier d'écrire un roman sur la reine Victoria, à moins qu'il n'ait l'intention d'en révéler, à la source même, la vie cachée (...), de donner naissance à un personnage qui n'est plus la reine Victoria de l'histoire d'Angleterre*» [34]. On se rappellera le rôle que cette reine joue dans *Moi d'abord* de Katherine Pancol.

L'affirmation de Forster trouve écho dans les grands romans historiques. Par exemple, *Mémoires d'Hadrien* de Marguerite Yourcenar fait revivre l'empereur Hadrien. Dans un long monologue intérieur, il s'efforce de retracer les étapes de sa vie. Mais cette vie intérieure est le tissu narratif qui en fait un personnage de fiction. D'ailleurs, la romancière elle-même souligne les liens qui unissent l'Histoire et la Fiction: «*Ceux qui mettent le roman historique dans une catégorie à part oublient que le romancier ne fait jamais qu'interpréter, à l'aide des procédés de son temps, un certain nombre de faits passés, de souvenirs conscients ou non, personnels ou non, tissus de la même matière que l'Histoire. (...) De notre temps, le roman historique, ou ce que, par commodité, on consent à nommer tel, ne peut être que plongé dans un temps retrouvé, prise de possession d'un monde intérieur*» [35].

*
* *

Toutes ces formes narratives sont des récits [36]. On y retrouvera donc, selon les modalités propres au genre, les composantes essentielles du récit mais modifiées.

Le projet de lecture

L'univers romanesque demande, pour vivre vraiment, à être réactivé par un lecteur actif et sensible à ses principales dimensions: «*Les romans ne sont rien sans ceux qui les lisent. Écrire, lire sont les deux faces d'un travail. La lecture d'un roman [...] est bien une lecture qui travaille, ce qui n'exclut pas que ce travail soit jouissance. [...] On verra alors que les romans sont beaucoup plus que des histoires qu'on recopie pour nous faire oublier nos soucis; ils sont devenus des traces que nous repérons pour nous retrouver, nous perdre, prendre nos distances, nourrir nos actions*» [37].

C'est cet arrière-plan qui justifie le projet de lecture. L'effort, le travail, l'attention, non pour eux-mêmes, mais pour établir, à travers cette manière de lire, une communication profonde avec l'oeuvre et la communauté humaine qui transmet, par elle, les éclats de son héritage.

Dans les chapitres qui suivront, chaque dimension du projet de lecture (l'intrigue, la voix narrative et le point de vue, les personnages, le temps et l'espace, les thèmes) sera reprise et approfondie. À la vue d'ensemble succédera donc une *mise au foyer* sur chaque composante du projet. La dimension théorique sera consolidée par une phase d'analyse et d'observation à partir d'extraits de roman. Elle débouchera sur une étape de production, d'écriture, qui sera la mise en oeuvre des connaissances acquises. Cette démarche, accomplie en tout ou en partie, favorisera une meilleure compréhension de l'oeuvre romanesque.

En guise de rappel

Deux grands codes narratifs dominent les productions romanesques. Ils sont des manières de penser le roman dans son rapport avec le réel.

Dans le code de la **représentation**, le roman est la narration d'une histoire dans laquelle les composantes de l'oeuvre visent à créer un effet de réel, à représenter la réalité.

Dans le code de la **production**, le roman est un travail d'écriture qui s'élabore à partir d'éléments diversifiés: histoires, mots, métaphores structurales, figures géométriques... Le fonctionnement de l'oeuvre est alors souvent l'objet même du récit, lequel apparaît comme «l'aventure d'une écriture» (Ricardou).

De nombreux classements des oeuvres romanesques sont possibles selon les paramètres utilisés. Mais il semble plus fructueux d'isoler un modèle narratif qui rende compte de la structure du récit par delà l'apparente diversité des formes ou des orientations romanesques.

On classe habituellement les oeuvres narratives en deux grandes catégories: les récits véridiques et les récits de fiction.

Le roman est un récit de fiction bien que le roman autobiographique et le roman historique soient des types d'oeuvres qui recoupent les catégories de récits de fiction et de récits véridiques.

Questions

1 - Quelles orientations le rapport du texte au réel a-t-il prises?

2 - Qu'est-ce que l'histoire? La narration? L'intrigue?

3 - À partir d'un roman que vous connaissez bien, montrez, en vous servant de certaines de ses composantes essentielles (histoire, personnages, temps, espace, thèmes...), qu'il vise à produire un effet de réel, à simuler la réalité.

4 - Pourquoi, pour certains romanciers modernes, le personnage et l'histoire ont-ils paru suspects?

5 - Quelles modifications des habitudes de lecture provoquent les nouveaux romans?

6 - Dans la littérature moderne, qu'appelle-t-on «*roman de la tradition*»?

7 - Quelles sont les deux grandes catégories de récits? Le roman se rattache à quelle catégorie? Expliquez.

8 - Qu'est-ce qui différencie le roman du conte et de la nouvelle?

9 - Quelles sont les grandes caractéristiques, selon vous, du roman policier, du récit fantastique et du roman de science-fiction?

10 - À quelles conditions un personnage historique peut-il devenir personnage d'un récit de fiction? Prenez un exemple concret: à quelles conditions la vie de Maurice Richard, de Gilles Villeneuve ou de Gaétan Boucher pourrait-elle devenir la trame d'un roman?

11 - Vérifier la définition du roman proposée en prenant pour exemple le dernier roman que vous avez lu.

B- OBSERVATION ET ANALYSE

Texte 1: «Une vendetta»
Guy de Maupassant

«Une vendetta» s'inscrit dans le code narratif de la représentation.

La veuve de Paolo Saverini habitait seule avec son fils une petite maison pauvre sur les remparts de Bonifacio. La ville, bâtie sur une avancée de la montagne, suspendue même par places au-dessus de la mer, regarde, par-dessus le détroit hérissé d'écueils, la côte plus basse de la Sardaigne. À ses pieds, de l'autre côté, la contournant presque entièrement, une coupure de la falaise, qui ressemble à un gigantesque corridor, lui sert de port, amène jusqu'aux premières maisons, après un long circuit entre deux murailles abruptes, les petits bateaux pêcheurs italiens ou sardes, et, chaque quinzaine, le vieux vapeur poussif qui fait le service d'Ajaccio.

Sur la montagne blanche, le tas de maisons pose une tache plus blanche encore. Elles ont l'air de nids d'oiseaux sauvages, accrochées ainsi sur ce roc, dominant sur ce passage terrible où ne s'aventurent guère les navires. Le vent, sans repos, fatigue la côte nue, rongée par lui, à peine vêtue d'herbe; il s'engouffre dans le détroit, dont il ravage les deux bords. Les traînées d'écume pâle, accrochées aux pointes noires des innombrables rocs qui percent partout les vagues, ont l'air de lambeaux de toiles flottant et palpitant à la surface de l'eau.

La maison de la veuve Saverini, soudée au bord même de la falaise, ouvrait ses trois fenêtres sur cet horizon sauvage et désolé.

Elle vivait là, seule, avec son fils Antoine et leur chienne «Sémillante», grande bête maigre, aux poils longs et rudes, de la race des gardeurs de troupeaux. Elle servait au jeune homme pour chasser.

Un soir, après une dispute, Antoine Saverini fut tué traîtreusement, d'un coup de couteau, par Nicolas Ravolati, qui, la nuit même, gagna la Sardaigne.

Quand la vieille mère reçut le corps de son enfant, que des passants lui rapportèrent, elle ne pleura pas, mais elle demeura longtemps immobile à le regarder puis, étendant sa main ridée sur le cadavre, elle lui promit la vendetta. Elle ne voulut point qu'on restât avec elle, et elle s'enferma auprès du corps avec la chienne, qui hurlait. Elle hurlait, cette bête, d'une façon continue, debout au pied du lit, la tête tendue vers son maître, et la queue serrée entre les pattes. Elle ne bougeait pas plus que la mère, qui, penchée maintenant sur le corps, l'oeil fixe, pleurait de grosses larmes muettes en le contemplant.

Le jeune homme, sur le dos, vêtu de sa veste de gros drap, trouée et déchirée à la poitrine, semblait dormir; mais il avait du sang partout sur la chemise arrachée pour les premiers soins; sur son gilet, sur sa culotte, sur la face, sur les mains. Des caillots de sang s'étaient figés dans la barbe et dans les cheveux.

La vieille mère se mit à lui parler. Au bruit de cette voix, la chienne se tut.

— Va, va, tu seras vengé, mon petit, mon garçon, mon pauvre enfant. Dors, dors, tu seras vengé, entends-tu? C'est la mère qui le promet! Et elle tient toujours sa parole, la mère, tu le sais bien.

Et lentement elle se pencha vers lui, collant ses lèvres froides sur les lèvres mortes.

Alors, Sémillante se remit à gémir. Elle poussait une longue plainte monotone, déchirante, horrible.

Elles restèrent là, toutes les deux, la femme et la bête, jusqu'au matin.

Antoine Saverini fut enterré le lendemain, et bientôt on ne parla plus de lui dans Bonifacio.

Il n'avait laissé ni frère, ni proches cousins. Aucun homme n'était là pour poursuivre la vendetta. Seule, la mère y pensait, la vieille.

De l'autre côté du détroit, elle voyait du matin au soir un point blanc sur la côte. C'est un petit village sarde, Longosardo, où se réfugient les bandits corses traqués de trop près. Ils peuplent presque seuls ce hameau, en face des côtes de leur patrie, et ils attendent là le moment de revenir, de retourner au maquis. C'est dans ce village, elle le savait, que s'était réfugié Nicolas Ravolati.

Toute seule, tout le long du jour, assise à sa fenêtre, elle regardait là-bas en songeant à la vengeance. Comment ferait-elle sans personne, infirme, si près de la mort? Mais elle avait promis, elle avait juré sur le cadavre. Elle ne pouvait oublier, elle ne pouvait attendre. Que ferait-elle? Elle ne dormait plus la nuit; elle n'avait plus ni repos ni apaisement; elle cherchait, obstinée. La chienne, à ses pieds, sommeillait, et, parfois, levant la tête, hurlait au loin. Depuis que son maître n'était plus là, elle hurlait souvent ainsi, comme si elle l'eût appelé, comme si son âme de bête, inconsolable, eût aussi gardé le souvenir que rien n'efface.

Or, une nuit, comme Sémillante se remettait à gémir, la mère, tout à coup, eut une idée, une idée de sauvage vindicatif et féroce. Elle la médita jusqu'au matin; puis levée dès les approches du jour, elle se rendit à l'église. Elle pria, prosternée sur le pavé, abattue devant

Dieu, le suppliant de l'aider, de la soutenir, de donner à son pauvre corps usé la force qu'il lui fallait pour venger le fils.

Puis elle rentra. Elle avait dans sa cour un ancien baril défoncé, qui recueillait l'eau des gouttières; elle le renversa, le vida, l'assujettit contre le sol avec des pieux et des pierres; puis elle enchaîna Sémillante à cette niche, et elle rentra.

Elle marchait maintenant, sans repos, dans sa chambre, l'œil fixé toujours sur la côte de Sardaigne. Il était là-bas, l'assassin.

La chienne, tout le jour et toute la nuit hurla. La vieille, au matin, lui porta de l'eau dans une jatte; mais rien de plus: pas de soupe, pas de pain.

La journée encore s'écoula. Sémillante, exténuée, dormait. Le lendemain, elle avait les yeux luisants, le poil hérissé, et elle tirait éperdument sur sa chaîne.

La vieille ne lui donna encore rien à manger. La bête, devenue furieuse, aboyait d'une voix rauque. La nuit encore se passa.

Alors, au jour levé, la mère Saverini alla chez le voisin, prier qu'on lui donnât deux bottes de paille. Elle prit de vieilles hardes qu'avait portées autrefois son mari, et les bourra de fourrage, pour simuler un corps humain.

Ayant piqué un bâton dans le sol, devant la niche de Sémillante, elle noua dessus ce mannequin, qui semblait ainsi se tenir debout. Puis elle figura la tête au moyen d'un paquet de vieux linge.

La chienne, surprise, regardait cet homme de paille, et se taisait bien que dévorée de faim.

Alors la vieille alla acheter chez le charcutier un long morceau de boudin noir. Rentrée chez elle, elle alluma un feu de bois dans sa cour, auprès de la niche, et fit griller son boudin. Sémillante, affolée, bondissait, écumait, les yeux fixés sur le gril, dont le fumet lui entrait au ventre.

Puis la mère fit de cette bouillie fumante une cravate à l'homme de paille. Elle la lui ficela longtemps autour du cou, comme pour lui entrer dedans. Quand ce fut fini, elle déchaîna la chienne.

D'un saut formidable, la bête atteignit la gorge du mannequin, et, les pattes sur les épaules, se mit à la déchirer. Elle retombait, un morceau de sa proie à la gueule, puis s'élançait de nouveau, enfonçait ses crocs dans les cordes, arrachait quelques parcelles de nourriture, retombait encore, et rebondissait, acharnée. Elle enlevait le visage par grands coups de dents, mettait en lambeaux le col entier.

La vieille, immobile et muette, regardait, l'œil allumé. Puis elle renchaîna sa bête, la fit encore jeûner deux jours, et recommença cet étrange exercice.

Pendant trois mois, elle l'habitua à cette sorte de lutte, à ce repas conquis à coups de crocs. Elle ne l'enchaînait plus maintenant, mais elle la lançait d'un geste sur le mannequin.

Elle lui avait appris à le déchirer, à le dévorer, sans même qu'aucune nourriture fût cachée en sa gorge. Elle lui donnait ensuite, comme récompense, le boudin grillé pour elle.

Dès qu'elle apercevait l'homme, Sémillante frémissait, puis tournait les yeux vers sa maîtresse, qui lui criait: «Va!» d'une voix sifflante, en levant le doigt.

Quand elle jugea le temps venu, la mère Saverini alla se confesser et communia un dimanche matin, avec une ferveur extatique; puis, ayant revêtu des habits de mâle, semblable à un vieux pauvre déguenillé, elle fit marché avec un pêcheur sarde, qui la conduisit, accompagnée de sa chienne, de l'autre côté du détroit.

Elle avait, dans un sac de toile, un grand morceau de boudin. Sémillante jeûnait depuis deux jours. La vieille femme, à tout moment, lui faisait sentir la nourriture odorante, et l'excitait.

Elles entrèrent dans Longosardo. La Corse allait en boitillant. Elle se présenta chez un boulanger et demanda la demeure de Nicolas Ravolati. Il avait repris son ancien métier, celui de menuisier. Il travaillait seul au fond de sa boutique.

La vieille poussa la porte et l'appela:

— Hé! Nicolas!

Il se tourna: alors, lâchant sa chienne, elle cria:

— Va, va, dévore, dévore!

L'animal, affolé, s'élança, saisit la gorge. L'homme étendit les bras, l'étreignit, roula par terre. Pendant quelques secondes, il se tordit, battant le sol de ses pieds; puis il demeura immobile, pendant que Sémillante lui fouillait le cou, qu'elle arrachait par lambeaux. Deux voisins, assis sur leur porte, se rappelèrent parfaitement avoir vu sortir un vieux pauvre avec un chien noir efflanqué qui mangeait, tout en marchant, quelque chose de brun que lui donnait son maître.

La vieille, le soir, était rentrée chez elle. Elle dormit bien, cette nuit-là.

Guy de Maupassant «Une vendetta»
Contes choisis, Paris, Éditions Albin Michel, 1960, 382 pages, pp. 375 à 380.

Questions

1 - Faites la liste des événements de l'histoire.

2 - Est-il possible d'établir le déroulement chronologique de ces événements?

3 - Montrez que le personnage central peut être associé à une personne.

4 - Identifiez des composantes du texte qui servent à créer la vraisemblance.

5 - Montrez que l'effet du réel créé renvoie à des comportements sociaux.

6 - Comment classeriez-vous le texte parmi les différentes formes de récit? Justifiez votre réponse.

Texte 2: «Le remplaçant»
Alain Robbe-Grillet

«Le remplaçant» s'inscrit dans le code narratif de l'auto-représentation.

L'étudiant prit un peu de recul et leva la tête vers les branches les plus basses. Puis il fit un pas en avant, pour essayer de saisir un rameau qui semblait à sa portée; il se haussa sur la pointe des pieds et tendit la main aussi haut qu'il put, mais il ne réussit pas à l'atteindre. Après plusieurs tentatives infructueuses, il parut y renoncer. Il abaissa le bras et continua seulement à fixer des yeux quelque chose dans le feuillage.

Ensuite il revint au pied de l'arbre, où il se posta dans la même position que la première fois: les genoux légèrement fléchis, le buste courbé vers la droite et la tête inclinée sur l'épaule. Il tenait toujours sa serviette de la main gauche. On ne voyait pas l'autre main, de laquelle il s'appuyait sans doute au tronc, ni le visage qui était presque collé contre l'écorce, comme pour en examiner de très près quelque détail, à un mètre cinquante du sol environ.

L'enfant s'était de nouveau arrêté dans sa lecture, mais cette fois-ci il devait y avoir un point, peut-être même un alinéa, et l'on pouvait croire qu'il faisait un effort pour marquer la fin du paragraphe. L'étudiant se redressa pour inspecter l'écorce un peu plus haut.

Des chuchotements s'élevaient dans la classe. Le répétiteur tourna la tête et vit que la plupart des élèves avaient les yeux levés, au lieu de suivre la lecture sur le livre; le lecteur lui-même regardait vers la chaire d'un air vaguement interrogateur, ou craintif. Le répétiteur prit un ton sévère:

«Qu'est-ce que vous attendez pour continuer?»

Toutes les figures s'abaissèrent en silence et l'enfant reprit, de la même voix appliquée, sans nuance et un peu trop lente, qui donnait à tous les mots une valeur identique et les espaçait uniformément:

«Dans la soirée, Joseph de Hagen, un des lieutenants de Philippe, se rendit donc au palais de l'archevêque pour une prétendue visite de courtoisie. Comme nous l'avons dit les deux frères...»

De l'autre côté de la rue, l'étudiant scrutait à nouveau les feuilles basses. Le répétiteur frappa sur le bureau du plat de sa main:

«Comme nous l'avons dit, virgule, les deux frères...»

Il retrouva le passage sur son propre livre et lut en exagérant la ponctuation:

«Reprenez: «Comme nous l'avons dit, les deux frères s'y «trouvaient déjà, afin de pouvoir, le cas échéant, se retrancher derrière cet alibi...» et faites attention à ce que vous lisez.»

Après un silence, l'enfant recommença la phrase:

«Comme nous l'avons dit, les deux frères s'y trouvaient déjà, afin de pouvoir, le cas échéant, se retrancher derrière cet alibi - douteux en vérité, mais le meilleur qui leur fût permis dans cette conjoncture - sans que leur méfiant cousin...»

La voix monotone se tut brusquement, au beau milieu de la phrase. Les autres élèves, qui relevaient déjà la tête vers le pantin de papier suspendu au mur, se replongèrent aussitôt dans leurs livres. Le répétiteur ramena les yeux de la fenêtre jusqu'au lecteur, assis du côté opposé, au premier rang près de la porte.

«Eh bien, continuez! Il n'y a pas de point. Vous avez l'air de ne rien comprendre à ce que vous lisez!»

L'enfant regarda le maître, et au-delà, un peu sur la droite, le pantin de papier blanc.

«Est-ce que vous comprenez, oui ou non?»

- Oui, dit l'enfant d'une voix mal assurée.

- Oui, monsieur, corrigea le répétiteur.

- Oui, monsieur», répéta l'enfant.

Le répétiteur regarda le texte dans son livre et demanda:
«Que signifie pour vous le mot *alibi*?

L'enfant regarda le bonhomme de papier découpé, puis le mur nu, droit devant lui, puis le livre sur son pupitre; et de nouveau le mur, pendant près d'une minute.

«Eh bien?
- Je ne sais pas, monsieur», dit l'enfant.

Le répétiteur passa lentement la classe en revue. Un élève leva la main, près de la fenêtre du fond. Le maître tendit un doigt vers lui, et le garçon se leva de son banc:
«C'est pour qu'on croie qu'ils étaient là, monsieur.
- Précisez. De qui parlez-vous?
- Des deux frères, monsieur.
- Où voulaient-ils faire croire qu'ils étaient?
- Dans la ville, monsieur, chez l'archevêque.
- Et où étaient-ils en réalité?»

L'enfant réfléchit un moment avant de répondre.

«Mais ils y étaient vraiment, monsieur, seulement ils voulaient s'en aller ailleurs et faire croire aux autres qu'ils étaient encore là.»

Tard dans la nuit, dissimulés sous des masques noirs et enveloppés d'immenses capes, les deux frères se laissent glisser le long d'une échelle de corde au-dessus d'une ruelle déserte.

Le répétiteur hocha la tête plusieurs fois, sur le côté, comme s'il approuvait à demi. Au bout de quelques secondes, il dit: «Bon».

«Maintenant vous allez nous résumer tout le passage, pour vos camarades qui n'ont pas compris».

L'enfant regarda vers la fenêtre. Ensuite il posa les yeux sur son livre, pour les relever bientôt en direction de la chaire:
«Où faut-il commencer, monsieur?
- Commencez au début de chaque chapitre.»

Sans se rasseoir, l'enfant tourna les pages de son livre et, après un court silence, se mit à raconter la conjuration de Philippe de Cobourg. Malgré de fréquentes hésitations et reprises, il le faisait de façon à peu près cohérente. Cependant, il donnait beaucoup trop d'importance à des faits secondaires et, au contraire, mentionnait à peine, ou même pas du tout, certains événements de premier plan. Comme, par surcroît, il insistait plus volontiers sur les actes que sur leurs causes politiques, il aurait été bien difficile à un auditeur non averti de démêler les raisons de l'histoire et les liens qui unissaient les actions ainsi décrites entre elles comme avec les différents personnages. Le répétiteur déplaça insensiblement son regard le long des fenêtres. L'étudiant était revenu sous la branche la plus basse; il avait posé sa serviette au pied de l'arbre et sautillait sur place en levant un bras. Voyant que tous ses efforts étaient vains, il resta de nouveau immobile, à contempler les feuilles inaccessibles. Philippe de Cobourg campait avec ses mercenaires sur les bords du Neckar.

Les écoliers, qui n'étaient plus censés suivre le texte imprimé, avaient tous relevé la tête et considéraient sans rien dire le pantin de papier accroché au mur. Il n'avait ni mains ni pieds, seulement quatre membres grossièrement découpés et une tête ronde, trop grosse, où était passé le fil. Dix centimètres plus haut, à l'autre bout du fil, on voyait la boulette du buvard mâché qui le retenait.

Mais le narrateur s'égarait dans des détails tout à fait insignifiants et le maître finit par l'interrompre:

«C'est bien, dit-il, nous en savons assez comme ça. Asseyez-vous et reprenez la lecture en haut de la page: «Mais Philippe et ses partisans...»

Toute la classe, avec ensemble, se pencha vers les pupitres, et le nouveau lecteur commença, d'une voix aussi inexpressive que son camarade, bien que marquant avec conscience les virgules et les points:

«Mais Philippe et ses partisans ne l'entendaient pas de cette oreille. Si la majorité des membres de la Diète - ou même seulement le parti des barons - renonçaient ainsi aux prérogatives accordées, à lui comme à eux, en récompense de l'inestimable soutien qu'ils avaient apporté à la cause archiducale lors du soulèvement, ils ne pourraient plus dans l'avenir, ni eux ni lui, demander la mise en accusation d'aucun nouveau suspect, ou la suspension sans jugement de ses droits seigneuriaux. Il fallait à tout prix que ces pourparlers, qui lui paraissaient engagés de façon si défavorable à sa cause, fussent interrompus avant la date fatidique. Dans la soirée, Joseph de Hagen, un des lieutenants de Philippe, se rendit donc au palais de l'archevêque, pour une prétendue visite de courtoisie. Comme nous l'avons dit, les deux frères s'y trouvaient déjà...»

Les visages restaient sagement penchés sur les pupitres. Le répétiteur tourna les yeux vers la fenêtre. L'étudiant était appuyé contre l'arbre, absorbé dans son inspection de l'écorce. Il se baissa très lentement, comme pour suivre une ligne tracée sur le tronc - du côté qui n'était pas visible depuis les fenêtres de l'école. À un mètre cinquante du sol, environ, il arrêta son mouvement et inclina la tête sur le côté, dans la position exacte qu'il occupait auparavant. Une à une, dans la classe, les figures se relevèrent.

Les enfants regardèrent le maître, puis les fenêtres. Mais les carreaux du bas étaient dépolis et, au-dessus, ils ne pouvaient apercevoir que le haut des arbres et le ciel. Contre les vitres, il n'y avait ni mouche ni papillon. Bientôt tous les regards contemplèrent de nouveau le bonhomme en papier blanc.

Alain Robbe-Grillet, «Le remplaçant», *Instantanés*, Les Éditions de Minuit, Paris, 1962, 109 pages, pp. 14 à 24.

Questions

1 - Est-ce que ce texte correspond à l'idée que vous vous faites d'un récit? Expliquez. Quelles questions soulève ce texte?

2 - Pouvez-vous associer certaines d'entre elles à ce que dit le narrateur du résumé du texte lu par l'élève?

3 - Quel effet provoque le passage au début du texte entre l'enfant et l'étudiant, et vice-versa?

4 - Quel effet provoque l'association pantin-personnage?

5 - Quels liens établissez-vous entre le pantin et l'étudiant?

6 - Quels liens établissez-vous entre le texte lu par l'écolier, l'attitude des enfants qui regardent le pantin et celle du répétiteur qui regarde l'étudiant?

7 - Comment expliquer, à un certain moment donné, l'absence de guillemets quand on se réfère directement au texte de la conjuration de Philippe de Cobourg?

8 - À quoi renvoie le dernier paragraphe? Quelles implications a-t-il sur l'ensemble du texte?

NOTES

1 - Michel Butor, *Essais sur le roman*, Paris, NRF, coll. «Idées», 1969, 184 pages, p. 8.

2 - Jean-P. Goldenstein, *Pour lire le roman*, Paris-Gembloux, Duculot, 1980, 127 pages, p. 29.

3 - Françoise van Rossum-Guyon dans *Nouveau roman: hier, aujourd'hui*, Paris, U.G.E., 1972, 444 pages, p. 415.

4 - Mieke Bal, «L'analyse structurale du récit: Ordre dans le désordre», *Le français dans le monde*, Hachette/Larousse, juillet 1974, N° 130, pp. 6-14.

5 - Françoise van Rossum-Guyon, *op. cit.*, p. 415.

6 - Alain Robbe-Grillet, *Pour un nouveau roman*, Paris, coll. «Idées», NRF, Gallimard, 1963, 183 pages, p. 166.

7 - *Ibid.*, pp. 37-38.

8 - *Ibid.*, p. 167.

9 - Jean-P. Goldenstein, *op. cit.*, p. 19. voir également «Métaphore et nouveau roman» par Pierre et Madeleine Caminade dans *Nouveau Roman: hier, aujourd'hui, op. cit.*, pp. 255 à 276.

10 - Jean Ricardou, «Nouveau Roman, Tel Quel», dans *Poétique*, no 4, Paris, Seuil, 1970, pp. 433-454, p. 452.
   En fait, l'auto-représentation n'est qu'un des nombreux procédés utilisés pour mettre en échec la représentation du récit. Voici une synthèse des procédés d'écriture les plus utilisés dans le nouveau roman: «*La disparition du personnage comme centre organisateur de la fiction et, corrélativement, la suppression de la logique des actions comme facteur de structuration; en revanche, et suivant les textes:*
- *une multiplication des rôles et des centres de perspectives partiels et contradictoires:*
- *une prolifération des anecdotes:*
- *la reprise, aux fins de contournement ou de détournement, des grandes formes consacrées et, en particulier, des histoires;*
- *l'élaboration d'une nouvelle logique à partir de la double contrainte du mot à mot et du dessin général;*
- *la mise en jeu systématique de figures abstraites: géométriques, arithmétiques ou grammaticales (anagrammatiques);*
- *l'intertextualité par insertion littérale de textes, anciens ou contemporains, littéraires ou paralittéraires, qui sont soumis au travail de l'écriture;*
- *la multiplication des mises en abyme diffusées au niveau même de la phrase;*
- *l'exhibition des procédures de narration.*
   Tous ces procédés ont en commun de décentrer l'intérêt de l'histoire racontée vers le fonctionnement global du texte en mettant à nu le procès d'énonciation.» Françoise van Rossum-Guyon, *op. cit.*, pp. 402-403.

11 - Jean Ricardou dans *Nouveau roman: hier, aujourd'hui, op. cit.*, p. 404.

12 - Jacques Bersani, Michel Autrand, Jacques Lecarme, Bruno Vercier, *La littérature en France depuis 1945*, Paris, Bordas, 1970, 864 pages, p. 292.

13 - *Ibid.*

14 - Il ne s'agit pas d'une opposition entre le récit littéraire et non littéraire. Certains récits véridiques ont une valeur littéraire et plus d'un récit de fiction n'en a aucune.

15 - Roger Laufer, «Le récit non romanesque» dans *Le roman, le récit non romanesque, le cinéma* par G. Idt, R. Laufer, F. Montcoffe, Paris, F. Nathan, coll. «Littérature et langages», 1975, 430 pages, p. 233.

16 - *Contes pour rire? Fabliaux des XIIIe et XIVe siècles*, présentés par Nora Scott, Paris, coll. «10-18», 1977, 248 pages, p. 7.

17 - Pierre Lescure et Celia Bertin, «La nouvelle et le roman», revue *Roman*, n° 10, déc. 1953; cité par A. Chassang et Ch. Senninger, *Les textes littéraires généraux*, Paris, Hachette, 1958, 536 pages, p. 450.

18 - B. Eikhenbaum, *Théorie de la littérature*, cité par Josée Dupuy dans *Le roman policier*, Paris, Larousse, 1974, 191 pages, p. 22.

19 - C'est Normand Freidman qui présente le classement le plus détaillé des diverses formes d'intrigues. On trouvera des synthèses de ce travail dans le *Dictionnaire encyclopédique des sciences du langage* de Tzvetan Todorov (Seuil, 1972, pp. 380-382), dans *50 romans clés de la littérature française* de Jean-Claude Berton (Paris, Hatier, 1981, p. 148) et dans *Pour lire le roman* de Jean-P. Goldenstein, *op. cit.*, pp. 65 à 68.

20 - Robert Desnos, cité par Geneviève Idt, «Le roman» dans *Le roman, le récit non romanesque, le cinéma, op, cit.*, p. 14.

21 - Tzvetan Todorov, *Introduction à la littérature fantastique*, Paris, Seuil, 1970, 185 pages, p. 54. Michel Butor, dans *L'emploi du temps*, donne la définition suivante: «*Tout roman policier est bâti sur deux meurtres dont le premier, commis par l'assassin, n'est que l'occasion du second dans lequel il est la victime du meurtrier pur et impunissable, du détective qui le met à mort, non par un de ces moyens vils que lui-même était réduit à employer, le poison, le poignard, l'arme à feu silencieuse ou le bas de soie qui étrangle, mais par l'explosion de la vérité [...] Le détective est le fils du meurtrier, Oedipe, non seulement parce qu'il résout une énigme, mais aussi parce qu'il tue celui à qui il doit son titre, celui sans lequel il n'existerait pas comme tel.*»

22 - Jean-Marie Poupart, romancier québécois et lecteur impénitent de romans policiers, aime en proposer le classement suivant: romans de tête, romans de nerfs, romans de tripes.

23 - Paris, Fayard, 1956, coll. «Le livre de poche policier», no 1415, 256 pages.

24 - Paris, Fayard, 1972, coll. «Le livre de poche», no 2852, 443 pages.

25 - Paris, Laffont, 1981, coll. «Le livre de poche», no 7469, 704 pages.

26 - Boileau-Narcejac, *Le roman policier*, Paris, Payot, coll. «Petite Bibliothèque Payot», no 70, 1964, 235 pages.
Boileau-Narcejac, *Le roman policier*, Paris, P.U.F., coll. «Que sais-je?», no 1623, 1975, 128 pages.
Josée Dupuy, *Le roman policier*, Paris, Larousse, coll. «Textes pour aujourd'hui», 1974, 192 pages.
Thomas Narcejac, *Une machine à lire: le roman policier. Une littérature problème*, Paris, Denoël/Gonthier, coll. «Médiations», no 124, 1975, 256 pages.
Jean-Marie Poupart, *Les récréants. Essai sur le roman policier*, Montréal, Éditions du jour, 1972, 124 pages.

27 - Tzvetan Todorov, *Introduction à la littérature fantastique*, *op. cit.*, p. 37.

28 - Irène Bessière, *Le récit fantastique*, Paris, Larousse, 1974, 256 pages.
Québec français, Québec, no 50, mai 1983, pp. 26-57.

29 - Pierre Versins, *Encyclopédie de l'Utopie, des Voyages Extraordinaires et de la Science-Fiction*, Lausanne, l'Âge d'Homme, 1972.

30 - Paris, Laffont, coll. «Ailleurs et demain», 1972, 749 pages.

31 - Paris, Denoël, coll. «Présence du futur», no 327, 285 pages.

32 - Brian Ash, *Encyclopédie visuelle de la science-fiction*, Paris, Albin Michel, 1979, 352 pages.
Henri Baudin, *La science-fiction. Un univers en expansion*, Paris, bordas, 1971, 160 pages.
I. et G. Bodganoff, *Clefs pour la science-fiction*, Paris, Seghers, 1976, 384 pages.

Jean Gattegno, *La science-fiction*, Paris, P.U.F., coll. «Que sais-je?», no 1426, 1973, 128 pages.
Québec français, Québec, no 42, mai 1981, pp. 57-85.

33 - Georges Jean, *Le roman*, Paris, Seuil, coll. «Peuple et culture», 1971, 260 pages, p. 79.

34 - Dorrit Cohn, *La transparence intérieure*, Paris, Seuil. Coll. «Poétique», 315 pages, p. 17. La citation dans la citation est de E.M. Forster, *Aspects of the Novel* (1927), New York, 1954, p. 45. William Styron parlera, à propos du roman *Les confessions de Nat Turner*, de «*méditation sur l'histoire*».

35 - Marguerite Yourcenar, *Mémoires d'Hadrien*, Paris, Gallimard, coll. «Folio», 1974, 364 pages, pp. 330-331. Sur cet aspect du problème, lire «Le texte de l'histoire» dans *Poétique*, no 49, Paris, Seuil, février 1982.

36 - On pourra choisir soi-même ses lectures de romans d'aventures, de science-fiction et d'espionnage, de romans historiques, westerns, sentimentaux, fantastiques et policiers en consultant le très utile *Paralittératures* de Yvon Allard, Montréal, La centrale des bibliothèques, coll. «Sélections documentaires», 2, 1979, 728 pages.

37 - Georges Jean, *Le roman, op. cit.*, p. 251.

CHAPITRE 2

L'intrigue

A - THÉORIE

«**Qu'est-ce que ça raconte?**» Question que tout lecteur qui parle d'un roman peut se faire poser. De toute évidence, c'est là un centre d'intérêt du récit de fiction. L'histoire et sa structure - *l'intrigue* - sont indissociables, pour la majorité des lecteurs, de la notion de roman. Mais comment en rendre compte? Les résumer? Alors, quoi retenir? quoi éliminer? Et si l'on veut pousser plus loin: comment faire pour analyser la structure du récit, sa construction?

Pour répondre à ces questions, il faut distinguer deux niveaux d'analyse. Le premier tente de voir derrière l'infinie diversité des romans, les éléments qui sont constants. Il s'attache à dégager une structure-type valable pour la majorité des récits. Le second vise à rendre compte d'une oeuvre donnée dans son déroulement textuel. Ce sont ces deux orientations, dans l'analyse de l'intrigue, qui permettent de cerner le déroulement d'une oeuvre romanesque. On pourra ainsi dégager ce qui, dans un roman, relève d'une structure profonde valable pour la plupart des récits et ce qui particularise cette structure en une histoire différente de celle d'un autre roman.

Un modèle de déroulement

On sait qu'un roman est la narration d'une histoire. Il implique une succession d'événements répartis selon une logique narrative: «*Le roman, écrit Jean-Pierre Goldenstein, (...) organise les éléments narratifs, agence la succession des actes et des événements de façon à former une trame selon une logique, généralement causale et chronologique. C'est ce que l'on nomme l'intrigue*» [1]. Mais est-il possible d'isoler un modèle de déroulement qui permette d'appréhender l'histoire dans son ensemble?

Paul Larivaille offre un schéma général du roman en tant qu'histoire [2] qui peut servir de grille d'analyse. Il précise que tout récit s'ouvre sur une situation initiale qu'un événement viendra perturber. Cet événement, qui servira de déclencheur à un processus de transformation, mènera à une modification substantielle de cet état premier en un état nouveau. Si on prend l'exemple des contes traditionnels, on passe du «*Il était une fois*» au «*Ils vécurent heureux et eurent beaucoup d'enfants*».

Avant les événements	Les événements		Après les événements
État initial	Processus de transformation		État terminal
I	Provocation → Action → Sanction II III *résultat de l'action* IV		V

En effet, pour sortir de l'état initial, il faut un événement (provocation) qui déclenche le processus de transformation. Ce processus actualise une action qui recevra une sanction. L'aboutissement du processus sera un état nouveau. Le tout constitue une séquence. Parfois un état intermédiaire permettra de relancer l'action. Il va de soi que, dans un roman, on peut isoler plusieurs séquences de ce type. Celles-ci peuvent se combiner de diverses façons; elles s'enchaînent, s'enchâssent ou s'entrelacent.

Si on applique cette grille au texte de Guy de Maupassant (voir chapitre 1), on voit clairement ressortir la structure de ce bref récit, réel et pittoresque.

L'état initial: la veuve Paolo Saverini vit seule avec son fils et leur chienne dans une maison pauvre de Bonifacio.

Le processus de transformation
• *Provocation (fait déclencheur):* le fils de la veuve, Antoine Saverini, est tué par Nicolas Ravolati.
• *Action:* la mère promet de venger son fils.
• *Sanction:* elle réussit à tuer Nicolas Ravolati.

L'état terminal: la vieille est apaisée.

On voit que cette grille permet de dégager la structure de l'intrigue, de mettre à jour sa logique et de faire le partage entre l'essentiel et l'accessoire. Cependant, elle ne rend pas compte nécessairement du déroulement du texte. En effet, si dans le récit «*Une vendetta*», la chronologie avait été bouleversée, sa structure n'aurait pas été modifiée, mais son déroulement textuel, lui, l'aurait été. Il faut donc également être capable de rendre l'ordre de succession des événements. C'est le découpage en épisodes qui permet d'éclairer cet aspect.

L'épisode: une unité de découpage

L'**épisode**, c'est une division d'un roman. C'est aussi (en fonction du projet de lecture) une unité de découpage pour rendre compte du déroulement de l'intrigue dans l'ordre textuel (structure de surface). Vu sous cet angle, chaque épisode se caractérise par un ensemble d'événements regroupés autour d'un événement dominant. On laissera donc de côté les faits qui ne lui servent pas de support. L'épisode forme un tout en lui-même, mais il est nécessairement lié aux autres épisodes qui constituent le roman. Celui-ci produit des significations que chacun des épisodes ne possède pas, mais qui se dégagent de leur rapport.

Si on se réfère, à titre d'exemple, à *L'étranger* d'Albert Camus, dans l'épisode de la veillée mortuaire, Meursault boit un café. Ce fait sera sans doute saisi comme un geste anodin, n'ayant pas d'autres significations. Cependant, il sera repris lors de son procès et on tentera de l'interpréter au désavantage de Meursault, de montrer que c'est un exemple de son insensibilité et de son irrespect. Ce fait devient donc un événement significatif, mais la signification de ce geste se dégage de l'interaction des épisodes. Elle ne peut se révéler si l'on considère uniquement le premier épisode.

Les composantes d'un épisode

Tout épisode actualise la voix et le point de vue de narration, regroupe une série d'événements autour d'un événement dominant, concrétise les coordonnées spatio-temporelles propres à ces événements et révèle soit une étape de l'évolution psychologique d'un personnage (signification d'ordre psychologique), soit ses réflexions et ses préoccupations (signification d'ordre thématique). Selon le point de vue, ce sont les descriptions, les indications d'actions et de sentiments, la fréquence et le contenu des monologues et des dialogues qui permettront d'identifier de quelle dominante - psychologique ou thématique - il s'agit. Deux exemples fictifs feront bien comprendre la distinction:

- Rue Saint-Denis, juillet, 15 heures: la rencontre fortuite d'Isabelle provoque chez Pierre un bouleversement émotif: signification à dominante psychologique.
- Rue Saint-Denis, juillet, 15 heures: Paul et Marie, assis à un café-terrasse, discutent de pauvreté dans le tiers monde. Ils abordent les thèmes de l'exploitation, de la révolte et de la faim: signification à dominante thématique.

Dans *Le petit Prince* d'Antoine de Saint-Exupéry, la série de rencontres que fait le petit prince après avoir quitté sa planète correspond à une série d'épisodes. Avant d'arriver sur terre, il visite les astéroïdes 325, 326, 327, 328, 329 et 330. Sur chaque astéroïde, il fait la connaissance d'un adulte à qui il pose un certain nombre de questions car il veut s'instruire. Il y rencontre successivement un roi (chapitre X), un vaniteux (chapitre XI), un buveur (chapitre XII), un businessman (chapitre XIII), un allumeur de réverbères (chapitre XIV) et un géographe (chapitre XV).

Chaque visite sur un astéroïde constitue un épisode, car elle correspond à un *événement dominant* (la rencontre), autour de laquelle gravite *une série d'événements*: l'arrivée du petit prince, la discussion avec l'adulte, le départ du petit prince vers un autre astéroïde. De plus, chaque événement dominant correspond à un *lieu* distinct, ce qui n'est pas toujours le cas, et à un *temps* distinct dont la durée correspond à la conversation avec l'adulte. Ces événements sont tous racontés par le même narrateur: le pilote. Il narre l'histoire que lui a révélée le petit prince.

Quelques possibilités de découpage

Le découpage en fonction des épisodes

Un roman se présente généralement avec ses propres subdivisions: chapitres, parties, blancs typographiques. L'épisode correspond parfois au chapitre. Cependant, dans de nombreux cas, un chapitre comprendra plus d'un épisode. Ainsi est-il nécessaire, quand le cas se présente, d'identifier clairement les divers épisodes qui composent le chapitre. Voici un exemple de chaque possibilité.

L'épisode-chapitre

Le premier chapitre de *Vol de nuit* d'Antoine de Saint-Exupéry, qui raconte l'histoire des pionniers de l'aviation commerciale, correspond bien à la notion d'épisode-chapitre. Ce chapitre, en effet, présente un seul événement dominant: l'escale du pilote Fabien à San Julian. Autour de cet événement majeur gravitent certains autres événements: approche du village, escale, décollage. Le temps qui s'écoule va du crépuscule au coeur de la nuit. Quant à l'espace, l'action se déroule autour de San Julian.

De cet épisode se dégage une signification à la fois thématique et psychologique qui pourrait être la suivante:

• thématique: l'opposition de la vie de l'homme d'action et de celle du sédentaire marquée par son humble bonheur:

• psychologique: l'attirance momentanée de Fabien pour ce qui lui est refusé, à savoir l'aspect sécurisant, intime et immuable de la vie du sédentaire.

Les épisodes d'un chapitre

Dans de nombreux cas, le chapitre apparaît comme une unité plus large qui regroupe deux ou plusieurs épisodes. Le dernier chapitre *Des souris et des hommes* englobe deux épisodes. Le premier s'articule autour des apparitions de tante Clara et du lapin; le second, autour du meurtre de Lennie.

Le premier regroupe les événements suivants: l'arrivée de Lennie sur la rive, l'apparition de tante Clara et du lapin: leurs semonces.

On constate que le lieu est identique à celui du premier épisode du roman (près de la Salinas). L'action se déroule également en fin d'après-midi, début de soirée, mais trois jours plus tard, soit le dimanche. De plus, on observe une modification de point de vue. On passe en effet d'un narrateur neutre à un narrateur qui sait tout, car seul un narrateur omniscient peut pénétrer, comme c'est le cas ici avec tante Clara et le lapin, dans la conscience d'un personnage.

Le second épisode comprend les événements suivants: la rencontre de George et de Lennie, la relation du rêve faite une dernière fois par George, l'homicide volontaire, l'arrivée du groupe et l'invitation que fait Slim à George de prendre un verre.

Le lieu est le même, mais le temps de cet épisode prend une autre dimension, revêt une tout autre signification. Le rêve, en effet, aux yeux de Lennie s'actualise, se matérialise au-delà du temps (par-dessus la rivière qui symbolise le temps qui coule). Chaque épisode dégage une signification différente. Le premier met en évidence le remords, la culpabilité et l'apitoiement: illustration de l'ascendant de George sur Lennie. Le second donne du relief au rêve puisque George le visualise aux yeux de Lennie. Cet épisode fusionne pathétiquement le rêve et la mort.

Le découpage en fonction des chapitres

Même s'il est préférable de faire un découpage en épisodes, on peut fort bien procéder autrement. Souvent, par exemple, on opérera un découpage d'un roman à partir des chapitres ou même des parties d'un livre. Certes, il y a ainsi une perception moins précise de la structure de l'oeuvre, mais la modalité de découpage dépend, entre autres, des objectifs que l'on poursuit. Par exemple, pour faire le résumé d'un volume, un découpage en chapitres ou en parties est tout à fait fonctionnel. Il faut en somme tenir compte des objectifs poursuivis, de la dimension du roman analysé et de la structure; ainsi *Les Pierrefendre* d'Yvette Naubert est découpé en 154 tableaux! *Le Matou* d'Yves Beauchemin comporte 36 chapitres dont quelques-uns sont composés de tableaux.

Dans le découpage en chapitres, on précisera quand même la voix de narration, le point de vue, les événements, les indications de temps et d'espace et les significations psychologiques ou thématiques. Cependant, plutôt que de répartir les événements en épisodes on identifiera l'événement le plus important du chapitre, celui autour duquel les autres gravitent. Par exemple, si on reprend le cas du chapitre VI *Des souris et des hommes*, il va de soi que l'événement le plus important est le meurtre de Lennie.

Voici, à titre d'illustration, un découpage possible de cette oeuvre en fonction des chapitres. La signification dégagée ici est évidemment donnée à titre de suggestion et peut prêter à discussion.

Chapitre 1
- la voix narrative et le point de vue: narrateur, étranger à l'histoire, à vision extérieure neutre; destinataire non intégré au récit;
- l'événement dominant: l'arrivée de Lennie et de George sur la rive de la Salinas;
- les événements: l'arrivée de Lennie et de George, les préparatifs du repas, le repas, le coucher;
- le lieu: quelques milles au sud de Soledad, près de la Salinas;
- le temps: jeudi soir (du crépuscule à la tombée de la nuit);
- la signification: l'articulation du rêve, leur *modus vivendi* pour accéder à la liberté.

Chapitre 2
- la voix narrative et le point de vue: aucune modification;
- l'événement dominant: provocation de Curley envers Lennie;
- les événements: l'arrivée au ranch, la rencontre de George et de Lennie avec le personnel et les patrons, la demande de Lennie: obtenir un des chiots de Slim;
- le lieu: le baraquement;
- le temps: vendredi matin, de 10 heures à midi;
- la signification: l'agressivité, le désir et la dépendance provoquent des difficultés de communication entre les individus.

Chapitre 3
- • la voix narrative et le point de vue: aucune modification;
- • l'événement dominant: Carlson tue le chien de Candy;
- • les événements: la mort du chien, l'insertion de Candy dans le projet George-Lennie, Lennie écrase la main de Curley;
- • le lieu: le baraquement;
- • le temps: vendredi soir;
- • la signification: l'élimination de tout être inefficace et nuisible; l'insécurité émotive provoque la violence.

Chapitre 4
- • la voix narrative et le point de vue: aucune modification;
- • l'événement dominant: la rencontre Crooks-Lennie;
- • les événements: la rencontre Crooks-Lennie, les confidences de Crooks à Lennie, l'arrivée de Candy, l'humiliation de Crooks par la femme de Curley;
- • le lieu: la chambre de Crooks;
- • le temps: samedi soir;
- • la signification: la marginalité, le pessimisme et la solitude d'un Noir qui s'exclut lui-même du projet George-Candy-Lennie.

Chapitre 5
- • la voix narrative et le point de vue: aucune modification;
- • l'événement dominant: l'homicide involontaire;
- • les événements: Lennie tue le petit chien, Lennie rencontre la femme de Curley. Confidences de la femme. Lennie la tue accidentellement. Fuite de Lennie. Arrivée sur les lieux de Candy, George, Carlson, Slim, Curley. Organisation de la chasse à l'homme;
- • le lieu: l'écurie;
- • le temps: dimanche après-midi;
- • la signification: le rêve s'écroule. Le tragique d'un destin prévisible.

Chapitre 6
- • la voix narrative et le point de vue: narrateur, étranger à l'histoire, à vision extérieure neutre et omnisciente; destinataire non intégré au récit;
- • l'événement dominant: la mort de Lennie;
- • les événements: l'arrivée de Lennie sur la rive, les semonces de tante Clara et du lapin. L'arrivée de George qui raconte une dernière fois à Lennie leur rêve. George tue Lennie. L'arrivée du groupe;
- • le lieu: quelques milles au sud de Soledad, près de la Salinas;
- • le temps: dimanche, fin d'après-midi;
- • la signification: le rêve devient vision aux yeux de Lennie, mais il bascule dans la mort. Fusion du rêve et de la mort.

Le lecteur peut revenir sur le contenu de chaque épisode pour pousser plus loin son analyse des composantes de l'oeuvre. Il lui appartiendra, par exemple, d'établir des liens entre les événements et la signification; entre le temps et le lieu pour en dégager, épisode par épisode, la configuration thématique. Ressortira ainsi une interprétation personnelle de l'oeuvre.

L'ordre de déroulement des épisodes

Tout récit de fiction, comme on le sait, suppose, au niveau de l'articulation de l'intrigue, un point de départ et un point d'arrivée: «*L'organisation de l'intrigue présente au lecteur l'action romanesque comme un mouvement continu d'un point à un autre*» [3]. Mais la question qui se pose a trait au type d'ordre dans lequel sont présentées les différentes étapes (épisodes) de l'évolution de l'intrigue. En fait, comme le fait remarquer Jean-Pierre Goldenstein [4], l'ordre peut être logique ou causal, chronologique ou temporel.

L'ordre narratif logique ou causal

L'ordre narratif est logique ou causal lorsque l'intrigue se module sur la cause qui entraîne un effet. La trame du récit d'aventures se déroule de cette manière, c'est bien connu. Jean-Pierre Goldenstein qualifie cette logique d'événementielle: «*La fiction progresse grâce à un mécanisme de causes à effets: un événement entraîne sa conséquence et ainsi de suite. Love Story est construit sur ce type de* causalité événementielle» [4].

Dans le roman psychologique, toutefois, les actions qui composent la trame de l'histoire sont, selon Tzvetan Todorov [5], les conséquences d'un caractère. On parlera, dans ce cas, de *causalité psychologique*. D'un épisode à un autre, ce n'est pas tant l'événement qui fait rebondir l'action, que le caractère d'un personnage qui la fait infléchir dans un sens ou dans l'autre. Parfois même, le personnage sera tout simplement étranger, distant des événements, comme Meursault de *L'étranger* de Camus (dans la première partie du roman plus particulièrement) ou Hervé Jodoin du *Libraire* de Gérard Bessette. Enfin, certains personnages n'agissent même pas et la dynamique de l'action puise sa source dans leur indécision même: «*L'Éducation sentimentale de Gustave Flaubert refuse systématiquement une quelconque dramatisation romanesque en présentant l'histoire de Frédéric Moreau. L'intrigue est certes constituée d'une suite d'épisodes, mais rien ne se produit jamais. Frédéric n'agit pas. Le temps coule autour d'un héros dont l'indécision donne le ton à tout le récit*» [6].

On parlera enfin de *causalité philosophique* lorsque le roman veut faire ressortir un symbole, un concept. Le lecteur, dans ce cas, *tire une leçon* parfois teintée de morale.

L'ordre narratif chronologique ou temporel

Quant à l'ordre chronologique ou temporel, comme on le verra dans le chapitre sur le temps, il n'est pas toujours, dans le récit, un décalque de la vie réelle; il peut être désarticulé par des suspensions, des retours en arrière, des anticipations, etc. De nombreux romans ne respectent pas l'ordre chronologique dans la présentation des événements. Certains auteurs ont su *manipuler* avec adresse le temps de la narration. Anne Hébert dans *Kamouraska* en donne un bel exemple.

On notera qu'il n'y a pas d'opposition systématique entre l'ordre causal et l'ordre chronologique. Il s'agit tout au plus d'une différence de niveau.

Le projet de lecture

On ne fait pas le découpage d'un roman en épisodes pour le seul plaisir de le faire, mais pour se doter d'un instrument efficace qui permet de pousser plus loin l'analyse des grandes composantes du roman afin de réaliser l'objectif premier, celui d'une lecture active et plurielle d'un récit romanesque. Il va de soi que le travail d'analyse s'enrichira au fur et à mesure du projet de lecture alors que chaque composante (personnage, techniques narratives, temps, espace, thèmes...) sera approfondie. Mais avant, il importe de s'assurer d'une bonne compréhension des concepts vus. En premier lieu, on fera le découpage d'un conte en épisodes. Ensuite, on élaborera divers épisodes à partir de sujets proposés.

En guise de rappel

L'intrigue implique une succession d'événements répartis selon une logique narrative.

Un modèle de déroulement: tout récit comprend un état initial, un processus de transformation (les événements: provocation-action-sanction) et un état terminal.

L'épisode est une division d'un roman et une unité de découpage pour rendre compte du déroulement de l'intrigue dans l'ordre textuel.

Les composantes d'un épisode: un épisode englobe
  • la voix et le point de vue de narration,
  • un événement dominant,
  • une série d'événements qui sont liés à l'événement principal,
  • le lieu,
  • le temps,
  • une signification dominante d'ordre thématique ou psychologique.

Quelques possibilités de découpage: le découpage d'un volume peut se faire soit en fonction des épisodes, soit en fonction des chapitres ou parties d'un roman:
  • le découpage en fonction des épisodes
    • l'épisode-chapitre: un seul événement dominant dans le chapitre;
    • les épisodes d'un chapitre: plus d'un événement dans le chapitre.
  • le découpage en fonction des chapitres: l'événement le plus important du chapitre.

L'ordre narratif: il sera causal ou temporel:
  • s'il est causal, il peut s'appuyer sur un événement, sur un caractère, sur une idée: on parle alors de causalité événementielle, psychologique, philosophique;
  • s'il est temporel, il s'appuie sur l'organisation chronologique des événements, et ce même si l'ordre chronologique est perturbé.

Questions

1 - Formulez, dans vos propres mots, une définition de l'intrigue.

2 - Quelles sont les principales caractéristiques du schéma général du roman qu'offre Paul Larivaille?

3 - Appliquez cette grille d'analyse à un conte que vous connaissez bien.

4 - Quelles sont les deux principales caractéristiques de l'épisode?

5 - Quelles en sont les composantes?

6 - Énumérez les différentes possibilités de découpage d'une oeuvre romanesque.

7 - L'ordre de déroulement des épisodes: qu'est-ce qu'on entend par l'ordre narratif logique ou causal?

8 - Que signifie causalité événementielle, psychologique ou philosophique? Expliquez en donnant des exemples.

9 - Qu'est-ce que l'ordre chronologique ou temporel? Donner des exemples de nouvelles, de contes ou de romans pour mieux faire comprendre votre réponse.

10 - Faites une analyse en épisodes de l'intrigue d'une émission de votre téléroman préféré. Caractérisez son ordre narratif.

B- OBSERVATION ET ANALYSE
Texte 1: «Une vendetta»
Guy de Maupassant

Consignes

Le récit de Guy de Maupassant «Une vendetta» (reproduit dans le chapitre précédent) pourrait correspondre à un épisode-chapitre. Faites-en le découpage. Indiquez, à partir de la signification dominante, s'il s'agit d'un texte à dominante psychologique ou thématique.

C- PRODUCTION

Canevas de rédaction 1

Synopsis

Vous attendez l'autobus à un carrefour. C'est l'heure de pointe. Devant vous, une jeune femme plutôt nerveuse fait les cent pas. Soudain apparaît un homme qui se jette en larmes dans ses bras. Que s'est-il passé auparavant pour qu'une telle scène se produise?

Consignes

• Structurez une intrigue en quatre ou cinq épisodes qui rendent vraisemblable une telle scène;
• respectez le contenu habituel d'un épisode (voix narrative et point de vue, événement principal, événements secondaires, temps, espace).

Canevas de rédaction 2

Synopsis

Vous partez en vacances avec la ferme intention de vous reposer, de fuir surtout vos problèmes. Sur le bord de la mer, vous engagez une conversation avec
un(e) étranger(ère). Ces rencontres se multiplient et vous prêtez une oreille de
plus en plus attentive à ce que raconte cet(te) inconnu(e) parce que ses problèmes ressemblent étrangement aux vôtres. De quels problèmes s'agit-il et
comment se terminera cette aventure?

Consignes
• Énumérez les trois temps forts de votre histoire, c'est-à-dire: l'état initial,
le fait déclencheur et l'état final;
• à partir de cette mise au point, dégagez les différents épisodes (quatre ou
cinq) du processus de transformation ou de l'évolution de l'intrigue;
• respectez le contenu habituel d'un épisode.

Canevas de rédaction 3

Consignes

Découpez un fait divers insolite, dressez la liste des faits et des événements
qui le composent, placez-les dans l'ordre chronologique et regroupez-les
autour d'événements principaux. Choisissez, sans nécessairement respecter
l'ordre chronologique, parmi les épisodes ainsi créés, la séquence-ouverture et
la séquence finale. Précisez l'état initial, le fait déclencheur et l'état final.

Canevas de rédaction 4

Consignes

Découpez quatre ou cinq images illustrant des lieux qui vous fascinent ou
dans lesquels vous aimeriez vivre. Retenez deux de ces lieux et imaginez pour
chacun un personnage différent. Élaborez une série d'épisodes qui impli-
queraient des relations conflictuelles entre ces personnages. Servez-vous des
autres images pour établir l'itinéraire des personnages ou pour préciser leur
point de rencontre.

Canevas de rédaction 5

Mise en situation

Morts en fanfare de Jean-Pierre Énard est une courte nouvelle par lettres. L'auteur y présente les lettres d'Aline à Josette; la correspondance de Josette reste sous-entendue. Voici les deuxième et troisième lettres d'Aline.

Ma Josette,
Il pleut. Le bureau de poste est désert. Pas le moindre téléphone, pas le plus maigre télégramme. J'ai le coeur bien lourd.
Ah, méfie-toi de l'amour. Vois où j'en suis à présent. Tout cela pour un type qui, au fond, n'était pas si terrible que ça. Ce Roger, avec son blouson en jeans et ses santiags... Ici, à Saulnois, les hommes portent des bottes en caoutchouc. J'ai voulu le fuir, parce qu'il me faisait du mal, comme j'ai voulu fuir la ville et ses tentations. Eh bien, c'est réussi. À force de fuir, me voilà enterrée vive.
Je te serre dans mes bras,
ton inconsolable,

Aline.

*
* *

Josette,
Yvonne m'écrit que tu fréquentes Roger. Méfie-toi, je te le dis très amicalement.
Je n'ai rien à ajouter.
Baisers,

Aline.

Consignes

• Imaginez la séquence-ouverture (la première lettre) et les épisodes qui formeront la suite de l'histoire;
• rédigez les réponses de Josette aux deux lettres d'Aline en tenant compte de la structure générale de l'histoire que vous avez imaginée.

Canevas de rédaction 6

Synopsis

L'histoire du *Grand Meaulnes* se termine de la manière suivante: le grand Meaulnes tient parole et se fait l'artisan de la réconciliation entre Frantz de Galais et Valentine. Mais lui, suite à la mort d'Yvonne de Galais, à son retour au domaine des Sablonnières, se retrouve veuf et père d'une petite fille. Quant à François Seurel qui s'était attaché à l'enfant et l'avait gardée sous sa protection, il devra, non sans tristesse, la rendre au père.

Imaginez une fin différente, celle-ci, par exemple: Yvonne ne meurt pas et, pendant l'absence du grand Meaulnes, s'enfuit avec François; Frantz de Galais ne réapparaît pas au domaine et le grand Meaulnes épouse Valentine.

Consignes

• Élaborez à partir de ces changements ou de tout autre changement trois ou quatre épisodes;
• respectez le contenu habituel d'un épisode;
• comparez votre version à celle du livre. Laquelle des deux versions vous semble-t-elle la plus vraisemblable, et pourquoi?

NOTES

1 - Jean-Pierre Goldenstein, *Pour lire le roman*, Paris-Gembloux, Duculot, 1980, 127 pages, p. 64.

2 - J.-L. Dumortier et Fr. Plazanet, *Pour lire le récit*, Paris-Gembloux, Duculot, 1980, 185 pages, pp. 49-62.

3 - Jean-Pierre Goldenstein, *op. cit.*, p. 82.

4 - *Ibid.*, p. 84. L'auteur s'inspire ici de Tzvetan Todorov dans *Qu'est-ce que le structuralisme*, 2, Poétique, Seuil, coll. «Points», no 45.

5 - Tzvetan Todorov, *op. cit.* dans Jean-Pierre Goldenstein, *op. cit.*, p. 84.

6 - Jean-Pierre Goldenstein, *op. cit.*, p. 84.

CHAPITRE 3

Le personnage

A - THÉORIE

On se dira troublé ou fasciné par un personnage; on s'y identifiera; on le prendra en aversion. En fait, on associe volontiers le personnage d'un roman à une personne et on entretient avec lui des rapports similaires à ceux qu'on établit avec un être réel. Pourtant il ne s'agit que d'un être de papier et de mots.

Le personnage est une réalité complexe. Souvent doté des attributs de la personne, il n'est en fait qu'un signe et un signe qui, la plupart du temps, ne renvoie à rien dans la réalité. Être de fiction, le personnage ne peut ni souffrir ni aimer. Tout est affaire de langage. Comment alors le cerner? Il importe avant tout de déterminer son rôle dans le récit. Puis, d'identifier les mécanismes qui servent à sa caractérisation, c'est-à-dire qui visent à faciliter l'identification du personnage à la personne réelle. Le rôle correspond à la fonction du personnage; les mécanismes de caractérisation servent à créer son *identité*.

Le rôle du personnage dans le récit

Le personnage est l'objet d'une production propre à la fois au travail d'écriture et de lecture. On pourrait le définir comme «*la personne fictive qui remplit un rôle dans le développement de l'action romanesque*» [1]. Pour déterminer ce rôle, il faut tenir compte de deux facteurs: ce qu'il fait et sa relation avec les autres personnages. En effet, dans les productions romanesques, le personnage évolue rarement seul. Il s'allie ou s'oppose à d'autres personnages. Il est un élément d'un ensemble.

Le modèle actantiel

Sous la diversité des récits, existe un nombre limité de relations à partir desquelles la dynamique entre les personnages s'active. Cet ensemble de relations, appelé modèle actantiel, correspond aux forces et aux tensions entre les fonctions qui animent l'histoire[2].

Si chaque histoire se construit selon un modèle, on peut supposer que les personnages importants y jouent un rôle fonctionnel. Le point de départ est donc le schéma type d'une histoire.

On constate que dans chaque histoire quelqu'un recherche un objet en faveur de quelqu'un. Quelqu'un ou quelque chose permet ou empêche la réalisation de ce projet. Dans cette recherche de l'objet convoité, celui qui tente l'entreprise a des alliés et des opposants. On identifie ainsi six fonctions réparties par couples de relations.

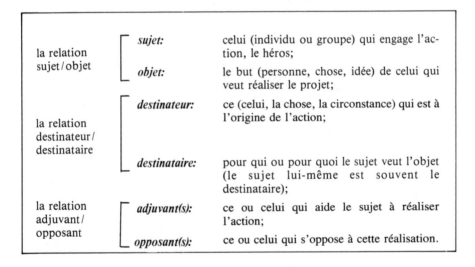

la relation sujet/objet	*sujet:*	celui (individu ou groupe) qui engage l'action, le héros;
	objet:	le but (personne, chose, idée) de celui qui veut réaliser le projet;
la relation destinateur/destinataire	*destinateur:*	ce (celui, la chose, la circonstance) qui est à l'origine de l'action;
	destinataire:	pour qui ou pour quoi le sujet veut l'objet (le sujet lui-même est souvent le destinataire);
la relation adjuvant/opposant	*adjuvant(s):*	ce ou celui qui aide le sujet à réaliser l'action;
	opposant(s):	ce ou celui qui s'oppose à cette réalisation.

On dégage ainsi le schéma suivant:

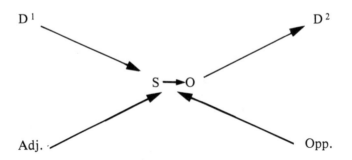

On peut le verbaliser ainsi: «*S'il y a une action, il y a quelqu'un qui la fait (SUJET), quelqu'un (quelque chose) qui la subit (OBJET), des gens (des choses) qui la favorisent, des gens (des choses) qui y font obstacle (ADJUVANT/OPPO-SANT), il y a un propulseur d'où origine l'action (DESTINATEUR) et quelqu'un (quelque chose) pour qui (pour quoi) elle est faite (DESTINATAIRE)*»[3].

On aura remarqué que le personnage est parfois remplacé par une chose ou une abstraction. C'est pourquoi on appelle cette représentation *schéma actantiel,* car on fait appel à une catégorie plus large que le personnage: les actants, c'est-à-dire tout ce ou tous ceux qui interfèrent dans l'action[4]. On s'en tiendra ici aux éléments qui permettent de cerner la fonction du personnage, quitte à préciser, quand la situation se présente, que le rôle actantiel n'est pas assumé par un personnage, mais par un objet, par une abstraction, des idées... ou qu'il y renvoie.

Quelques exemples

Supposons un village terrorisé par un *monstre.* Le maire demande à un membre influent de la communauté reconnu pour son intelligence, sa ruse et sa force de débarrasser la localité du monstre. Celui-ci accepte et met en oeuvre un plan. Il est aidé dans son entreprise par un jeune acolyte. Un groupe de marchands qui tirent avantage de la situation s'opposera au projet en soudoyant deux malfaiteurs bien connus. Le héros réussit à déjouer les opposants: il capture le monstre, découvre qu'il s'agissait d'une machination et rétablit la paix et l'ordre. On reconnaît là une variante des nombreux récits qui présentent un héros valorisé socialement et qui triomphe du mal et du désordre au profit de la communauté. Quels sont les rôles des différents personnages dans cette histoire?

Le destinateur   *Le destinataire*
Le maire   La communauté

                    Le sujet   *L'objet*
                    Membre influent ⟶   La capture
                    de la communauté   du monstre

L'adjuvant   *Les opposants*
Le jeune   Les marchands
acolyte   Les deux malfaiteurs

Le schéma représente les rôles actantiels des différents personnages. Au rôle des personnages, on peut lier certaines réalités plus abstraites qui éclairent les motivations des personnages.

Le destinateur   *Le destinataire*
Le maire   La communauté
La loi, l'ordre,   La loi, l'ordre,
le devoir (la Cité)   le devoir (la Cité)

Le héros   ⟶   *L'objet*
Représentant   Ramener l'ordre,
de la communauté   la paix, la prospérité

                                                              Les opposants
L'adjuvant   Le mal, l'argent
La jeunesse   corrupteur, l'intérêt
                                                             individuel et mercantile

Supposons maintenant une histoire d'amour type. Un jeune homme aime passionnément une jeune fille, mais la famille s'oppose à cette liaison. Une amie de la jeune fille couvre une fugue pour que les jeunes gens puissent se retrouver.

Le destinateur   *Le destinataire*
La passion   Le jeune homme

Le sujet   ⟶   *L'objet*
Le jeune homme   La jeune fille

L'adjuvant   *L'opposant*
L'amie   La famille

Là encore, ce schéma peut recouvrir des réalités plus abstraites: le destinateur correspond à la force affective et sexuelle qui oriente le sujet vers l'objet, c'est-à-dire qui active le désir de l'autre (la jeune fille). Le destinataire fait alors corps avec le sujet, car c'est pour lui qu'il veut la jeune fille. L'amie représente les forces du côté du désir, alors que l'opposant actualise les forces sociales conservatrices et moralisatrices.

Prenons enfin le roman *Des souris et des hommes* de John Steinbeck. Dans ce récit, George et Lennie rêvent de posséder une ferme qui leur permettrait de vivre libres et indépendants. Le vieux Candy leur offrira l'occasion de réaliser ce rêve, mais l'homicide involontaire de Lennie les en empêchera. Il entraînera la mort de Lennie et mettra un terme au rêve.

Le destinateur
Leur besoin de
s'affirmer comme
différents des
autres travailleurs
agricoles.
Leur rêve de
liberté et
d'indépendance.

Les destinataires *
George, Lennie,
(Candy, Crooks).

Le sujet ⟶ *L'objet*
George et   L'achat de
Lennie   la ferme

Les opposants
La femme de Curley (sa mort)
Curley (l'homme humilié)
Crooks (son pessimisme)
Lennie (son geste fatal)
George (le meurtre de Lennie)

Les adjuvants
Candy, Slim,
Tante Clara

Dans ce cas-ci également, on peut associer à ces rôles des réalités plus abstraites. Le besoin de George et Lennie de compenser leur situation de dépendance et de se reconnaître comme différents des autres travailleurs (destinateur) passe par la réalisation d'un rêve: l'achat de la ferme (objet). Cette ferme incarne en fait la liberté et l'indépendance. Appuieront cette entreprise les marginaux eux-mêmes coupés de cet espoir, rejetés (les adjuvants); s'y opposeront ceux à qui la dépendance des autres rapporte, ceux qui en font un élément de leur propre valorisation: les patrons et les ratés (les opposants).

Il s'agit, certes, d'un schéma global. En fait, chaque épisode pourrait être repris. On dégagerait alors un schéma actantiel qui rendrait compte de la dynamique des personnages à un point du déroulement du récit. Le recoupement de ces données révélerait l'évolution des personnages et dégagerait leurs relations entre eux.

---

* Ce sont les personnages «*pour qui*» le projet du sujet est mis en oeuvre. Quant au «*pour quoi*», il varie selon les destinataires.

Personnages importants et personnages secondaires

Le modèle actantiel permet d'identifier le **héros** (celui qui agit pour satisfaire le désir de quelqu'un ou de quelque chose) et les personnages importants: ceux qui remplissent des rôles dans le schéma actantiel. Les autres personnages sont secondaires, car ils ne jouent qu'un rôle d'appui, de vraisemblance.[5]

Le personnage comme production

Le personnage remplit un rôle dans le développement d'une action. C'est là son aspect essentiel. À ce rôle peuvent se greffer des caractéristiques in- dividuelles dont la fonction sera de créer un effet de réel, de construire une *identité*. Fruit des procédés de caractérisation, l'identité n'est pas une substance, mais une construction du texte et de la lecture: «*Le personnage (n'est) pas une substance, mais une production (...); il est un objet d'analyse*»[6].

Pour cerner le personnage, le lecteur interroge trois sources:
- les informations du narrateur sur le personnage;
- les informations des autres personnages sur le personnage en ques- tion;
- les renseignements qu'il déduit des actions et du comportement du personnage.

Règle générale, les données les plus importantes sont livrées lors de la présentation du personnage, c'est-à-dire lors de ses apparitions les plus significatives dans le récit. Elles peuvent être réparties par catégories:
- l'aspect physique
- l'aspect psychologique ou moral
- l'aspect social
- l'aspect relationnel (relations avec les autres personnages).

Les données qui forment le signalement du personnage sont le fruit de pro- cédés de caractérisation, c'est-à-dire de techniques utilisées par le romancier pour conférer à cet être de papier et de mots les caractéristiques, les attributs de la personne.

Les procédés de caractérisation

La description de l'aspect physique général

La description de l'aspect physique général du personnage est, parmi les façons de caractériser un personnage, l'une des plus employées. Le narrateur précisera les traits propres à son visage, décrira ses vêtements, soulignera ses tics, caractérisera sa voix, bref, il rendra son aspect physique général. Meursault, par exemple, décrira physiquement Simon Pérez, l'ami de sa mère morte.

> J'ai compris que c'était M. Pérez. Il avait un feutre mou à la calotte
> ronde et aux ailes larges (il l'a ôté quand la bière a passé la porte),
> un costume dont le pantalon tire-bouchonnait sur les souliers et un
> noeud d'étoffe noire trop petit pour sa chemise à grand col blanc.
> Ses lèvres tremblaient au-dessous du nez truffé de points noirs. Ses
> cheveux blancs assez fins laissaient passer de curieuses oreilles
> ballantes et mal ourlées dont la couleur rouge sang dans ce visage
> blafard me frappa [7].

La caractérisation psychologique ou sociale

Pour bien rendre le personnage, le narrateur précisera, dans la plupart des cas, ses grands traits psychologiques ou les coordonnées de sa situation sociale. Cette caractérisation psychologique ou sociale sera soit sommaire, soit détaillée.

Par exemple, Meursault, pour situer Raymond Sintès, son voisin de palier, dira: «*Dans le quartier, on dit qu'il vit des femmes. Quand on lui demande son métier, pourtant, il est 'magasinier'*» [8]. Il s'agit d'une caractérisation sociale sommaire. Bill, narrateur du *Camé*, esquissera la personnalité de Doolie en disant qu'il «*n'était rien d'autre qu'une force hostile, négative, indiscrète*» [9]. Il procède alors à une caractérisation psychologique sommaire.

Par contre, le narrateur du *Père Goriot* de Balzac, quand il présente Eugène de Rastignac et Vautrin, procède à une caractérisation psychologique et sociale détaillée. Le lecteur apprend leurs origines sociales, leurs habitudes vestimentaires, leurs traits psychologiques, leurs situations financières, leurs occupations et leurs manières.

L'insertion, dans le récit, de paroles ou de pensées du personnage

Parfois, la caractérisation d'un personnage intégrera ses paroles ou ses pensées. L'insertion de paroles ou de pensées des personnages dans le récit est donc une des techniques de présentation, et ce, quel qu'en soit le mode d'intégration au récit (paroles rapportées telles quelles ou de façon indirecte, monologue, dialogue, rêve...). Par exemple, *Moustiques* de William Faulkner s'ouvre sur les paroles de M. Talliaferro commentées sommairement par le narrateur. Les commentaires du narrateur prendront, eux, la forme d'une caractérisation psychologique sommaire.

> - L'instinct sexuel, répéta M. Talliaferro dans son accent appliqué et avec cette suffisance joviale d'un homme qui tient à part lui pour des vertus les défauts qu'il confesse. Chez moi l'instinct sexuel est particulièrement violent. La franchise élémentaire sans laquelle il n'y a pas d'amitié, sans laquelle, pour parler comme vous autres artistes, deux personnes n'arrivent pas à «*communiquer*»...
> - Sûr, dit notre hôte, voudriez-vous vous reculer un peu? (...)
> - La franchise, reprit-il, m'oblige à reconnaître que l'instinct sexuel est une de mes impulsions dominantes.
>
> Mr. Talliaferro croyait que la conversation (non la discussion) entre personnes d'une même «*famille*» intellectuelle, consistait à avouer le plus grand nombre possible de choses réputées par les autres inavouables. [10]

La présentation iconique

Dans certains cas, le personnage est présenté grâce à une photo, à un dessin ou à d'autres formes de représentation iconique. Cette pratique n'est pas fréquente, mais on la rencontre, par exemple, dans *Le petit Prince* d'Antoine de Saint-Exupéry ou dans *Nadja* d'André Breton.

Les indications d'actions

Règle générale, la présentation du personnage intègre des indications reliées aux faits et gestes de ce personnage. Souvent même, le personnage est mis en action avant d'être décrit. Antonio Balduino, par exemple, livrera un combat de boxe à l'Allemand Ergin durant tout le premier chapitre de *Bahia de tous les saints* de Jorge Amado.

> (...) au round suivant le blanc prit furieusement l'offensive et jeta le noir dans les cordes. Le public ne s'inquiéta guère: il attendait la réaction du nègre. Et de fait Balduino visait la figure ensanglantée de l'Allemand. Mais Ergin prévint l'attaque, et il assena un tel coup au visage du noir qu'il transforma le tour de l'oeil en viande sanglante [11].

Dans ce chapitre, seules les appellations comme «*le blanc*», «*le nègre*», «*l'Allemand*» ou les noms des protagonistes identifient les personnages; nulle description, nulle caractérisation psychologique directe que des indications d'actions qui trahissent d'autres dimensions.

La narration d'événements passés révélateurs

Souvent les romans s'ouvrent sur des faits passés qui sont particulièrement révélateurs des traits psychologiques, des valeurs, du comportement du personnage. Parfois ces faits sont reliés aux circonstances qui caractérisent les premières apparitions du personnage dans le récit. Par exemple, dans *Le petit Prince*, les dessins d'enfant du pilote révéleront les grands traits psychologiques du personnage sans que le narrateur soit obligé de les préciser, de les analyser. Cette séquence narrative éclaire le personnage et introduit la séquence de la rencontre avec le petit prince. Celui-ci lui demandera de dessiner un mouton et reconnaîtra l'éléphant dans le boa.

De même, la rencontre de François Paradis et de Maria Chapdelaine à la sortie de l'église de Péribonka révélera François. Après une caractérisation physique très sommaire du jeune homme («*yeux hardis, regard (...) clair, perçant, chargé d'avidité ingénue*»), le narrateur précise que les Chapdelaine n'avaient pas revu François depuis sept ans et révèle le souvenir qui vient à la mémoire de Maria à l'évocation de son nom. Il procède enfin, par un dialogue entre François et Samuel Chapdelaine, à une caractérisation sociale sommaire. Elle s'opère grâce à un rappel des faits passés reliés à son occupation de coureur des bois, faits qui seront déterminants pour le profil et le rôle du personnage de l'histoire:

> - Non, monsieur Chapdelaine, je n'ai pas gardé la terre. Quand le bonhomme est mort j'ai tout vendu, et depuis j'ai presque toujours travaillé dans le bois, fait la chasse ou bien commercé avec les sauvages du grand lac à Mistassini ou de la Rivière-aux-Foins. J'ai aussi passé deux ans au Labrador. [12]

L'indication, l'analyse ou l'appréciation des sentiments ou des attitudes du personnage

Le personnage se révèle ou est parfois révélé par sa vie intérieure: ses pensées, ses peurs, ses craintes, ses sentiments, ses attitudes. Deux orientations sont alors possibles: soit une simple indication, soit un commentaire élaboré, une analyse, une appréciation de cette vie intérieure.

L'indication est une simple assertion qui précise l'état intérieur du personnage, son attitude, son comportement: «*Robineau, quand on l'appela, fut triste, mais redevint digne*» [13]. L'analyse ou l'appréciation est une ou des indications commentées par le personnage lui-même ou par le narrateur. Ainsi, quand le narrateur révèle cette pensée de Robineau: «*Il est dur, pensait-il, d'être un juge*», il traduit une simple réflexion du personnage sur son attitude, une indication; mais, quand le narrateur analyse cette assertion, le tout devient une appréciation de son comportement: «*Il est dur, pensait-il, d'être un juge!*

À vrai dire, il ne jugeait pas, mais hochait la tête. Ignorant tout, il hochait la tête, lentement, devant tout ce qu'il rencontrait». [14]

Le personnage lui-même peut fort bien procéder à sa présentation par une analyse de sentiments ou d'attitudes. C'est le cas de François, héros et narrateur du *Torrent*, quand il ouvre son récit par cette analyse narrativisée: *«J'étais un enfant dépossédé du monde. Par le décret d'une volonté antérieure à la mienne. Je devais renoncer à toute possession en cette vie».* [15]

Les paroles ou les réflexions d'un personnage sur un autre personnage

La caractérisation d'un personnage s'opère souvent grâce à des paroles d'un ou de plusieurs personnages, à propos de ce personnage. Ces paroles peuvent être prononcées avant qu'il ait été introduit dans le récit ou à la suite d'une brève apparition. Parfois aussi, elles représentent la seule présence du personnage dans le récit. Par exemple, quand George et Lennie, dans *Des souris et des hommes*, arrivent au ranch, le vieux Candy les renseigne sur la femme de Curley, le fils du patron:

> - Attends que t'aies vu la femme à Curley.
>   (...)
> - Oui. Jolie... mais
>   (...)
> - Ben, j'pense que Curley a épousé.. une pute. [16]

Ce n'est qu'après que le personnage fera l'objet d'une présentation directe sous forme de description physique:

> Debout, une jeune femme regardait dans la chambre. Elle avait de grosses lèvres enduites de rouge, et des yeux très écartés fortement maquillés. Ses ongles étaient rouges. Ses cheveux pendaient en grappes bouclées, comme des petites saucisses. Elle portait une robe de maison en coton, et des mules rouges, ornées de petits bouquets de plumes d'autruche rouges. [17]

L'indication de la situation du personnage par rapport aux autres personnages

Il existe de nombreux personnages tandem. Plusieurs sont célèbres: Don Quichotte et Sancho Pança, Vladimir et Estragon, Bouvard et Pécuchet. Ces couples illustrent bien une technique de caractérisation des personnages: l'indication de la situation d'un personnage par rapport à un autre ou à d'autres personnages. Ces situations peuvent être multiples, variées; les plus fréquentes sont les relations de contraste et de complémentarité.

L'homme qui marchait en tête était petit et vif, brun de visage, avec des yeux inquiets et perçants, des traits marqués. Tout en lui était défini: des mains petites et fortes, des bras minces, un nez fin et osseux. Il était suivi par son contraire, un homme énorme, à visage informe, avec de grands yeux pâles et de larges épaules tombantes. Il marchait lourdement, en traînant un peu les pieds comme on traîne les pattes. Ses bras, sans osciller, pendaient ballants à ses côtés. [18]

Le personnage en question

Dans la littérature moderne, le personnage a été remis en question. Vidé de son *identité*, il servira à mettre en cause la fonction de représentation du roman. Tout un éventail de techniques ont été mises en oeuvre pour contester son statut d'organisateur de la fiction et sa propre *substance*: sa psychologie, son intériorité, son statut social.

Mais, quel que soit le rôle du personnage dans la fiction, celui-ci reste un des aspects les plus fascinants du monde romanesque. Lieu des contradictions mêmes de la littérature, il suscite des questions vivifiantes pour le lecteur. C'est celui-ci qui, par sa lecture, doit le construire progressivement, donc l'interpréter et le situer dans la fiction narrative.

Le projet de lecture

Le personnage est une construction du texte narratif et du processus de lecture. Doté d'une identité, il joue un rôle dans l'organisation de l'intrigue. Comme toutes les autres composantes du récit, il active les réseaux de relations à l'oeuvre dans le roman. L'analyse du personnage n'est en fait qu'un des angles privilégiés du projet de lecture à partir duquel la cohérence de l'oeuvre sera interrogée.

Les extraits qui suivent permettront d'analyser les différents modes de caractérisation du personnage. Quant à son rôle, il ne peut être dégagé de courts passages. On suggère cependant d'utiliser cette grille d'analyse du personnage sur de courts textes narratifs (nouvelles, contes, bandes dessinées...) avant de l'appliquer à un roman. Cette étape préparerait adéquatement la réalisation du projet de lecture.

En guise de rappel

Cerner un personnage, c'est
- déterminer le rôle qu'il joue dans la fiction grâce à un schéma type des rôles des personnages;
- identifier les mécanismes de caractérisation mis en oeuvre dans le texte afin de construire progressivement, en cours de lecture, le personnage qui se donne à lire.

Questions

1) - Quels sont les facteurs dont il faut tenir compte pour cerner le rôle d'un personnage dans un récit?

2 - Quel modèle d'histoire permet d'isoler les fonctions types des personnages?

3 - Pourquoi parle-t-on de «*schéma actantiel*»?

4) - Quelle est la fonction des caractéristiques individuelles données au personnage?

5) - Quelles sources doit-on interroger pour cerner un personnage?

6 - Quels sont les procédés de caractérisation qui permettent de répondre aux questions suivantes:
- quelle est l'apparence du personnage?
- quel est son caractère?
- quelle est sa situation sociale?
- qu'est-ce qui caractérise la façon dont le personnage voit le monde?
- quel est le passé du personnage?
- quels rapports entretient-il avec les autres personnages?

7 - Identifiez les principales caractéristiques de personnages connus de la bande dessinée et répartissez-les selon les catégories
- aspect physique
- aspect psychologique ou moral
- aspect social
- aspect relationnel.

Par exemple:
- Iznogoud et le Calife El Poussah
- Achille Talon, Le Funeste, Papa Talon
- Charlie Brown, Lucy, Snoopy, Linus
- Tintin, Tournesol, Haddock et les Dupont-Dupond
- Astérix et Obélix
- Red Ketchup et les trafiquants
- Lucky Luke et les Dalton

8 - Retenez un de ces personnages et faites-en une présentation écrite.

9 - Cernez les rôles actantiels du *Petit Prince* de Saint-Exupéry.

10 - Reprendre les questions 7, 8, 9 à la lecture d'une nouvelle de science-fiction. On trouve de telles nouvelles dans chaque numéro des revues québécoises *Imagine* et *Solaris*. On peut lire également *L'oeil de la nuit* d'Élisabeth Vonarburg (Longueuil, Le Préambule, coll. «Chroniques du futur», 1980, 210 p.) et «*La machine à explorer la fiction*» de Jean-Pierre April (Longueuil, Le Préambule, coll. «Chroniques du futur», 1980, 256 p.). Ces deux auteurs sont québécois.

B- OBSERVATION ET ANALYSE
Texte 1: «Le libraire»
(extraits)
Gérard Bessette

Le libraire *raconte la vie d'Hervé Jo-doin dans un petit village, Saint-Joachin. Vie désoeuvrée où il tue le temps par un travail routinier, des soirées à la taverne et la rédaction de son journal.*

Des onze chambres annoncées, deux étaient pour femmes seulement, six pour hommes et trois pour les deux sexes. Parmi celles qui, théoriquement, m'étaient ouvertes, je réussis à en localiser six sur la carte. Un instant, je songeai à établir un itinéraire pour chaque catégorie: homme et deux sexes; mais cette façon de procéder aurait quasi doublé mon parcours. J'y renonçai.

Une fois mon itinéraire arrêté, j'ai laissé ma valise à la consigne et j'ai offert de payer la carte dont je m'étais servi. La serveuse m'a dit de la garder. Elle n'en avait pas besoin. (...)

Aux deux premières maisons où je sonnai, on me déclara que les chambres étaient déjà louées. C'était probablement vrai. Je dis: probablement car il n'est pas impossible qu'on m'ait refusé à cause de mon apparence, de mes vêtements surtout. Mon feutre, que je soulevais pourtant dès qu'on ouvrait la porte, présente des bosselures insolites et une raie graisseuse qui ne sauraient échapper à un oeil perspicace. Les manches de mon paletot s'éliment et mon foulard n'est pas de la dernière propreté. Quant à ma figure, j'en ai vu de plus laides, mais elle est pâle, affaissée, avec des rides profondes le long des joues. Mais enfin, je suis présentable, et je m'explique avec une certaine facilité. La preuve, c'est qu'aux deux adresses suivantes, on était prêt à m'accepter. C'est moi qui ai refusé. Pas tellement à cause des chambres que des matrones qui ont essayé de me tirer les vers du nez.

Je ne regrette pas mon refus. La chambre que j'occupe me satisfait pleinement. Elle n'est pas grande, mais quelle importance? Elle a onze pieds sur huit et demi exactement. Je l'ai mesurée un soir que je n'avais rien à faire, je veux dire avant d'avoir adopté ma routine actuelle. En réalité, je n'ai jamais rien à faire le soir.

Gérard Bessette, *Le libraire*, Montréal, CLF Poche, 1968, 153 pages, pp. 9, 10-11.

Questions

1 - Quels sont les procédés de caractérisation utilisés?

2 - Pourquoi le narrateur se décrit-il physiquement?

3 - À quelles catégories (aspect physique, psychologique ou moral, social, relationnel) reliez-vous les procédés de caractérisation utilisés? Laquelle regroupe le plus grand nombre de procédés?

4 - Dans quel type de récit verriez-vous un tel personnage?

Texte 2: «L'angoisse du roi Salomon»

(extrait)

Émile Ajar

Dans L'angoisse du roi Salomon, *Émile Ajar nous raconte les relations entre un vieil homme, monsieur Salomon, et un chauffeur de taxi. En voici les premières pages.*

Il était monté dans mon taxi boulevard Haussmann, un très vieux monsieur avec une belle moustache et une barbe blanches qu'il s'est rasées après, quand on s'est mieux connu. Son coiffeur lui avait dit que ça le vieillissait, et comme il avait déjà quatre-vingt-quatre ans et quelques, ce n'était pas la peine d'en rajouter. Mais à notre première rencontre il avait encore toute sa moustache et une courte barbe qu'on appelle à l'espagnole, car c'est en Espagne qu'elle est apparue pour la première fois.

J'avais tout de suite remarqué qu'il était très digne de sa personne, avec des traits bien faits et forts, qui ne s'étaient pas laissé flapir. Les yeux étaient ce qui lui restait de mieux, sombres et même noirs, un noir qui débordait et faisait de l'ombre autour. Il se tenait très droit même assis, et j'ai été étonné par l'expression sévère avec laquelle il regardait dehors pendant qu'on roulait, un air résolu et implacable, comme s'il ne craignait rien ni personne et avait déjà battu plusieurs fois l'ennemi à plate couture, alors qu'on était seulement boulevard Poissonnière.

Je n'avais encore jamais transporté quelqu'un d'aussi bien habillé
à son âge. J'ai souvent remarqué que la plupart des vieux messieurs
en fin de parcours, même les plus soignés par les personnes qui s'en
occupent, portent toujours des vêtements qu'ils avaient déjà depuis
longtemps. On ne se commande pas une nouvelle garde-robe pour le
peu de temps qui vous reste, ce n'est pas économique. Mais monsieur Salomon, qui ne s'appelait pas encore comme ça à ma connaissance, était habillé tout neuf des pieds à la tête, avec défi et confiance, un costume princier de Galles avec un papillon bleu à petits
pois, un oeillet rose à la boutonnière, un chapeau gris à bords
solides, il tenait sur ses genoux des gants en cuir crème et une canne
à pommeau d'argent en forme de tête de cheval, il respirait
l'élégance de la dernière heure et on sentait tout de suite que ce
n'était pas un homme à se laisser mourir facilement.

J'ai été aussi étonné par sa voix qui grondait, même pour me donner l'adresse rue du Sentier, alors qu'il n'y avait pas de raison. Peut-
être qu'il était en colère et ne voulait pas aller à sa destination. J'ai
cherché dans le dictionnaire le mot qui convenait le mieux à notre
première rencontre historique, et à l'impression qu'il m'avait faite
en entrant dans mon taxi la tête la première en me donnant
l'adresse rue du Sentier, et j'ai retenu *gronder, produire un bruit
sourd et menaçant sous l'effet de l'indignation et de la colère*, mais je ne
savais pas à ce moment que c'était encore plus vrai pour monsieur
Salomon. Plus tard, j'ai cherché mieux et j'ai trouvé *courroux, irritation
véhémente contre un offenseur*. Le grand âge lui donnait des raideurs et
des difficultés de reins, de genoux et d'ailleurs, et il est monté dans mon
taxi avec cet ennemi qu'il avait sur le dos et son irritation contre cet offenseur.

Il y eut une coïncidence, quand il s'est assis et que j'ai démarré. J'avais
la radio ouverte et, comme par hasard, la première chose qu'on a enten-
due, c'était les dernières nouvelles sur le naufrage et la marée noire en
Bretagne, vingt-cinq mille oiseaux morts dans le mazout. J'ai gueulé,
comme d'habitude, et monsieur Salomon s'est indigné lui aussi, de sa
belle voix grondante.

- C'est une honte, dit-il, et je l'ai vu soupirer dans le rétroviseur. Le
monde devient chaque jour plus lourd à porter.

C'est là que j'ai appris que monsieur Salomon avait été dans le prêt-à-
porter toute sa vie, surtout dans le pantalon. Nous avons parlé un peu. Il
avait pris depuis quelques années sa retraite du pantalon et il occupait ses
loisirs à des oeuvres de bienfaisance, car plus on devient vieux et plus on
a besoin des autres. Il avait donné une partie de son appartement à une
association qui s'appelait *S.O.S. Bénévoles*, où l'on peut téléphoner jour
et nuit quand le monde devient trop lourd à porter et même écrasant, et
c'est l'angoisse. On compose le numéro et on reçoit du réconfort, ce
qu'on appelle l'aide morale, dans le langage.

- Ils étaient en difficulté financière et n'avaient plus de local. Je les ai pris sous mon aile.

Émile Ajar, *L'angoisse du roi Salomon*, Paris, Mercure de France, 1979, 343 pages, pp. 9-11.

Questions

1 - Identifiez les divers procédés de caractérisation utilisés dans la présentation du personnage. Précisez leur ordre d'utilisation. Cet ordre est-il significatif?

2 - Quel effet produit le fait que la caractérisation du personnage central soit faite par un autre personnage?

3 - Confrontez votre construction du personnage à celle d'un autre lecteur. Sur quoi s'appuient les différences?

Texte 3: «Chronique d'une mort annoncée»
(extraits)
Gabriel Garcia Marquez

Chronique d'une mort annoncée *de Gabriel Garcia Marquez est un récit à la première personne fait par un narrateur personnage secondaire. Il raconte le meurtre de Santiago Nasar, le personnage principal, par les frères Vicario. Or, ceux-ci avaient divulgué leur intention à tout le village. Comment n'a-t-on pu empêcher ce meurtre?*

Le jour où il allait être abattu, Santiago Nasar s'était levé à cinq heures du matin pour attendre le bateau sur lequel l'évêque arrivait. Il avait rêvé qu'il traversait un bois de figuiers géants sur lequel tombait une pluie fine, il fut heureux un instant dans ce rêve et, à son réveil, il se sentit couvert de chiures d'oiseaux. «*Il rêvait toujours d'arbres*», me dit Placida Linero, sa mère, vingt-sept ans après en évoquant les menus détails de ce lundi funeste. «*Une semaine avant, il avait rêvé se trouver seul dans un avion de papier d'étain qui volait à travers des amandiers sans jamais se cogner aux branches*», ajouta-t-elle. (...) elle n'avait décelé aucun mauvais augure dans les deux rêves de son fils, (...)

Santiago Nasar non plus n'avait pas discerné le présage. Il avait dormi peu et mal, sans se déshabiller, et il s'était réveillé, la tête lourde, avec un arrière-goût d'étrier de cuivre dans le palais. Il expliqua cela par les ravages naturels de la noce effrénée qu'il avait faite la veille, jusqu'au petit matin. Les gens qu'il rencontra ce jour-là, lorsqu'il sortit de sa maison à six heures cinq avant qu'il ne fût éventré comme un cochon une heure plus tard, le trouvèrent légèrement somnolent mais de bonne humeur; il dit à chacun, sans y attacher d'importance, que c'était une très belle journée. (...)

Santiago Nasar avait revêtu son pantalon et une chemise de lin blanc non empesés, identiques à ceux qu'il arborait la veille pour le mariage. C'était sa tenue des grands jours. N'eût été l'arrivée de l'évêque, il aurait enfilé son costume kaki et les bottes de cheval avec lesquels il se rendait tous les lundis à *El divino rostro*, l'hacienda héritée de son père et qu'il administrait avec un grand bon sens à défaut d'une grande réussite.

Gabriel Garcia Marquez, *Chronique d'une mort annoncée*, Paris, Grasset et Fasquelle, 1981, 200 pages, pp. 9-12.

Questions

1 - Identifiez les divers procédés de caractérisation mis en oeuvre dans cette présentation de Santiago Nasar.

2 - À quelles catégories (aspect physique, psychologique ou moral, social, relationnel) reliez-vous les procédés de caractérisation utilisés? Laquelle regroupe le plus grand nombre de procédés?

3 - La présentation est-elle statique ou intégrée à la narration? Quelles conséquences cela a-t-il sur le déroulement du récit?

C- PRODUCTION

Canevas de rédaction 1

Le portrait d'un ou d'une amie

Consignes

À partir de certaines des phrases suivantes, rédigez une dizaine de lignes qui serviront à la présentation de votre meilleur(e) ami(e).
* La première fois que je l'ai vu(e)...
   son visage...
   sa voix...
   sa démarche...
   son attitude...
   m'a plu.
* Un de mes amis m'avait parlé de lui/elle.
   Il disait...
   Elle lui avait dit...
* Un jour il/elle a été bouleversé(e) par...
   Il/elle n'a rien dit, mais je savais qu'intérieurement il/elle...
* Il/elle m'avait raconté un de ses rêves...
* Lors de cette rencontre il/elle...

Intégrez différents éléments de ce matériau et faites un portrait de votre ami(e): une page environ.

Canevas de rédaction 2

Anne Doré est âgée de 17 ans. Son père meurt dans un accident d'auto. Sa mère ne se remet pas de cette tragédie et se suicide. Anne a un frère plus âgé (20 ans) et deux jeunes soeurs. Quelque temps après ces événements, elle rompt avec Louis. Elle quitte les études et travaille. Elle rencontre Yves, mais le laisse quelques mois après. Même scénario avec Lionel. Une amie, Lucie, tente de lui faire voir qu'elle craint de s'attacher de peur de revivre une séparation brutale.

Canevas de rédaction 3

Yan vient poursuivre ses études dans une nouvelle école. Progressivement, il s'intègre à une bande: Yves, Noël, Joëlle, Lucie, Jacques. Ces jeunes font les quatre cents coups. Puis des relations amoureuses se noueront entre Yan et Joëlle. Les autres réagissent durement à ces habitudes qu'ils jugent dépassées. Joëlle cédera aux pressions du groupe, Yan la quittera.

Consignes

À partir de ces deux scénarios (ou composez votre propre scénario si vous le voulez),
- choisissez l'épisode qui va ouvrir le roman;
- déterminez sa localisation temporelle;
- définissez les grands traits psychologiques du personnage principal;
- rédigez les trois premières pages de ce roman: elles doivent exploiter un seul épisode et opérer la présentation du personnage central;
- justifiez le choix des techniques employées.

NOTES

1 - Jean-Pierre Goldenstein, *Pour lire le roman*, Paris-Gembloux, Duculot, 1980, 126 pages, p. 44.

2 - Mieke Bal, «L'analyse structurale du récit: Ordre dans le désordre» dans *Le français dans le monde*, Paris, Hachette, 1974, no 130, pp. 6-14, p. 9.

3 - Le schéma est emprunté à Richard Monod. On notera que l'adjuvant et l'opposant ne sont pas branchés à l'objet, mais à l'action qui les relie. *Les textes de théâtre*, Lyon, Cédic, 1977, 191 pages.

4 - C'est Greimas qui, à partir des travaux de Propp sur les contes populaires russes, a établi les distinctions entre les personnages, les acteurs et les actants. Les actants sont des rôles (sujet, objet...) que remplissent les acteurs, c'est-à-dire les personnages qui assument les fonctions (les rois, les héros...). Le personnage remplit un rôle actantiel, mais il ne peut se confondre avec l'actant. En fait, le personnage correspond à des ensembles d'éléments de caractérisation désignés par un nom. Voir, entre autres, J.-L. Dumortier et Fr. Plazanet, *Pour lire le récit*, Paris-Gembloux, Duculot, 185 pages, pp. 63-72 et Anne Ubersfeld, *Lire le théâtre*, Paris, Éditions sociales, 1982, 302 pages, pp. 110-138.

5 - Si l'on s'en tient aux épisodes et aux déterminations superficielles, on peut également, mais à partir de critères moins précis, identifier le héros, les personnages importants ou secondaires: «*Le héros, ou l'héroïne de roman représente celui à qui l'aventure maîtresse est arrivée. On distingue généralement, selon des critères au demeurant très flous, le personnage principal, héros ou protagoniste, des personnages secondaires ou épisodiques qui apparaissent à l'arrière-plan ou de temps en temps dans le roman, et du comparse enfin, personnage dont le rôle se trouve réduit au minimum.*» (Jean-Pierre Goldenstein, *op. cit.*, p. 44.)

6 - Anne Ubersfeld, *op. cit.*, p. 116.

7 - Albert Camus, *L'étranger*, Paris, Gallimard, Coll. «Le Livre de Poche», 1957, 179 pages, p. 24.

8 - Albert Camus, *Ibid.*, p. 41.

9 - William Burroughs, *Le camé*, Paris, Belfond, 1979, 198 pages, p. 71.

10 - William Faulkner, *Moustiques*, Paris, Éditions de Minuit, Coll. «Points», 1948, 315 pages, pp. 15-16.

11 - Jorge Amado, *Bahia de tous les saints*, Paris, Gallimard, Coll. «Folio», 1938, 372 pages, p. 10.

12 - Louis Hémon, *Maria Chapdelaine*, Montréal, Fides, 1980, 225 pages, p. 7.

13 - Antoine de Saint-Exupéry, *Vol de nuit*, Paris, Gallimard, 1931, 171 pages, p. 87.

14 - *Ibid.*, p. 29.

15 - Anne Hébert, *Le torrent*, Montréal, HMH, 1963, 248 pages, p. 9.

16 - John Steinbeck, *Des souris et des hommes, op. cit.*, p. 68.

17 - *Ibid.*, p. 72.

18 - *Ibid.*, p. 30.

CHAPITRE 4

Voix narratives et points de vue de narration

A - THÉORIE

Lire un roman, c'est établir une connivence entre soi et une narration; c'est susciter une expérience émotive, intellectuelle, sensuelle qui débouche sur des significations variées et multiples, appréhendées ou formalisées. Ce contact s'établit dans le cadre d'une situation de communication, rendue par la narration, où quelqu'un raconte quelque chose à quelqu'un d'autre. Ce sont les modalités du contact entre le narrateur et son destinataire de même que la vision que ce narrateur impose, compte tenu de l'organisation du récit, qu'explorera ce chapitre.

Ces deux aspects du récit correspondent aux concepts de voix narrative et de point de vue de narration. Le premier recouvre les relations entre celui qui raconte l'histoire (*le narrateur*) et celui à qui est destinée l'histoire qu'il raconte (*le narrataire*). Le second correspond à la perspective adoptée par le narrateur pour présenter les événements et les personnages de l'histoire. Chacun des deux concepts correspond à une question centrale.

- *La voix narrative:* Qui parle dans le récit?
- *Le point de vue de narration:* Comment le narrateur voit-il les événements et les personnages?

La voix narrative

Qui parle?

> Je suis née dans un petit hôpital de Tokyo. Maman dit se rappeler encore deux choses:
> Une souris traversant la chambre à fond de train et dans laquelle elle vit un signe de bon augure.
> Une infirmière penchée sur elle et qui lui murmurait l'air navré: «*Je crains que cela soit une fille. Préférez-vous informer votre mari vous-même?*»

Cette ouverture de *Devenir* [1], livre de Liv Ullmann où elle nous livre sa vie, permet de répondre «*Liv Ullmann*» à la question «*Qui parle?*», car il s'agit d'une autobiographie [2]. Ici, l'auteur est la narratrice des faits qui composent sa vie. C'est elle qui dévoile les sentiments, les émotions, les pensées qui forment son expérience d'enfant, d'amoureuse, d'actrice et de mère. Pourtant, il est contradictoire de répondre *Anne Hébert* à cette même question posée en fonction du «*Torrent*». Elle est l'auteur de cette nouvelle, mais elle n'en est pas la narratrice. Dans ce cas, il s'agit de François, le héros, qui rend compte de son expérience par un long monologue remémoratif. D'ailleurs, plusieurs auteurs ont voulu inscrire une distance entre leur oeuvre et leur personne. C'est notamment le cas de Romain Gary qui publia sous le nom d'Émile Ajar (voir *Vie et mort d'Émile Ajar*). Il réussit même à obtenir deux fois le prix Goncourt: en 1956, avec *Les racines du ciel*; en 1975, sous le nom d'Émile Ajar, avec *La vie devant soi*. Mais il a eu de nombreux prédécesseurs, notamment Prosper Mérimée, Boris Vian, Pierre Louÿs...

L'auteur et le narrateur

Dans la réalité, l'auteur écrit une oeuvre pour un lecteur virtuel; dans la fiction, un narrateur [3] raconte une histoire à un narrataire. En fait, il s'agit de deux plans différents présentant chacun une situation de communication où un destinateur livre un message à un destinataire: «*L'auteur est une personne concrète, qui existe ou qui a existé; le narrateur est un rôle que l'auteur s'invente et qu'il joue, le temps de faire son récit, de raconter son histoire*» [4]. Ce rôle implique un destinataire, le narrataire, qui, lui aussi, diffère du lecteur réel.

Les fonctions du narrateur

La fonction première du narrateur est de narrer le récit; c'est la fonction narrative. De ce rôle qui est en fait «*un aspect technique de l'organisation du récit*» [5] découlent des fonctions subséquentes. La plus importante parmi elles est celle de régulateur interne du récit.

La fonction de régulation

C'est le narrateur en effet qui règle le déroulement du récit, qui remplit la fonction de régie du discours narratif. Par exemple, quand Hervé Jodoin, personnage principal du *Libraire*, précise: «*Mais en voilà assez là-dessus (...) Passons aux circonstances qui m'ont conduit à Saint-Joachin*» (p. 15), «*Je commence donc par le commencement*» (p. 17), «*J'y reviendrai (...)*» (pp. 25, 29), «*Mais procédons par ordre...*» (p. 36)[6], il actualise directement dans le discours cette fonction qui consiste à orienter le récit dans certaines directions et à en refuser d'autres. Il en va de même pour Stingo dans *Le choix de Sophie* quand il justifie continuellement sa façon de livrer l'information: «*Peut-être cela contribuera-t-il à clarifier ce qui se passa entre Sophie et Rudolf Höss si nous essayons un instant d'examiner la nature et la fonction d'Auschwitz (...) Si j'insiste sur ce moment, c'est qu'il est important*» (p. 294), «*J'attribuai tout d'abord cela à l'excès de l'horreur, et ne me trompais pas, mais je ne devais apprendre que plus tard la véritable raison de ce silence et de ces faux-fuyants (...)*»[7] En fait, tous les narrateurs remplissent cette fonction. Parfois, comme dans les cas mentionnés, elle laisse de nombreuses traces dans le récit.[8] Cependant, dans d'autres romans, elle est surtout signalée par l'organisation du récit: des faits ont été passés sous silence, d'autres reviennent sans cesse... Cet aspect sera analysé dans le chapitre traitant de l'organisation du temps dans le récit.

La fonction de communication

La fonction de communication est implicite au rôle de narrateur et à sa relation au narrataire. Cependant, parfois, cette fonction s'inscrit explicitement dans le texte par des appels du narrateur au narrataire. Par exemple, dans *Voyage au bout de la nuit*, Bardamu, le narrateur héros du récit, dira: «*Vous savez, avant la guerre, on était tous encore bien plus ignorants et plus fats qu'aujourd'hui*», ou encore: «*Ah, l'héroïsme mutin, c'est à défaillir je vous le dis!*»[9]

La fonction d'attestation

Le narrateur, quand il est impliqué dans l'histoire qu'il raconte, a vécu les événements qu'il narre ou en a été témoin. C'est donc lui qui est garant de la véracité fictive (la vraisemblance) des faits qu'il rapporte. Quand sa narration sert à attester explicitement l'effet de réel qu'elle veut produire, elle engage la fonction d'attestation du narrateur. C'est le cas tout au long *Des anciens Canadiens* de Philippe-Aubert de Gaspé. C'est également le cas, au début de *Manon Lescaut*: un jeune homme accompagne une charrette de femmes que l'on va déporter et parmi lesquelles se trouve Manon, l'objet de sa passion. Il rencontre alors le marquis de Renoncourt. Deux ans après son retour d'Amérique, le chevalier des Grieux, qui a accompagné Manon, rencontre à nouveau le marquis. Il lui fait alors le récit de ses aventures.

> Je dois avertir le lecteur que j'écrivis son histoire presque aussitôt après l'avoir entendue, et qu'on peut s'assurer, par conséquent, que rien n'est plus exact et plus fidèle que cette narration. Je dis fidèle jusque dans la relation des réflexions et des sentiments que le jeune aventurier exprimait de la meilleure grâce du monde. Voici donc son récit, auquel je ne mêlerai, jusqu'à la fin, rien qui ne soit de lui. [10]

La fonction idéologique

La fonction idéologique correspond aux interventions du narrateur à l'égard de son récit, des actes et des paroles qu'il rapporte. C'est son rôle de juge, de critique rendu le plus souvent par un discours explicatif, souvent didactique.

Le narrataire

Le narrataire, c'est le destinataire du narrateur. Tout texte narratif a un narrataire. Celui-ci cependant peut être explicitement ou implicitement identifié par la narration. Par exemple, dans un roman par lettres, le destinataire sera explicitement nommé alors que dans le cas d'un journal comme *La nausée* ou *Le libraire*, le narrataire (Roquentin, Hervé Jodoin) restera implicite. Il s'agit bien sûr du narrateur même puisque le récit prend la forme d'un journal personnel.

Les choix reliés au narrateur

Quelle est la situation du narrateur par rapport à la fiction qu'il raconte? Deux possibilités s'offrent au romancier: faire raconter l'histoire par un narrateur étranger à l'histoire ou par l'un des personnages. Dans le second cas, le narrateur pourra en être le héros ou un autre personnage: «*L'absence est absolue mais la présence a ses degrés*» [11].

Le narrateur étranger à l'histoire

Quand le narrateur est étranger à l'histoire, il établit une distance entre le personnage et le lecteur à qui il révélera progressivement les éléments propres à l'intrigue. Il effacera de plus les traces caractéristiques de la situation de communication que le récit implique. Les pronoms de narration je/tu ou nous/vous ne seront employés que dans le discours rapporté et le narrateur, dans la plupart des cas, s'adressera à un narrataire potentiel.

Le narrateur personnage

Les deux modalités de la présence du narrateur personnage renvoient à deux variétés de récits: «*l'une où le narrateur est héros de son récit, et l'autre où (il) se trouve être, pour ainsi dire, toujours (l') observateur et (le) témoin*» [12]. Pour analyser le rôle joué par le narrateur dans le roman, il faut donc tenir compte du personnage qu'il désigne:
- Le narrateur *je* se confond avec le héros (ou personnage principal) [13]; il raconte alors sa propre histoire.
- Le narrateur *je* est un personnage important ou secondaire du récit qui raconte l'histoire du héros (*il*) [14]. Son implication dans le récit peut varier. Il y assume une présence dynamique sur le plan de l'action ou n'est que l'observateur de ce qui se passe.

Le narrateur héros

Le narrateur héros est un cas romanesque très fréquent. Le narrateur dit *je* et raconte les événements qu'il a vécus. Une vraisemblance naît de cette situation romanesque. Il est en un sens crédible qu'une personne révèle des faits qui lui sont arrivés surtout si ceux-ci représentent un passage important de sa vie, s'ils ont provoqué une prise de conscience de sa situation ou une remise en question de sa façon de voir le monde. Par exemple, Meursault, héros de *L'étranger* d'Albert Camus, racontera les faits qui ont mené à son procès et à sa condamnation à mort. Il fera vivre au lecteur la prise de conscience qu'a entraînée cette situation et sa façon d'y réagir.

De nombreux narrateurs sont les héros de l'histoire qu'ils racontent. C'est le cas, entre autres, de Roquentin de *La nausée* de Jean-Paul Sartre, d'Alex Portnoy de *Portnoy et son complexe* de Philippe Roth, d'Abel de *Race de monde* de Victor-Lévy Beaulieu, de Hervé Jodoin du *Libraire* de Gérard Bessette.

Le narrateur personnage important ou secondaire

De nombreuses oeuvres présentent des narrateurs qui ne sont pas les héros du récit. Le Dr Watson, comparse du célèbre Sherlock Holmes, illustre bien ce cas: «*Ce matin-là, m'étant levé un peu plus tôt que de coutume, je vis que Sherlock Holmes n'avait pas encore fini de déjeuner (...)*» (Conan Doyle, *Étude en Rouge*). Mais on peut aussi songer à Nick Carraway qui raconte la vie de Jay Gatsby, dans *Gatsby le magnifique*. Il le connaîtra par hasard et sera

mêlé de façon incidente à cette étrange communauté et au drame passionnel
auquel les autres événements mèneront. Fasciné par ce personnage qui tente de
remodeler son passé, il l'observera lucidement. Le rêve avorté de Gatsby viendra confirmer ce constat de facticité qu'il porte sur la société dans laquelle il
évolue.

D'autres oeuvres majeures se structurent à partir d'un narrateur qui assume le
rôle de personnage soit secondaire, soit important au sein du roman. Par exemple, François Seurel raconte les aventures du Grand Meaulnes, le pilote fait part
de sa rencontre avec le petit prince, Sal témoigne de ses virées folles avec Dean
Moriarty, héros de *Sur la route,* Jean-François raconte le destin de son oncle
Nazaire dans *L'emmitouflé* de Louis Caron. Et c'est vrai aussi d'Ishmaël de
Moby Dick, de Bromden du *Vol au-dessus d'un nid de coucou.*

On a parfois tenté d'expliquer ce choix narratif en fonction de l'auteur. Ainsi Michel Butor affirme: «*Le héros représentera ce qu'il rêve, et le narrateur ce
qu'il est*» [15]. Il semble pourtant plus logique de l'analyser en fonction de l'effet
narratif du procédé dans le processus de lecture. Vu à travers un personnage
engagé dans l'histoire, le héros conserve une opacité: l'*identité* du héros devient alors un élément clef de l'intrigue.

Les choix reliés au narrataire

La voix narrative implique, entre autres, les relations entre le narrateur et le
narrataire d'un récit; entre la personne qui parle dans le récit et la personne à
laquelle le récit est destiné. Tout comme le narrateur, le narrataire peut être ou
ne pas être intégré au récit. Le romancier effectue donc, par rapport au
destinataire, le même choix que celui fait pour le narrateur. Il détermine si le
destinataire sera ou non personnage du récit, et quel en sera le rôle.

Quand le destinataire n'est pas intégré au récit, il est un narrataire implicite.
Quand il est explicitement intégré, il peut être un des protagonistes de
l'histoire, un personnage secondaire ou un appel direct au lecteur virtuel.

Le narrataire protagoniste

Le roman par lettres est bien sûr le cas le plus simple de cette possibilité narrative. Chaque personnage assume tour à tour un de ces deux rôles. De grandes
oeuvres correspondent à ce type de narration. Par exemple, *Julie ou la
nouvelle Héloïse* de Jean-Jacques Rousseau se présente comme un recueil de
lettres «*de deux amants habitants d'une petite ville au pied des Alpes*». Dans ce
récit, les deux principaux protagonistes, Julie d'Etanges et son précepteur,
Saint-Preux, sont tour à tour narrateur et narrataire. Le lecteur apprend ainsi,
des protagonistes mêmes, les événements qui provoquèrent l'amour des deux

jeunes gens, leur rupture, les pérégrinations de Saint-Preux à la recherche de l'apaisement; qui révélèrent l'innocence, la vertu de Julie et son respect pour son mari, M. de Wolmar. De plus, ce roman intègre des destinataires qui jouent un rôle plus secondaire, puisqu'il comprend également des lettres de Julie à Claire D'Orbe ou de Madame de Wolmar à Madame d'Orbe... Voici un bref extrait d'une de ces nombreuses lettres.

Lettre X à Julie

Que vous avez raison, ma Julie, de dire que je ne vous connais pas encore! Toujours je crois connaître tous les tissus de votre belle âme, et toujours j'en découvre de nouveaux. Quelle femme jamais associa comme vous la tendresse à la vertu, et, tempérant l'une par l'autre, les rendit toutes deux plus charmantes? [16]

De même dans *Les liaisons dangereuses* de Laclos, la marquise de Merteuil, Valmont, Cécile de Volanges, Mme de Tourvel, la Présidente de Tourvel, Danceny seront tour à tour les narrateurs et les narrataires de ces lettres qui révéleront les jeux de persuasion, de séduction, de mensonge et d'asservissement de ces personnages qui se livrent une guerre mondaine dont viendra leur perte. De même aussi la troublante histoire d'un impossible amour, *Angéline de Montbrun* de Laure Conan dont l'histoire de la première partie du roman n'est faite que des lettres de Mina, Maurice, Angéline... [17].

Le narrataire personnage secondaire ou anecdotique

Parfois le destinataire joue un rôle moins important dans le récit. Par exemple, dans *Le Grand Meaulnes,* trois lettres d'Augustin Meaulnes à François Seurel sont inscrites dans le tissu narratif, alors que l'ensemble de l'oeuvre fait plutôt appel à un narrataire implicite. Il en va de même des lettres de Stevens Brown à Michel Hotchkiss dans *Les fous de bassan* d'Anne Hébert. Dans *Vanité de Duluoz* de Jack Kerouac, le narrataire s'intègre sporadiquement au récit et est réduit à un appel conatif: «*p'tite femme*». Malgré cette présence épisodique, tout le récit en est marqué. Elle met en relief l'oralité du discours.

D'accord, p'tite femme, tu trouves peut-être que je mérite des coups de pied où je pense, (...)
Mais écoute bien, mon angoisse comme je l'appelle vient aussi de ce que les gens ont tellement changé, non seulement ces cinq dernières années, bon Dieu, ou ces dix dernières années comme le prétend McLuhan, mais durant ces trente dernières années, au point que je ne les considère plus comme des gens, ni moi-même comme membre à part entière de ce qu'on appelle la race humaine. [18]

Parfois aussi, le narrataire est l'objet ou le fil conducteur du récit. Par exemple, le compagnon dont la présence ou l'absence sert les modulations du *Voyage égoïste* de Colette.

Le narrataire lecteur fictif

Parfois, le narrateur fait appel directement au lecteur. Il ne s'agit pas du vrai lecteur, mais d'un lecteur fictif qui devient narrataire du récit. Ces appels serviront à établir ou renforcer la complicité entre la narration et le lecteur. Par exemple, dans *Le petit Prince*, le pilote s'adresse directement à ce lecteur en employant les pronoms *nous* ou *vous*.

> Vous imaginez combien j'avais pu être intrigué par cette demi-confidence sur les «*autres planètes*». Je m'efforçais donc d'en savoir plus long (...). Ainsi, si vous leur dites (aux grandes personnes), «*La preuve que le petit prince a existé c'est qu'il était ravissant, qu'il riait, et qu'il voulait un mouton. Quand on veut un mouton, c'est la preuve qu'on existe*» elles hausseront les épaules et vous traiteront d'enfant! Mais si vous leur dites, «*La planète d'où il venait est l'astéroïde B 612*» alors elles seront convaincues, et elles vous laisseront tranquille avec leurs questions. Elles sont comme ça. Il ne faut pas leur en vouloir. Les enfants doivent être très indulgents envers les grandes personnes.
>
> Mais, bien sûr, nous qui comprenons la vie, nous nous moquons bien des numéros! [19]

Ces appels au lecteur servent également d'autres fins. Ils peuvent jouer, par exemple, un rôle de remise en question des attitudes du lecteur face au récit en prenant un ton ironique ou satirique. On se rappellera le début de *Jacques le Fataliste et son maître* de Diderot qui s'ouvre sur un dialogue entre la narrateur et le lecteur fictif.

> Comment s'étaient-ils rencontrés (Jacques et son maître)? Par hasard, comme tout le monde. Comment s'appelaient-ils? Que vous importe? D'où venaient-ils? Du lieu le plus prochain. Où allaient-ils? Est-ce que l'on sait où l'on va? [20]

Le temps de la narration

La voix narrative recouvre les relations entre le narrateur et le narrataire à l'histoire qu'il raconte. Ces relations impliquent une dimension temporelle reliée au moment de la narration. En effet, la narration peut être faite

- après les événements: narration ultérieure;
- avant les événements: narration antérieure;
- en même temps que les événements ou légèrement différée: narration simultanée;
- entre les événements: narration intercalée.

Cette dimension sera approfondie dans le chapitre qui traite de l'organisation du temps dans le récit.

Les relais de narration

Tout récit peut en contenir un ou plusieurs autres. Quand le cas se présente, à la voix du narrateur se substitue la voix d'un autre narrateur. Alors, dans le récit premier se glisse un récit second (récit enchâssé [21]) ou au récit premier s'ajoute un récit second, parfois plusieurs (récits juxtaposés [22]), ou encore un récit premier engendre un récit second ou plusieurs récits (récits enchaînés [23]).

Les variations de voix narratives

Le passage d'un récit à un autre entraînera un changement de narrateur. Cette modification implique parfois une transformation de la personne narrative (du *je* au *il,* par exemple), mais, dans de nombreux cas, le changement s'opère en continuité avec l'emploi du pronom de narration: il y a alors unité de pronom de narration (*je / je*) mais ce pronom renvoie à des narrateurs différents.

De plus, plusieurs récits présentent une variation de pronom de narration sans nécessairement entraîner un changement de niveau narratif. Deux cas peuvent alors se présenter: des changements ponctuels ou des changements structurels.

Les changements ponctuels du pronom de narration

Il y a changement de pronom de narration sans modification de la voix narrative quand le même narrateur emploie pour faire son récit deux ou plusieurs pronoms de narration. Ces changements ne sont pas rares. Quand ils se présentent, on les note ou les interprète, car ils n'ont de signification qu'en contexte [24].

Les changements de pronoms de narration sont ponctuels quand ils ne tiennent pas à la structure du récit, mais interviennent pour traduire soit une modification circonstanciée d'attitude du personnage, soit un changement de situation du narrateur par rapport au récit.

Dans le premier cas, le changement de pronom de narration vise souvent une critique de l'attitude du personnage. Par exemple, dans «*Le livre du révérend Nicolas Jones*», première partie des *Fous de bassan* d'Anne Hébert, le narrateur, Nicolas Jones, passe plusieurs fois du *je* au *il*. Ces changements provoquent une objectivation critique de ses propres attitudes.

> Le lait mousseux m'emplit la bouche de douceur tiède. Vais-je m'endormir dans la douceur du lait? Remonter aux sources tièdes du monde? Quel voeu pieux est-ce là? (...) Fais des grimaces avec ma bouche, pareil à un poisson rouge qui lâche des bulles. *Cet homme est vieux, grotesque, ouvre la bouche comme s'il tétait* [25].

Cette distance critique témoigne de la conscience qu'a le personnage de lui-même ou du rôle qu'il joue dans l'expérience qu'il vit ou a vécue.

Cette attitude diffère donc du pur et simple dédoublement. Dans ce cas, le *je* parlera de lui-même au *je* pour rendre sa rupture avec la réalité vécue ou l'absurde de la réalité décrite. Alors, le personnage rompt avec la réalité ou ne perçoit pas clairement le rôle qu'il y joue, s'y sent étranger. Quand, par exemple, François, héros du *Torrent*, introduit Amica dans sa demeure, il se voit et se perçoit comme un inconnu, un autre, un étranger: «*Je vois un inconnu qui mange en face d'une femme inconnue. Ils sont aussi secrets l'un que l'autre (...) J'observe ce couple étranger en sa nuit de noces. Je suis l'invité des noces*» [26]. Ou encore, quand Meursault veut traduire l'impression d'être de trop à son propre procès, d'être un intrus, il s'identifie à un journaliste assis dans la salle où le procès se déroule et qui regarde: «*Dans son visage un peu asymétrique, je ne voyais que ses deux yeux, très clairs, qui me regardaient attentivement, sans rien exprimer qui fût définissable. Et j'ai eu l'impression bizarre d'être regardé par moi-même*» [27]. Donc, le dédoublement apparaît souvent comme une forme plus marquée où le maintien du pronom de narration signale la rupture du personnage avec la réalité ou l'absence d'une perception claire du rôle qu'il y joue.

Parfois, le changement de pronom de narration traduit un changement de situation du narrateur par rapport au récit. Par exemple, au début de *Madame Bovary*, le narrateur emploie le *nous* comme pronom de narration: «*Nous étions à l'étude, quand le proviseur entra, suivi d'un nouveau habillé en bourgeois et d'un garçon de classe qui portait un grand pupitre*» [28]. Le narrateur raconte alors la rentrée de Charles Bovary dans la classe. Le *nous* renvoie donc à un narrateur impliqué dans le récit, témoin de cet événement qu'il va révéler. Cependant, le narrateur va, très rapidement, changer de situation par rapport au récit. Ce témoin va discrètement s'effacer et laisser place à un narrateur à la troisième personne: «*Il n'y comprit rien; il avait beau écouter, il ne saisissait pas. Il travaillait pourtant, il avait des cahiers reliés*» [29]. Ainsi le lecteur passera d'une perception des événements propre à celui qui reçoit les informations de quelqu'un qui y a été impliqué et qui se les rappelle (un condisciple de Charles) à la perception de celui qui apprend des faits révélés par quelqu'un qui n'y a pas été impliqué, mais qui sait ce qui s'est passé.

Dans *La peste* d'Albert Camus, tout le récit sera mené à la troisième personne. Le narrateur ne révélera qu'à la fin du récit qu'il est le docteur Rieux, protagoniste de la chronique, qui aura parlé de lui-même comme une tierce personne en employant le *il*.

Les changements structurels

Il y a changement structurel de pronom de narration quand les changements sont reliés à la nature même du personnage ou à la structure du roman comme c'est le cas dans *Les morts ont tous la même peau* de Boris Vian et dans *Le passé empiété* de Marie Cardinal. Les changements qui tiennent à la composition du roman ont déjà été analysés (voir «*Les relais de narration*»). Ceux qui sont reliés fonctionnellement au personnage impliquent que le récit ne peut être élaboré qu'à partir des variations de pronoms de narration. Par exemple, un héros comme Charles-François Papineau des *Têtes à Papineau* de Jacques Godbout entraîne organiquement des changements de pronoms. Ce personnage est un monstre à deux têtes, un bicéphale. Le pronom de narration est donc le *nous*. Cependant, quand François parle de Charles, ou l'inverse, il emploie le *il*. Le discours est donc la résultante de la fusion du *je* et du *il*, ce *nous* qui doit approuver chaque mot des deux individualités qui constituent le personnage.

> Même ce texte devient plus difficile à rédiger. Quand une idée, un souvenir, une remarque plaisent à François, cela horripile Charles. Doit-on le noter? Chacun des mots que nous enregistrons doit être approuvé par les deux têtes qui gouvernent. Les lois de nos cerveaux s'ajustent mal. Les discours se croisent, se bousculent, s'entrechoquent [30].

Le point de vue de narration

Qui voit?

Aux relations que le narrateur entretient avec l'histoire qu'il raconte au narrataire (voix narrative) s'ajoute la façon dont le récit livre son information, la façon de raconter. Ce deuxième aspect de la narration comprend tout un faisceau de techniques narratives dont la plus importante est le point de vue de narration.

On peut résumer la notion de *point de vue de narration* en disant que c'est l'attitude du narrateur face au personnage (Qu'en sait-il? Comment le perçoit-il?) et à l'histoire (Qu'en sait-il? Comment la perçoit-il?). Le personnage qui détermine le point de vue narratif est donc celui qui *voit* et le point de vue est la modalité de sa perception; par exemple, les événements sont vus de l'intérieur ou de l'extérieur: «*Tout comme l'examen du narrateur répond à la question 'Qui parle?', de même l'examen du focalisateur répond à la question 'Qui voit?', 'Qui pense?', 'Qui donne son opinion?'*»[31].

Trois points de vue de narration sont possibles. Selon le premier, le narrateur connaît tout du personnage et de l'histoire; c'est la vision omnisciente. Todorov symbolise ainsi ce point de vue: Narrateur $>$ Personnage, car le narrateur est une sorte de dieu par rapport aux personnages. Dans le second, le narrateur *emprunte* la vision d'un personnage et s'y limite: Narrateur $=$ Personnage, car il rend compte des événements tels qu'ils sont perçus par le personnage foyer; c'est la vision intérieure. Dans ce cas, le lecteur ignore ce que le personnage ignore, «*les choses lui apparaissent comme elles lui apparaissent*»[32]. Dans le troisième, le narrateur est une sorte de caméra, de témoin neutre. Le rapport entre le narrateur et le personnage peut alors se traduire ainsi: Narrateur $<$ Personnage, car le narrateur ne rapporte que ce que le personnage dit, ne divulgue que ce que le personnage divulgue; c'est la vision extérieure neutre du narrateur témoin. Il va de soi qu'un récit est identifié à son point de vue dominant et qu'il peut admettre des changements ou variations de points de vue sans que la cohérence narrative d'ensemble soit touchée.

Voix narrative et point de vue

Il existe une multitude de combinaisons des possibilités narratives offertes par la conjugaison de la voix narrative et des points de vue. On peut cependant dégager de cette diversité cinq combinaisons particulièrement significatives.

1. Un narrateur extérieur au récit (*il*) qui raconte les événements à partir d'une vision omnisciente ou omnisciente à champ restreint (narrateur omniscient qui limite son champ de vision à celui d'un personnage)[33].

2. Un narrateur extérieur au récit (*il*) qui raconte les événements à partir d'une vision extérieure neutre.

3. Un narrateur héros dont la narration se fait à partir d'une vision intérieure.

4. Un narrateur personnage important ou secondaire qui a été témoin des événements et qui les raconte à partir d'une vision intérieure.

5. Un narrateur dont la narration se structure à partir du *vous* (*tu*), personne narrative ambiguë qui renvoie à la fois à la vision propre au personnage et au narrataire-lecteur fictif.

On peut cerner, pour chaque cas type, quelques grandes caractéristiques. Elles ne s'appliquent pas nécessairement à tous les romans qui présentent ces combinaisons narratives (voir plus haut les variations de voix narrative).

Il à vision omnisciente

- narrateur étranger à l'histoire;
- narrataire implicite;
- narrateur qui connaît tout des personnages;
- narrateur qui a tendance à résumer l'action, à la dire au lieu de la mettre en scène;
- narrateur qui suit ce qui se passe à plusieurs endroits à la fois.

Il à vision extérieure neutre

- narrateur extérieur, étranger à l'histoire;
- narrataire implicite;
- narrateur qui rend ce qu'il observe, ce qu'il entend;
- narrateur qui ne procède pas à des analyses psychologiques ou à des évaluations morales du comportement des personnages.

Je narrateur héros

- narrateur intégré à l'histoire;
- narrateur qui raconte ce qu'il sait de lui-même;
- narrataire implicite ou explicite;
- narrataire qui est parfois le narrateur (journal ou notes de voyage...);
- restriction de champ, car il ne peut raconter que ce qu'il connaît des événements;
- à l'occasion, tendance à la vision omnisciente ou extérieure neutre;
- dans le processus de lecture, identification du narrateur et du protagoniste.

Je narrateur témoin

- narrateur intégré à l'histoire;
- narrateur qui raconte l'histoire du protagoniste dans laquelle il est plus ou moins impliqué;
- narrataire implicite ou explicite;
- narrateur qui participe parfois aux événements, sinon il rend compte de ses déductions ou rapporte ce que le protagoniste a révélé;
- dans le processus de lecture, identification du narrateur et du protagoniste:
- le protagoniste conserve une opacité.

Vous/tu

- le narrateur (étranger ou intégré à l'histoire selon le contexte général du récit) raconte les événements, décrit les choses et les lieux, présente les personnages comme s'il était enfermé dans la conscience [34] du protagoniste. Il dit *vous* ou *tu;*
- la personne narrative que désigne le *vous* renvoie, selon le contexte, au protagoniste ou au narrataire-lecteur fictif;
- le narrateur peut également se prendre, selon le contexte, comme narrataire de son récit [35] (monologue intérieur ou soliloque);
- la narration à la deuxième personne peut impliquer que le protagoniste auquel le narrateur s'adresse ignore les événements évoqués, les dissimule ou se les dissimule, ou encore qu'il prend conscience progressivement, au fur et à mesure qu'on les lui rappelle, de leur signification.

Le projet de lecture

Chaque roman n'utilise qu'une partie des virtualités narratives offertes par les dimensions de la voix et du point de vue de narration. Aussi l'identification des techniques utilisées dans un roman donné est, dans la plupart des cas, simple. Cette démarche permet de mieux comprendre l'organisation du récit qu'on nous présente, de l'apprécier davantage et aussi, progressivement, de devenir plus critique face à certaines facilités narratives.

Cependant, bien que les choix du romancier en ce qui a trait à la voix narrative et à la perspective de narration soient déterminants, il importe, par delà leur identification, d'interroger leurs relations aux autres composantes de l'oeuvre et les effets que ces procédés visent à produire dans le processus de lecture. Somme toute, quel que soit l'angle d'analyse, c'est toujours la cohérence et l'efficacité globale de la fiction qui sont interrogées.

En guise de rappel

La voix narrative et le point de vue de narration sont deux aspects importants et complexes des techniques narratives employées par le romancier. Elles concernent respectivement les relations entre le narrateur, l'histoire, le narrataire et la façon dont le récit livre son information. Rappelons les principales composantes de ces deux dimensions du récit.

La voix narrative

La voix narrative, c'est l'ensemble des relations entre le narrateur, l'histoire qu'il raconte et son destinataire, le narrataire. Ces relations se manifestent, dans le récit, de trois principales manières: la personne narrative, le temps de la narration, les relais de narration.

La personne de narration

Un roman peut être écrit à la première, à la deuxième ou à la troisième personne.

Tout récit implique un narrateur et un narrataire

• Le narrateur est celui qui narre le récit, le régulateur du récit.
• Le narrataire est celui à qui le récit est destiné.

La relation entre le narrateur et l'histoire

Cette relation a
• *une dimension narrative*: le narrateur est-il extérieur au récit ou y est-il intégré? Son intégration peut se faire à titre de héros ou de personnage important ou secondaire;
• *une dimension temporelle*: la narration est-elle faite après, avant, en même temps ou entre les événements qui composent l'histoire?

La relation entre le narrateur et le narrataire

Le narrataire peut être extérieur au récit ou s'y intégrer comme protagoniste, comme personnage secondaire ou comme référence au lecteur fictif.

Les relais de narration

Un roman comprend des relais de narration quand un récit premier laisse place à un récit second et entraîne un changement de narrateur.

Le point de vue de narration

Le point de vue de narration est la façon dont le narrateur perçoit le personnage et l'histoire: «*que sait-il du personnage et comment le perçoit-il?*»; «*que sait-il de l'histoire et comment la perçoit-il?*» C'est donc la vision des événements et des personnages que le narrateur impose au narrataire, compte tenu de l'organisation du récit.

Trois points de vue de narration sont possibles avec des variations propres à chaque grande catégorie de récit: la vision omnisciente (Narrateur $>$ Personnage), la vision intérieure (Narrateur $=$ Personnage) et la vision extérieure neutre (Narrateur $<$ Personnage).

Questions

1 - Formulez en vos propres mots une définition des deux principaux concepts analysés dans ce chapitre: la voix narrative et le point de vue. Illustrez-les grâce à un roman que vous avez lu récemment.

2 - «*Le narrateur [...] est souvent identifié à l'auteur. C'est une erreur qu'il faudra éviter: nous ne connaissons pas l'auteur*» (M. Bal). Commentez.

3 - Qu'est-ce qui différencie le narrateur et le narrataire?

4 - Pourquoi dit-on que le narrateur est le régulateur du récit?

5 - Quelles sont ses autres fonctions?

6 - Le destinataire est-il le lecteur? Expliquez.

7 - En ce qui a trait au narrateur et au narrataire, quels sont les choix que le romancier peut effectuer?

8 - Quels rôles le narrateur peut-il jouer dans le récit?

9 - Quels rôles le narrataire peut-il jouer dans le récit?

10 - En quoi le temps de narration est-il relié à la voix narrative?

11 - Qu'est-ce qu'un relais de narration? Parfois, dans un conte ou dans un roman, il y a plusieurs récits, plusieurs niveaux narratifs. Donnez les principaux modes de relation de ces récits entre eux.

12 - Quelle condition est nécessaire pour qu'il y ait relais de narration?

13 - Qu'est-ce qu'un changement ponctuel de pronom de narration?

14 - Qu'est-ce qu'un changement structurel de pronom de narration?

15 - Quelles sont les questions qui renvoient à la notion de point de vue? Elles portent sur deux objets. Lesquels?

16 - La vision omnisciente, la vision intérieure, la vision extérieure neutre sont les trois principaux points de vue narratifs. Caractérisez chacun d'eux. Imaginez une histoire simple et racontez-la en empruntant chacun des points de vue.

17 - Quand parle-t-on de vision omnisciente?

18 - Établissez l'opposition entre le narrateur omniscient et le narrateur omniscient à champ restreint.

19 - À quelles conditions le récit à la première personne à vision intérieure peut-il se rapprocher du récit à la troisième personne à vision omnisciente?

20 - La vision extérieure neutre est-elle possible dans un roman à la première personne?

21 - Donnez deux exemples de romans ou de nouvelles de chaque combinaison type de la voix narrative et du point de vue.

B- OBSERVATION ET ANALYSE
Texte 1: «Typhon»

(extraits)

Joseph Conrad

> Typhon *raconte l'histoire d'un capitaine, Mac Whirr, et de son équipage. Le navire que Mac Whirr dirige, le Nan-Shan, affronte un typhon dans les mers de Chine. Il ramène en Chine des coolies qui rentrent chez eux avec toutes leurs économies. Jukes, le second, et Rout, le chef-mécanicien, lutteront aiguillés par la confiance tenace de leur chef en son navire. Avant d'arriver au port, le capitaine devra résoudre le problème de la remise équitable de l'argent des coolies. Il vaincra cette dernière difficulté.*

C'est l'imagination qui nous rend susceptibles, arrogants et difficiles à contenter; tout navire commandé par le capitaine Mac Whirr devenait le flottant asile de l'harmonie et de la paix. À vrai dire les écarts fantaisistes lui étaient aussi interdits que le montage d'un chronomètre au mécanicien qui ne pourrait disposer que d'un marteau de deux livres et d'une scie.

Et cependant ces vies, sans intérêt, entièrement absorbées par l'actualité la plus simple et la plus immédiate, ont leur côté mystérieux. Comment comprendre, dans le cas de Mac Whirr par exemple, quelle influence au monde avait bien pu pousser cet enfant parfaitement soumis, ce fils d'un petit épicier de Belfast, à s'enfuir sur la mer! Il n'avait que quinze ans quand il avait fait ce coup-là! Cet exemple suffit, pour peu qu'on y réfléchisse, à suggérer l'idée d'une immense, puissante et invisible main, prête à s'abattre sur la fourmilière de notre globe, à saisir chacun de nous par les épaules, à entrechoquer nos têtes et à précipiter dans des directions inattendues et vers d'inconcevables buts nos forces inconscientes.

(...)

Le capitaine Mac Whirr ferma les yeux.

Il les ferma pour se reposer. Il était fatigué et expérimentait cet état de vide mental qui survient à la suite d'une discussion poussée à fond, et dans laquelle on aurait sorti quelque conviction mûrie au cours de longues années de méditations. En réalité, il venait de faire, à son insu, sa profession de foi, ce qui eut pour effet de laisser Jukes perplexe et se grattant la tête de l'autre côté de la porte pendant un temps assez long.

Le capitaine Mac Whirr ouvrit les yeux.

(...)

Il se tenait pour calme inaltérablement; mais en vérité, il était moins calme que prostré; et pas honteusement; non, rien que pour autant qu'un honnête homme peut l'être sans devenir un objet de dégoût pour soi-même. On eût dit plutôt une sorte de narcose de l'esprit comme en sait provoquer l'insistance de la tempête; l'attente d'une catastrophe interminablement imminente; le corps aussi s'épuise dans ce simple raccrochement à l'existence parmi le tumulte excessif; c'est une lassitude insidieuse qui pénètre dans les poitrines, s'infiltre négligemment jusqu'au coeur, l'alourdit et le contriste - ce coeur incorrigible de l'homme qui, par-delà tous les biens de la terre, par-delà la vie même, aspire à la paix.

(...)

Personne - pas même le capitaine Mac Whirr, qui, seul sur le pont, avait aperçu une blanche ligne d'écume s'avancer, à une telle hauteur qu'il n'en pouvait croire ses yeux -, personne ne devait jamais savoir ce qu'avait été l'escarpement de cette lame, et l'effrayante profondeur du gouffre que l'ouragan avait creusé derrière la mouvante muraille d'eau.

(...)

Le capitaine Mac Whirr, un peu moins placidement que de coutume, s'efforçait de faire entrer dans sa boutonnière le bouton d'en haut de son ciré. L'ouragan qui met les flots en démence, qui fait sombrer les bateaux, et qui déracine les arbres, qui renverse les murailles et précipite l'oiseau de l'air contre le sol, l'ouragan avait rencontré sur sa route cet homme taciturne et son plus grand effort n'avait pu que lui arracher quelques mots. Avant que le courroux renouvelé des tempêtes ne se jetât de nouveau sur le navire, le capitaine Mac Whirr fut réduit à déclarer, d'un ton comme contrarié:

— Ça m'ennuierait qu'il se perdît.

Cette contrariété lui fut épargnée.

Joseph Conrad, *Typhon* traduit de l'anglais par André Gide. Paris, Éditions Gallimard, Coll. «Folio», 1918, pp. 13, 58, 80, 112, 135-136.

Questions

1 - Quel est le pronom de narration utilisé dans ces courts extraits?

2 - Quelle est la voix narrative?

3 - Quel est le point de vue? À quels indices vous êtes-vous fiés? Classez ceux-ci en fonction des aspects suivants: discours du narrateur, connaissance du personnage, connaissance des événements.

Texte 2: «Un homme en suspens»

(extraits)
Saul Bellow

Un homme en suspens est l'histoire de Joseph, employé à l'Agence des Voyages Inter-américains qui reçoit son avis d'incorporation dans l'armée. Il quitte son emploi en attendant d'être appelé; il fait alors l'expérimentation de sa liberté qu'il abdiquera pour ce «bonheur dans l'esclavage» qu'il constate tout autour de lui. Les extraits correspondent au début de cette vie en suspens; ils révèlent les changements de Joseph par rapport à son ancienne vie.

Dans une ville où un être humain a vécu la majeure partie de son existence, il est rare qu'il se trouve jamais entièrement seul. Et pourtant, dans toute l'acception du mot, je suis devenu un solitaire. Je suis seul dix heures par jour dans une pièce (...)

Près de sept mois se sont écoulés depuis que, pour répondre à l'appel de la visite d'incorporation dans l'Armée, j'ai démissionné de mon emploi à l'Agence des Voyages Inter-américains. J'attends toujours (...)

Pour des raisons légales, je suis toujours l'ancien moi-même, et si la question de mon identité était soulevée, je ne pourrais que montrer mes signes particuliers d'hier. Je n'ai pas essayé de me mettre au goût du jour, que ce soit par indifférence ou par peur. Très peu du Joseph d'antan me plaît. Je ne peux m'empêcher de rire de lui, de certains de ses gestes et de ses mots.

Joseph: vingt-sept ans, employé à l'Agence de voyages Inter-américains, grand et déjà un peu mou, mais néanmoins bien de sa personne, diplômé de l'Université du Wisconsin, - licencié d'histoire - marié depuis cinq ans, aimable, réussit en général à se faire aimer. Pourtant à y regarder de plus près, il fait preuve de quelques étrangetés. Des étrangetés? En quel sens? Eh bien, pour commencer, il y a quelque chose dans son attitude extérieure, quelque chose de faux. Son visage énergique arbore un nez droit, un peu long. Il porte moustache, ce qui le vieillit. Ses yeux sombres sont larges, un peu trop larges; en fait même, ils sont légèrement exorbités. Ses cheveux sont noirs. Il n'a pas ce que les gens appellent un «*regard ouvert*». Il se dérobe et, malgré son amabilité, une extrême attention à garder intact et libre de toute mainmise le sens qu'il a de sa propre personnalité, de son importance. Pourtant, il n'est pas anormalement froid, ni égotiste. Il garde une grande maîtrise car, comme il l'explique lui-même, il est âprement acharné à savoir ce qui est en train de lui arriver. Il ne veut rien manquer.

Saul Bellow, *Un homme en suspens*, Paris, U.G.E., Coll. «10/18», 255 pages, pp. 8-9, 31-32.

Questions

1 - Quels sont les pronoms utilisés pour la narration?

2 - Qui est le narrateur?

3 - Quel est le point de vue du récit?

4 - Pourquoi le narrateur passe-t-il du *je* au *il* ? Explorez tous les effets créés par le changement du pronom de narration.

5 - Récrivez la *partie du texte* où le narrateur parle de lui-même en utilisant le *il*:
• employez le *tu* au lieu du *il*;
• précisez les changements que cette transformation apporte au texte;
• croyez-vous qu'ils permettent de rendre les mêmes sentiments que ceux exprimés dans la version originelle?

6 - Analysez le changement de pronom de narration dans *Le nez qui vogue* de Réjean Ducharme: «*Mon cher nom est Mille Milles. Je trouve que c'est mieux que Mille Kilomètres. Je ne me suis jamais plaint de mon nom. Hier, j'ai quitté mon village dans le fleuve Saint-Laurent. (...) Mille Milles n'en a plus pour longtemps. Il est brûlé. Il est fini. Il vient de terminer la lecture d'un livre sexuel. (...) Mille Milles est tout sale. Il pue. Il est épuisé. (...)*» (Paris, Gallimard, 1967)

7 - Comparez avec l'extrait de Saul Bellow.

Texte 3: «Professeur de désir»

(extrait)
Philip Roth

Dans Professeur de désir, *David Kepesh raconte son itinéraire amoureux. À travers ses relations avec Élisabeth, Birgitta, Helen et Claire, il explore, par delà l'érotisme, l'exotisme ou l'apparente limpidité des êtres, leur complexité fondamentale. Il découvre la solitude de l'homme dans sa relation avec les autres, la précarité du désir miné par l'insatisfaction, la pitié et la peur de la mort.*

(...) À vingt ans, je dois cesser de personnifier les autres et devenir moi-même ou, du moins, commencer à incarner celui que je crois maintenant devoir être. Il - le prochain moi - se présente comme un jeune homme pondéré, solitaire, plutôt raffiné et qui se consacre à la littérature et aux langues d'Europe. Mes camarades de scène se divertissent de ma façon d'abandonner le spectacle pour me retirer dans une pension de famille, emportant avec moi, comme compagnons, ces grands écrivains que j'ai déjà choisi d'appeler, au cours de mes études, «*les architectes de mon esprit*». «*Oui, David a quitté le monde*», a paraît-il déclaré mon rival dans la compagnie dramatique, «*pour devenir clerc*». Il est vrai que j'en installe à l'occasion et possède le pouvoir de rendre spectaculaires mes options et moi-même mais je suis par-dessus tout un absolutiste, un *jeune* absolutiste, et ne connais pas d'autre façon de changer de peau qu'en m'insinuant un scalpel sous l'épiderme et en me lacérant d'un bout à l'autre. Ainsi, à vingt ans, ai-je entrepris de résoudre mes contradictions et de dépasser mes incertitudes.

Philip Roth, *Professeur de désir*, Éditions Gallimard, Coll. «Folio», Paris 1979, pp. 19-20.

Questions

1 - Quels sont les pronoms utilisés pour la narration?

2 - Quel est le point de vue?

3 - Qu'est-ce qui explique la variation des pronoms de narration?

4 - En quoi cette variation est-elle liée à la construction de l'identité du personnage?

5 - Comparez avec les extraits de Saul Bellow, *Un homme en suspens*.

Texte 4: «Vol de nuit»

(extraits)
Antoine de Saint-Exupéry

Vol de nuit retrace les débuts de l'aviation commerciale. Les compagnies de navigation aérienne devaient alors lutter de vitesse avec les autres moyens de transport. Le roman raconte la vie de Rivière, responsable du réseau, qui doit imposer des vols de nuit aux pilotes pour relever le défi. Il décrit également la mort de Fabien, jeune pilote qui perdra la vie au cours d'un de ces vols.

En descendant moteur au ralenti sur San Julian, Fabien se sentit las. Tout ce qui fait douce la vie des hommes grandissait vers lui: leurs maisons, leurs petits cafés, les arbres de leur promenade. Il était semblable à un conquérant, au soir de ses conquêtes, qui se penche sur les terres de l'empire, et découvre l'humble bonheur des hommes. Fabien avait besoin de déposer les armes, de ressentir sa lourdeur et ses courbatures; on est riche aussi de ses misères, et d'être ici un homme simple, qui regarde par la fenêtre une vision désormais immuable. Ce village minuscule, il l'eût accepté: après avoir choisi on se contente du hasard de son existence et on peut l'aimer. Il vous borne comme l'amour. Fabien eût désiré vivre ici longtemps, prendre sa part ici d'éternité, car les petites villes, où il vivait une heure, et les jardins clos de vieux murs, qu'il traversait, lui semblaient éternels de durer en dehors de lui. Et le village montait vers l'équipage et vers lui s'ouvrait. Et Fabien pensait aux amitiés, aux filles tendres, à l'intimité des nappes blanches, à tout ce qui, lentement, s'apprivoise pour l'éternité. Et le village coulait déjà au ras des ailes, étalant le mystère de ses jardins fermés que leurs murs ne protégeaient plus. Mais Fabien, ayant atterri, sut qu'il n'avait rien vu, sinon le mouvement lent de quelques hommes parmi leurs pierres. Ce village défendait, par sa seule immobilité, le secret de ses passions, ce village refusait sa douceur: il eût fallu renoncer à l'action pour la conquérir. (...)

*

* *

Un manoeuvre aborda Rivière pour lui communiquer un message du poste radio:

«*Le courrier du Chili signale qu'il aperçoit les lumières de Buenos-Aires.*

  - *Bien.*»

Bientôt Rivière entendrait cet avion: la nuit en livrait un déjà, ainsi qu'une mer, pleine de flux et de reflux et de mystères, livre à la plage le trésor qu'elle a si longtemps ballotté. Et plus tard on recevrait d'elle les deux autres.

Alors cette journée serait liquidée. Alors les équipes usées iraient dormir, remplacées par les équipes fraîches. Mais Rivière n'aurait point de repos: le courrier d'Europe, à son tour, le chargerait d'inquiétudes. Il en serait toujours ainsi. Toujours. Pour la première fois ce vieux lutteur s'étonnait de se sentir las. L'arrivée des avions ne serait jamais cette victoire qui termine une guerre, et ouvre une ère de paix bienheureuse. Il n'y aurait jamais, pour lui, qu'un pas de fait précédant mille pas semblables. Il semblait à Rivière qu'il soulevait un poids très lourd, à bras tendus, depuis longtemps: un effort sans repos et sans espérance. «*Je vieillis...*» Il vieillissait si dans l'action seule il ne trouvait plus sa nourriture. Il s'étonna de réfléchir sur des problèmes qu'il ne s'était pas posés. Et pourtant revenait contre lui, avec un murmure mélancolique, la masse des douceurs qu'il avait toujours écartées: un océan perdu. «*Tout cela est donc si proche?...*» Il s'aperçut qu'il avait peu à peu repoussé vers la vieillesse, pour «*quand il aurait le temps*» ce qui fait douce la vie des hommes. Comme si réellement on pouvait avoir le temps un jour, comme si l'on gagnait, à l'extrémité de la vie, cette paix bienheureuse que l'on imagine. Mais il n'y a pas de paix. Il n'y a peut-être pas de victoire. Il n'y a pas d'arrivée définitive de tous les courriers.

Antoine de Saint-Exupéry, *Vol de nuit*, Paris, Gallimard, Coll. «Folio», 1931, 187 pages, pp. 19, 20, 28-29.

Questions

Le premier extrait nous présente Fabien; le second, Rivière.

1 - Quel est le point de vue de narration? Justifiez votre réponse en répondant aux questions 2 et 3.

2 - Quelles implications ce point de vue a-t-il sur la connaissance que le narrateur a des personnages?

3 - Comment le narrateur se situe-t-il par rapport au récit? Quelle connaissance a-t-il des événements?

Texte 5: «Un homme qui dort»

(extrait)

Georges Perec

Ceci est ta vie. Ceci est à toi. Tu peux faire l'exact inventaire de ta maigre fortune, le bilan précis de ton premier quart de siècle. Tu as vingt-cinq ans et vingt-neuf dents, trois chemises et huit chaussettes, quelques livres que tu ne lis plus, quelques disques que tu n'écoutes plus. Tu n'as pas envie de te souvenir d'autre chose, ni de ta famille, ni de tes études, ni de tes amours, ni de tes amis, ni de tes vacances, ni de tes projets. Tu as voyagé et tu n'as rien rapporté de tes voyages. tu es assis et tu ne veux qu'attendre, attendre seulement jusqu'à ce qu'il n'y ait plus rien à attendre: que vienne la nuit, que sonnent les heures, que les jours s'en aillent, que les souvenirs s'estompent.

Tu ne revois pas tes amis. Tu n'ouvres pas ta porte. Tu ne descends pas chercher ton courrier. Tu ne rends pas les livres que tu as empruntés à la Bibliothèque de l'Institut pédagogique. Tu n'écris pas à tes parents.

Tu ne sors qu'à la nuit tombée, comme les rats, les chats et les monstres. Tu traînes dans les rues, tu te glisses dans les petits cinémas crasseux des Grands Boulevards. Parfois, tu marches toute la nuit; parfois, tu dors tout le jour.

Tu es un oisif, un somnambule, une huître. Les définitions varient selon les heures, selon les jours, mais le sens reste à peu près clair: tu te sens peu fait pour vivre, pour agir, pour façonner; tu ne veux que durer, tu ne veux que l'attente et l'oubli.

La vie moderne apprécie généralement peu de telles dispositions: autour de toi tu as vu, de tout temps, privilégier l'action, les grands projets, l'enthousiasme: homme tendu en avant, homme les yeux fixés sur l'horizon, regardant droit devant lui. Regard limpide, menton volontaire, démarche assurée, ventre rentré. La ténacité, l'initiative, le coup d'éclat, le triomphe tracent le chemin trop limpide d'une vie trop modèle, dessinent les sacro-saintes images de la lutte pour la vie. Les pieux mensonges qui bercent les rêves de tous ceux qui piétinent et s'embourbent, les illusions perdues des milliers de laissés pour compte, ceux qui sont arrivés trop tard, ceux qui ont posé leur valise sur le trottoir et se sont assis dessus pour s'éponger le front. Mais tu n'as plus besoin d'excuses, de regrets, de nostalgies. Tu ne rejettes rien, tu ne refuses rien.

Georges Perec, *Un homme qui dort*, Paris, Denoël, Coll. «10/18 Les Lettres nouvelles», 1967, 182 pages, pp. 30-33.

Questions

1 - Quel est le pronom utilisé pour la narration?

2 - Que représente ou qui est ce *tu*? Identifiez toutes les possibilités. Justifiez votre réponse.

3 - Quel est le point de vue utilisé?

4 - Comparez avec *Papa boss* de Jacques Ferron. Le narrateur emploie deux pronoms de narration: le *il* et le *vous*. Identifiez le point de vue. Qui représente le *vous* de narration?

5 - Comparez à l'emploi du *vous* dans *La réclusion solitaire* de Tahar Ben Jelloun.

Texte 6: «Les têtes à Papineau»

(extraits)

Jacques Godbout

Les têtes à Papineau raconte l'histoire de Charles-François Papineau, «monstre» à deux têtes qui devra prendre une décision capitale: «être ou ne pas être deux». Il acceptera finalement la délicate opération dont le résultat sera de souder les deux têtes. Mais quel sera le résultat de l'intervention du docteur Northridge?

*Cette situation pose au narrateur
quelques difficultés de narration
comme en témoignent les pages 13,
14, 17, 23, 28, 29, 60, 64, 72, 79, 94,
118 et 119. Nous reproduisons ici
trois extraits. Répondez aux questions en ayant bien en tête (la bonne)
le contexte du récit.*

Charles trouve ces jeux de mots particulièrement idiots. Le côté
gaulois de François l'horripile. Il soutient que si les Français aiment
tant les jeux de mots c'est que leur langue est constamment
surveillée. Il préfère l'approche américaine. Les jeux de guerre et
de hasard. Il dit que les Anglais ont de l'esprit. «*Le calembour n'est
pas un trait d'esprit. À preuve*», dit souvent Charles en se renfro-
gnant, «*ça ne fait pas rire les enfants*». Charles est effectivement
discret. François est beaucoup plus porté, en toute circonstance, à
gueuler, à discutailler, à se plaindre. Il aime baratiner. C'est un
enjôleur. La tête à Charles refoule tout. C'est un être complexe, une
âme insondable, un volcan paresseux. Enfin. Il est grand temps que
nous nous présentions officiellement: Charles-François Papineau,
dit «*Les têtes*» (...) (p. 17)

*
* *

Nous avons eu une enfance heureuse, consciente des désastres
qui éclataient ailleurs. Fils de journaliste. Charles à ce sujet ressemble plus au paternel que François. Il est persuadé que la race humaine va bientôt détruire sa planète. Il est devenu peu à peu ren-
frogné, comme un vieux poney. François s'inquiète moins. Il dit que
si nous devons tous sauter en l'air, comme des chandelles romaines,
par un beau soir de juillet, il désire en être. C'est un expansif. Il rêve
d'une famille nombreuse, souhaite des rejetons de sa bouture. Il veut
remplir les estrades de ses enfants vivants pour regarder exploser
la planète dans un grondement terrible. Charles a décidé de se faire
stériliser. Or si nous avons deux têtes nous n'avons que deux
couilles. En condominium. (...) (p. 62)

*
* *

Du côté de François le tracé est presque toujours étale: il a des
pensées moyennes, calmes et songeuses. Ou bien il s'amuse à struc-
turer des nomenclatures. Son esprit scientifique l'amène à jouer de
l'ordinateur. Il a porté à l'écran les noms, prénoms et l'âge des femmes que nous avons fréquentées. Le lieu où nous avons fait connaissance. La manière. Il leur accorde des caractéristiques physi-

ques, caractérielles. Il ajoute leur poids approximatif, la couleur de leurs cheveux, leur origine. Et le reste. Puis, ô merveille de l'électronique, il opère des permutations! Il s'esclaffe. Charles s'étouffe. La luette de Trois-Pistoles toujours. François s'érotise. Quand il réussit à créer une nouvelle femme d'intérêt public il la décrit longuement à Charles.

- Je trouve le jeu enfantin, dit celui-ci.
- Ce n'est pas plus enfantin, mon cher, d'enfanter des femmes nouvelles à partir de souvenirs que de tenter un amalgame cervical avec nos vieilles pensées, répond François, mon travail est propre, et je ne fais de mal à personne. Je me fais du bien.
- Tu as raison, concède Charles mal à l'aise, cela ressemble à la démarche de Northridge. Nous perdons de précieuses minutes à nous reconcentrer. Il y a de plus en plus d'interférences. Peu à peu nous apprenons à nous terroriser mutuellement. Même ce texte devient plus difficile à rédiger. Quand une idée, un souvenir, une remarque plaisent à François, cela horripile Charles. Doit-on le noter? Chacun des mots que nous enregistrons doit être approuvé par les deux têtes qui gouvernent. Les lois de nos cerveaux s'ajustent mal. Les discours se croisent, se bousculent, s'entrechoquent. (pp. 118-119)

Jacques Godbout, *Les têtes à Papineau*, Paris, Seuil, 1981, 156 pages.

Questions

Sur les deux premiers extraits

1 - Quels sont les pronoms utilisés pour la narration?

2 - Quel est le narrateur de ce récit?

3 - Qui représente le *il*?

4 - Comment s'explique le passage du *il* au *nous* dans le premier extrait?

Sur le dernier extrait

5 - Quels sont les pronoms utilisés?

6 - Quels sont les pronoms de narration?

7 - Quel est le point de vue de narration? Expliquez.

Texte 7: «Le petit Prince»

(extraits)
Antoine de Saint-Exupéry

L'histoire du petit prince est bien connue. Il s'agit de la rencontre d'un pilote et d'un «petit bonhomme tout à fait extraordinaire» venu d'une autre planète. Peu à peu le récit nous fait part de l'objet du voyage du petit prince, de son itinéraire. La quête d'un ami lui révélera un secret qui donnera sens à sa vie. Dans ce récit, le narrateur est un personnage impliqué dans l'histoire, qui raconte sa rencontre avec le petit prince et tous les souvenirs qui y sont reliés. Plusieurs variations de la narration rendent ce récit fort intéressant (entre autres: chapitres 2, 3, 6, 16, 17, 24, 27).

J'ai ainsi vécu seul, sans personne avec qui parler véritablement, jusqu'à une panne dans le désert du Sahara, il y a six ans. Quelque chose s'était cassé dans mon moteur. Et comme je n'avais avec moi ni mécanicien, ni passagers, je me préparai à essayer de réussir, tout seul, une réparation difficile. C'était pour moi une question de vie ou de mort. J'avais à peine de l'eau à boire pour huit jours.

Le premier soir je me suis donc endormi sur le sable à mille milles de toute terre habitée. J'étais bien plus isolé qu'un naufragé sur un radeau au milieu de l'océan. Alors vous imaginez ma surprise, au lever du jour, quand une drôle de petite voix m'a réveillé. Elle disait:
- S'il vous plaît... dessine-moi un mouton!
- Hein!
- Dessine-moi un mouton...

J'ai sauté sur mes pieds comme si j'avais été frappé par la foudre. J'ai bien frotté mes yeux. J'ai bien regardé. Et j'ai vu un petit bonhomme tout à fait extraordinaire qui me considérait gravement. Voilà le meilleur portrait que, plus tard, j'ai réussi à faire de lui. Mais mon dessin, bien sûr, est beaucoup moins ravissant que le modèle. Ce n'est pas ma faute. J'avais été découragé dans ma carrière de peintre par les grandes personnes, à l'âge de six ans, et je n'avais rien appris à dessiner, sauf les boas fermés et les boas ouverts. (...) (pp. 11-12)

*
* *

J'entrevis aussitôt une lueur, dans le mystère de sa présence, et j'interrogeai brusquement:
- Tu viens donc d'une autre planète?
Mais il ne me répondit pas. Il hochait la tête doucement tout en regardant mon avion:
- C'est vrai que, là-dessus, tu ne peux pas venir de bien loin...
Et il s'enfonça dans une rêverie qui dura longtemps. Puis, sortant mon mouton de sa poche, il se plongea dans la contemplation de son trésor.
Vous imaginez combien j'avais pu être intrigué par cette demi-confidence sur «*les autres planètes*». Je m'efforçai donc d'en savoir plus long: (...) (p. 16)

*
* *

Ainsi, si vous leur dites (aux grandes personnes), «*La preuve que le petit prince a existé c'est qu'il était ravissant, qu'il riait, et qu'il voulait un mouton. Quand on veut un mouton, c'est la preuve qu'on existe*», elles hausseront les épaules et vous traîteront d'enfant! Mais si vous leur dites, «*La planète d'où il venait est l'astéroïde B 612*», alors elles seront convaincues, et elles vous laisseront tranquille avec leurs questions. Elles sont comme ça. Il ne faut pas leur en vouloir. Les enfants doivent être très indulgents envers les grandes personnes.
Mais, bien sûr, nous qui comprenons la vie, nous nous moquons bien des numéros! J'aurais aimé commencer cette histoire à la façon des contes de fées. J'aurais aimé dire:
«*Il était une fois un petit prince qui habitait une planète à peine plus grande que lui, et qui avait besoin d'un ami...*» Pour ceux qui comprennent la vie, ça aurait eu l'air beaucoup plus vrai. (p. 20)

Antoine de Saint-Exupéry, *Le petit Prince*, Paris, Gallimard, 1946, 98 p.

Questions

1 - Quel est le pronom de narration?

2 - En tenant compte des trois extraits, précisez: Qui est le narrateur? Qui est le personnage central? Comment le narrateur se situe-t-il par rapport au récit?

3 - Le narrateur passe du *je* au *vous*. Pourquoi? Quels changements cela produit-il?

4 - Le narrateur utilise tout à coup le *nous*. Qui représente ce *nous* et quels effets ce changement provoque-t-il?

5 - Le narrateur avait lui-même pensé à un autre point de vue de narration. Lequel? S'il l'avait employé, quelles modifications cela aurait-il provoquées?

C- PRODUCTION

Canevas de rédaction 1

Vous avez sans doute un lieu privilégié de rencontre avec vos ami(e)s. Imaginez un épisode où, après avoir quitté votre famille sur un coup de tête, votre mère ou votre père tente de renouer contact en vous rencontrant dans ce lieu.

Produire deux versions du même épisode en respectant les consignes suivantes.

Consignes

- Déterminer le personnage central.
- Pour chaque version, employer un point de vue différent:
  - narrateur omniscient: vision omnisciente;
  - narrateur spectateur: vision extérieure neutre;
  - narrateur héros: vision intérieure.
- Décrire avec précision les gestes et les actions des personnages.
- Comparer les deux versions et préciser les différences reliées au changement de point de vue.
- Inscrire cet épisode dans une série d'épisodes qui *lui donne son sens dans le récit.*

Opérations facultatives

- Faire raconter les mêmes événements par différents protagonistes: le jeune, le père, la mère, un, une ou des ami(e)s.
- Joindre à chaque point de vue un temps différent (présent, passé, futur...) ou un mode différent (indicatif, conditionnel...).
- Rédiger une version en fonction de données affectives, l'autre en fonction d'un ton neutre.
- Dans un cas, respecter la chronologie; dans l'autre, la faire varier.

Vocabulaire

Pour vous aider à faire cet exercice, voici une liste de mots ou d'expressions qui traduisent des actions reliées au canevas.

DIMENSIONS, • grand, spacieux, vaste, long, oblong, large, ample, évasé,
FORMES,   profond, massif, plein, compact, serré, bombé, proémi-
ASPECT...   nent, protubérant, dur;

             • court, rapetissé, exigu, étroit, tassé, délié;

             • périssable, fini, rongé, instable, branlant;

             • lisse, polie, aplanie, brillante, luisante, vernie, cirée;

             • disproportionnée, irrégulière, rude, bourrue, inégale,
               triste;

             • soigné, astiqué, clair, négligé, sordide, crasseux,
               poussiéreux;

             • aligné, rangé, uni, rectiligne, gauche, cambré, anguleux,
               bosselé, râpeux, bombé;

             • traînée de lumière, rayon, phosphorescence, clair-obscur,
               reflet, éclat, pénombre, lumière diffuse, obscurité;

             • lumière: brille, étincelle, pâlit, s'atténue, s'estompe, s'ef-
               face, rayonne, miroite, chatoie.

SENTIMENTS, • humain, libéral, obligeant, indulgent, patient, conciliant,
ATTITUDES,   complaisant, accomodant, affable, cordial, attentif,
ÉTATS,   tutélaire, exemplaire, spirituel, spontané;
QUALITÉS,
DÉFAUTS...   • débonnaire, crédule, naïf, hautain, méprisant, dur, insen-
               sible, amer, acerbe, mordant, revêche, bourru, cassant,
               inabordable, caustique, incisif, obséquieux, ronflant, em-
               pressé, gourmé, agité, indolent, craintif, hésitant, défiant,
               méfiant, moqueur, ironique, niais;

             • parle franc, va droit au but, parle sans détours, appelle un
               chat un chat, joue franc jeu, d'entrée de jeu;

             • fermeté, trempe de caractère, décision, constance, ardeur,
               empressement, obstination, entêtement, apathie;

             • éclater de rire, pouffer de rire, rire aux éclats, rire aux
               larmes, mourir de rire;

             • fondre en larmes, en eau, pleurer à chaudes larmes,
               sangloter, pleurnicher, avoir le coeur gros, les yeux
               gonflés, les yeux rouges, sécher, tarir, essuyer ses larmes.

Canevas de rédaction 2

L'initiation lors de la rentrée

Vous êtes assis(e) dans une classe, le professeur vous explique les grandes lignes du cours. Une vingtaine d'élèves font irruption et vous obligent à chanter, danser, etc.

Produire deux versions du même épisode en respectant les consignes suivantes.

Consignes

- Déterminer le personnage central.
- Employer un des points de vue suivants:
  - narrateur omniscient: vision omnisciente;
  - narrateur spectateur: vision extérieure neutre;
  - narrateur héros: vision intérieure.
- Décrire avec précision les gestes et les actions des personnages.
- Comparer les deux versions et préciser les différences reliées au changement de point de vue.
- Inscrire cet épisode dans une série d'épisodes qui *lui donne son sens dans le récit.*

Opérations facultatives

- Joindre à chaque point de vue un temps différent (présent, passé, futur...) ou un mode différent (indicatif, conditionnel...).
- Rédiger une version en fonction de données affectives, l'autre en fonction d'un ton neutre.
- Dans un cas, respecter la chronologie; dans l'autre, la faire varier.

Vocabulaire

Pour vous aider à faire cet exercice, voici une liste de mots ou d'expressions qui traduisent des actions reliées au canevas.

- hurler, chantonner, criailler, beugler, vociférer, piauler, grogner, radoter, vocaliser, s'égosiller.
- narguer, caricaturer, tourner en dérision, moquer, berner, égayer, dérider.
- rigoler, se tordre de rire, se pâmer de rire, pouffer de rire, rire aux éclats, rire aux larmes, ricaner.
- le rire: grossier, moqueur, méchant, sadique, niais, stupide, bruyant, convulsif, bestial, amer, forcé, contraint.
- trait d'esprit, boutade, facétie, raillerie, brocard, ironie, moquerie, farce, caricature, charge.

- Agité, excité, volontaire, résolu, entêté, énervé, insensible, prétentieux, déréglé, acerbe, intraitable, impoli, incivil, bourru.
- Affoler, stupéfier, démonter, estomaquer, brouiller l'esprit, perdre le nord, perdre la carte, paniquer.

NOTES

1 - Liv Ullmann, *Devenir*, Victoriaville, L'Étincelle/Stock, 1977, 352 pages, p. 9.

2 - On fait parfois une distinction entre l'auteur, la personne de chair et d'os, la personne réelle, et celui qui écrit, qui met en ordre les faits, les événements: le scripteur. Cette distinction pourrait s'appliquer même dans le cas d'une autobiographie, car il ne va pas de soi qu'il y ait congruence parfaite entre le scripteur et la personne de l'auteur. Il est significatif à cet égard que *Jujube*, autobiographie de Juliette Greco, soit écrite à la troisième personne.

3 - «*Le Narrateur - 'gnarus'', celui qui sait - est mot à mot l'opposé de l'ignare, qui ne sachant rien ne peut raconter*». (Jean-Pierre Faye cité par Jean-Pierre Goldenstein, *Pour lire le récit*, Paris-Gembloux, Duculot, 1980, 127 pages, p. 30.

4 - J.-L. Dumortier et Fr. Plazanet, *Pour lire le récit*, Paris-Gembloux, Duculot, 1980, 185 pages, p. 111.

5 - Mieke Bal, «L'analyse structurale du récit: Ordre dans le désordre», dans *Le français dans le monde,* Paris, Hachette/Larousse, juillet 1977, N° 130, p. 10.

6 - Gérard Bessette, *Le libraire*, Le Cercle du Livre de France, Montréal, 1968, 153 pages.

7 - William Styron, *Le choix de Sophie*, Gallimard, Paris, 1981, 630 pages, pp. 294 et 467.

8 - On en a de multiples exemples dans *Quand la voile faseille* de Noël Audet (Ville LaSalle, L'arbre HMH, 1980, 314 p.) et *Les anciens Canadiens* de Philippe Aubert de Gaspé (Montréal, Fides, coll. «Bibliothèque canadienne-française», 1975 (©1863), 360 p.), deux savoureux romans québécois.

9 - Louis Ferdinand Céline, *Voyage au bout de la nuit*, Gallimard, Coll. «Le Livre de Poche», 1932, 498 pages, pp. 82 et 84.

10 - Abbé Prévost, *Manon Lescaut*, Paris, Gallimard, 1959, 256 pages, p. 26.

11 - Gérard Genette, *Figure III*, Paris, Seuil, 1972, 281 pages, p. 253.

12 - *Ibid.*

13 - Certains critiques ont établi une distinction entre *héros* et *personnage principal*. Ainsi, Maximilien Laroche dans l'article «Le héros ambigu et le personnage contradictoire» affirme: «*Dans un roman (...), il arrive que le héros soit en même temps le personnage principal. Mais le plus souvent, on peut le distinguer. Le héros, c'est le personnage-point de vue, celui avec qui l'auteur fait en sorte que nous nous identifions. Le personnage principal, c'est celui qui joue un rôle de vedette dans l'histoire qui nous est racontée (...) Et comme son rôle peut être parfois plus important que celui du héros, il s'en distingue en cela qu'il est vu du dehors, qu'il n'est pas celui avec lequel nous nous identifions.*» Il donne comme exemple *Le Père Goriot* de Balzac où Goriot serait le personnage principal et Rastignac, le héros. Or, un autre auteur, P.-G. Castex, affirme: «*Pour quiconque s'en tient au texte du roman, le vrai héros, c'est la victime: Goriot*». Cette distinction est parfois utile, mais le partage entre héros et personnage principal suscite souvent de nombreuses discussions.

14 - Dans les deux cas, il faudra noter une possibilité particulièrement significative, celle où le narrateur dans la fiction est un romancier. En effet, si le romancier projette sa propre image en imaginant un personnage narrateur qui est lui-même romancier, ce personnage apparaîtra comme une représentation de l'écrivain. C'est le cas, entre autres, de Denis Boucher dans *Les Plouffe*, de Fabrice Navarin dans *Mon fils pourtant heureux*, de Thomas D'amour dans *D'Amour, P.Q.* Ou encore de Marcel dans l'oeuvre de Proust; d'Édouard, dans *Les faux-monnayeurs*; de Stingo dans *Le choix de Sophie*. Voir à ce sujet, André Belleau, *Le romancier fictif*, Montréal, Les Presses de l'Université du Québec, 1980, 155 pages. Ce livre analyse la représentation de l'écrivain dans le roman québécois.

15 - Michel Butor, *Essais sur le roman*, op. cit., p. 76.

16 - Jean-Jacques Rousseau, *Julie ou la nouvelle Héloïse*, Paris, Garnier-Flammarion, 1967, 610 pages, p. 25.

17 - Montréal, Fides, coll. «Bibliothèque canadienne-française», 1967 (© 1882), 191 pages.

18 - Jack Kerouac, *Vanité de Duluoz*, Paris, Christian Bourgeois, 1979, 329 pages, pp. 9-10.

19 - Antoine de Saint-Exupéry, *Le petit Prince*, Paris, Gallimard, nrf, 1946, 97 pages, pp. 16 et 20. On trouvera dans *Le choix de Sophie* de William Styron des appels encore plus directs: «*Et, cher lecteur, enfin, du moins, je sais qu'elle ne mentait pas*». (p. 443)

20 - Diderot, *Jacques le Fataliste et son maître*, Paris, Garnier-Flammarion, 1970, 316 pages, p. 25.

21 - Par exemple: *Manon Lescaut, Le voyageur distrait*.

22 - Par exemple: *Le bruit et la fureur, Les fous de bassan, Ma vie d'homme, La plaisanterie*; également *Le cycle* de Gérard Bessette et *Au delà des visages* d'André Giroux.

23 - Les contes des *Mille et une nuits*.

24 - Il faut cependant se garder de confondre le passage au discours direct et les modifications de pronom de narration. En effet, un narrateur peut rapporter directement les paroles d'un ou de plusieurs personnages. Cette technique romanesque entraîne un changement de pronom qui tient simplement à l'insertion dans le récit d'un discours rapporté: le pronom de narration, lui, restera le même. Par exemple, dans un récit à la troisième personne, si le narrateur rapporte un dialogue entre les personnages, les pronoms seront *je* et *tu*, mais cet échange terminé, le narrateur poursuivra normalement son récit au *il*.

25 - Anne Hébert, *Les fous de bassan*, Paris, Seuil, 249 pages, p. 34.

26 - Anne Hébert, *Le torrent*, op. cit., p. 48.

27 - Albert Camus, *L'étranger*, op. cit., p. 126.

28 - Gustave Flaubert, *Madame Bovary*, Paris, Éditions Gallimard, Coll. «Le Livre de Poche», 1961, 503 pages, p. 15.

29 - *Ibid.*, p. 23.

30 - Jacques Godbout, *Les têtes à Papineau*, Paris, Seuil, 1981, 156 pages, p. 119.

31 - Mieke Bal, *op. cit.*, p. 11. Voir également Gérard Genette, *Figures III*, auquel est empruntée cette opposition.

32 - Michel Butor, *Essais sur le roman*, *op. cit.*, p. 77.

33 - Il va de soi que cette restriction du champ peut, comme le note Gérard Genette, être fixe, c'est-à-dire que le narrateur limite sa perception à celle d'un personnage du début à la fin du récit, ou variable, c'est-à-dire que le narrateur change de personnage foyer au cours du récit (*Madame Bovary*).

34 - Françoise Van Rossum-Guyon, *Critique du roman*, Paris, Gallimard, nrf, 1969, 305 pages, p. 135.

35 - «*L'emploi de la seconde personne dans les monologues de fiction concorde en tout cas avec un phénomène bien connu par l'introspection, et que de nombreux psychologues ont remarqué: le moi tend à se prendre lui-même pour l'interlocuteur*». Dorrit Cohn, *La transparence intérieure*, Paris, Seuil, 1981, 316 pages, p. 113.

CHAPITRE 5

Le discours du personnage et sa vie intérieure

A - THÉORIE

Le personnage se déploie dans l'univers romanesque; il vit des événements, il accomplit des actions, il parle, il discute, il pense, il réfléchit, il rêve, il aime, il hait, il entre en contact avec d'autres personnages, il se déplace, il habite des lieux qui le réconfortent ou le provoquent. Ce sont ces dimensions qui seront maintenant abordées sous l'angle des techniques qui permettent de rendre les paroles, les actions et la vie intérieure du personnage de même que sa situation dans le temps et dans l'espace. [1]

Les actions des personnages

On a déjà souligné que l'intrigue d'un roman s'articule à partir d'épisodes, c'est-à-dire de séries d'événements. L'événement principal de chaque épisode est entouré d'autres événements causés ou subis par les personnages. À ces événements importants, viennent s'ajouter un nombre considérable de faits plus anodins qui constituent un des éléments de la mise en scène romanesque. Les indications d'actions accaparent donc une place considérable dans la majorité des romans, en particulier dans les romans d'aventures. Plusieurs techniques servent à rendre les actions des personnages: les indications d'actions, le récit sommaire, le récit dialogué...

Les *indications d'actions* sont des notations du narrateur qui visent à rendre les faits et gestes d'un personnage: «*Louis s'allongea sur le sable*», «*Pierre s'arrêta net*», «*Il se pencha*». Le *récit sommaire*, lui, consiste à rapporter globalement les événements, à les résumer de façon rapide et succincte: «*Ils vécurent heureux et eurent de nombreux enfants*». Le *dialogue* est un échange de paroles entre deux ou plusieurs personnages. Il peut, entre autres, servir à rendre des faits passés ou anticipés. On parlera alors de *récit dialogué*. Par exemple, dans le premier chapitre de *Des souris et des hommes*, George et Lennie discutent à propos des faits qui se sont déroulés à Weed et qui les ont forcés à quitter ce ranch. George rappellera ces événements et Lennie les complétera. Il s'agit d'un récit dialogué qui porte sur des faits passés. Un peu avant, George avait rappelé à Lennie les gestes qu'il devrait poser et l'attitude qu'il devrait prendre quand ils iraient, le lendemain, se présenter à leur nouveau ranch. Ce rappel a pris la forme d'un récit dialogué de faits anticipés. Il existe bien sûr d'autres façons de rendre les faits et gestes, mais ce sont des techniques plus amples qui intègrent les techniques qui viennent d'être abordées (monologue intérieur, rêve...).

Le discours du personnage

Le discours direct

Parfois, pour donner vie au récit, le narrateur s'effacera et laissera directement la parole aux personnages. C'est ce qu'on appelle le *discours direct*. Celui-ci regroupe plusieurs formes que le narrateur pourra tour à tour utiliser. Il rapportera tels quels les propos du personnage (*discours direct proprement dit*); il rendra compte de ses conversations avec d'autres personnages (*dialogue*); il jumellera les paroles et les actions du personnage (*scène dialoguée*) ou rendra son discours intérieur (*monologue intérieur*). Des exemples aideront à faire comprendre ces diverses formes de même que les signes qui les révèlent.

Le discours direct proprement dit

«*Pierre affirma: 'Je l'ai vu'*». Quand le narrateur, comme dans cet exemple, procède à la retranscription exacte des paroles d'un personnage dans une situation qui diffère du dialogue, on parle de discours direct proprement dit.

En style direct, on introduit souvent les paroles du personnage par des verbes comme *dire, demander, penser, répondre, répliquer, rétorquer, s'exclamer, s'écrier...*

«Il ne pensait rien, disait de lui Rivière, ça lui évite de penser faux».[2]

Les indices linguistiques qui l'identifient sont le maintien des pronoms liés à la personne qui parle ou au destinataire, les indications reliées au lieu ou au temps où ces paroles furent prononcées. Alors que les indices orthographiques qui le signalent sont les deux points et les guillemets. Parfois, seuls les guillemets sont utilisés. Toutefois, ces indices varient selon les traditions et les habitudes culturelles.

Robineau, quand on l'appela, fut triste, mais redevint digne.
«Je dois vous quitter, M. Rivière a besoin de moi pour quelques décisions graves»[3].

Le dialogue

- Vous le connaissiez bien?
- Non. C'était la première fois qu'il m'adressait la parole.

Dans cet exemple, le narrateur donne la parole directement à deux personnages. On parle alors de dialogue. Il y a dialogue quand le narrateur rend directement les propos de deux ou de plusieurs personnages. Les dialogues sont retranscrits directement et l'intervention de chaque personnage est généralement précédée d'un tiret.

Le pilote, ayant atterri, retrouva le pilote du courrier d'Europe, adossé contre son avion, les mains dans les poches.
- C'est toi qui continues?
- Oui.
- La Patagonie est là?
- On ne l'attend pas: disparue. Il fait beau?
- Il fait beau. Fabien a disparu?
Ils en parlèrent peu. Une grande fraternité les dispensait des phrases.[4]

Le dialogue remplit plusieurs rôles dans le récit. Par exemple, il servira à la description d'un lieu, au développement d'un thème (dialogue sur l'amour, la mort, etc.) ou il constituera, comme on l'a déjà vu, un récit d'événements passés ou d'événements à venir (récit dialogué). En bonne méthode, il ne suffit donc pas d'indiquer qu'il s'agit d'un dialogue, mais il faut aussi en préciser la fonction par rapport au récit.

La scène dialoguée

Au théâtre, on voit les personnages agir et on les entend parler. Pour produire le même effet, le narrateur doit jumeler les indications d'actions des personnages et leur dialogue; c'est ce que l'on nomme *scène dialoguée*. Par exemple, dans le premier chapitre de *Des souris et des hommes*, les scènes dialoguées du coulis de tomate ou de la souris morte.

> Sa main disparut de nouveau dans sa poche. George lui jeta un regard aigu.
> - Qu'est-ce que tu viens de tirer de cette poche?
> - Y a rien dans ma poche, dit Lennie, avec astuce.
> - Je l'sais bien. Tu l'as dans ta main (...)
> - J'ai rien, George. Bien vrai.
> - Allons donne-moi ça.
> Lennie tenait sa main fermée aussi loin que possible de George.
> - C'est rien qu'une souris, George.
> - Une souris? Une souris vivante?
> - Euh... Rien qu'une souris morte, George. J'l'ai pas tuée. Vrai! J'l'ai trouvée. J'l'ai trouvée morte.
> - Donne-la-moi! dit George.
> - Oh! laisse-la-moi, George.
> - Donne-la-moi!
> La main fermée de Lennie obéit lentement. George prit la souris et la lança de l'autre côté de la rivière, dans les broussailles. [5]

Le monologue

Le *monologue* est le discours que le personnage se tient à lui-même. Quand il s'agit du monologue d'un narrateur intégré à l'histoire et qu'il correspond au récit, on parle de *monologue remémoratif* ou de *récitatif*. C'est une variante de la déposition d'un témoin où interviennent principalement les faits antérieurs. Cependant, il peut fort bien y avoir plusieurs couches dans ces monologues, certaines propres à un passé lointain, d'autres à un passé plus récent, d'autres correspondant au présent fictif de l'énonciation. Des oeuvres comme *L'étranger* d'Albert Camus, *Le bruit et la fureur* de William Faulkner, *La route des Flandres* de Claude Simon, *Mémoires d'Hadrien* de Marguerite Yourcenar, *Prochain épisode* d'Hubert Aquin, *L'avalée des avalés* de Réjean Ducharme, *Le torrent* d'Anne Hébert, ou *Souvenirs pour demain* de Paul Toupin peuvent être considérées, en tout ou en partie, comme de longs monologues remémoratifs.

Quand le monologue sert à traduire la réaction intérieure d'un personnage (paroles, impressions, impulsions, pressentiments, associations d'idées, ...) à un fait ou à une série de faits et qu'il entend rendre cette réaction telle qu'elle est vécue émotivement par le personnage, on parle de *monologue intérieur*. Il est une modalité de transcription de la vie intérieure du personnage; aussi sera-t-il analysé un peu plus loin.

Le discours indirect

Si le narrateur, au lieu de dire «*Pierre affirma: 'Je l'ai vu'*» dit: «*Pierre affirma qu'il l'avait vu*», il rend les paroles du personnage, mais de façon indirecte. C'est ce que l'on nomme le *discours indirect*. Il existe deux grandes formes de discours indirect: le discours indirect proprement dit et le discours indirect libre.

Le discours indirect proprement dit

Dans le discours indirect proprement dit, la phrase n'est pas rapportée telle quelle mais certains éléments grammaticaux sont modifiés: la phrase est généralement introduite par «*que*», les pronoms *je/tu* sont parfois éliminés et souvent des indications de temps et de lieux sont nécessaires pour préciser où et quand ces paroles ont été dites; ces indications sont données par la personne qui fait le récit, non par celle qui parle [6]. Voici quelques exemples de passage du style direct au style indirect.

Style direct	Style indirect
- Je lui dis: «*Je veux partir*»	• Il lui dit qu'il voulait partir.
	• Il lui dit alors qu'il voulait partir.
	• Je lui dis que je veux partir.
- Il disait: «*Je pars*».	• Il disait qu'il partait.
	• Il disait alors qu'il partait.
	• Je lui dis alors que je pars.
- Je lui ai répondu: «*J'ai passé la matinée au cégep.*»	• Il lui avait répondu qu'il avait passé la matinée au cégep.
	...

Dans les récits, ces passages sont fréquents mais nul signe orthographique ne les indique.

C'est qu'il survolait déjà la plaine. «*Je m'en suis aperçu tout d'un coup, en débouchant dans du ciel pur*». Il expliqua enfin qu'il avait eu, à cet instant-là, l'impression de sortir d'une caverne. [7]

Le discours indirect peut donc rendre les propos d'un personnage ou ses conversations avec des interlocuteurs.

Il me raconta qu'il avait dit aux ouvriers que c'était peut-être de l'or, mais tout le monde s'était moqué de lui et l'avait traité d'idiot. [8]

Le sommaire

Cependant, si le narrateur résume globalement ce qui de toute évidence correspond aux propos d'un personnage ou à une discussion avec d'autres personnages, on parlera de *sommaire*. Il est assimilable à un discours indirect.

> Avec une certaine adresse, je lui demandai de me préciser ce qu'il entendait par «*personnes sérieuses*». Il me parut un peu confus et se lança dans *une explication embrouillée d'où il ressortait à peu près que* les personnes sérieuses étaient celles à qui on pouvait vendre ces livres sans risques. [9]

Le discours indirect libre

Il est possible également de reproduire les paroles d'un personnage en pratiquant une transposition afin qu'elles s'harmonisent avec le reste du texte: on utilise alors le *style indirect libre*. Le plus souvent le verbe introducteur (*demander, dire, crier, croire* ...) n'est pas donné et aucun signe orthographique ne signale ce discours à moins que l'italique ne soit utilisé. On peut cependant récrire ces passages en style direct: c'est une façon simple de les identifier. Voici trois exemples: le premier tiré de «Sueurs» une nouvelle d'Yves Beauchemin, auteur du *Matou*; le deuxième tiré d'une nouvelle de Roland Topor, *Four Roses for Lucienne* et le dernier, du roman de Katherine Pancol, *Moi d'abord*.

> Le concierge arriva. (...) Il voulait à tout prix jouer un rôle important dans cette histoire qui, malheureusement, ne lui en offrait aucun. Non, il n'avait entendu aucun bruit insolite durant l'avant-midi. Non, la tablette ne se trouvait pas là la veille. Non, il n'avait vu personne dans les corridors avec un colis. [10]

> Depuis ma crise, je n'avais pas revu Lucienne (...) Mais elle m'écrivait. Des lettres déchirantes. Qu'allait-elle devenir puisque je ne pouvais plus boire! Sa beauté s'était enfuie à jamais (...)[11]

> Et Patrick continuait à planifier notre avenir. On habiterait chez son père, on repeindrait la véranda en vert, on ferait un plafond duplex (...) Rien n'échappait à ses sourcils bien droits.
> Et surtout pas moi. [12]

L'évolution des modalités de présentation du discours du personnage

Ces techniques et les indices orthographiques qui les signalent sont souvent perçus comme des signes du roman traditionnel. En effet, dans plusieurs romans modernes, le discours narratif apparaît comme continu; les différentes composantes s'y coulent sans que l'auteur indique au lecteur les différents embrayages qui sont à l'oeuvre: «(...) *rien n'est moins justifié que les grands alinéas, les tirets par lesquels on a coutume de séparer brutalement le dialogue de ce qui précède. Même les deux points et les guillemets sont encore trop apparents, et l'on comprend que certains romanciers (...)s'efforcent de fondre, dans la mesure du possible, le dialogue avec son contexte en marquant simplement la séparation par une virgule suivie d'une majuscule*» [13]. L'oeuvre de Michel Tremblay, par exemple, fait fi des deux points et des guillemets dans les dialogues. Par contre, ces éléments sont souvent remplacés par des signes typographiques comme le passage à l'italique.

Ces différentes techniques s'utilisent également pour actualiser la vie intérieure des personnages: les paroles rapportées directement ou indirectement ou assumées par le narrateur servent alors à traduire les pensées, les préoccupations, les états d'âme, les mouvements, les sensations de la conscience, voire des zones intermédiaires souterraines et opaques entre l'inconscient et le conscient. On a un bel exemple de l'utilisation des caractères typographiques à de telles fins avec *Les Pierrefendre* d'Yvette Naubert.

Les techniques reliées à la vie intérieure des personnages

Nombreuses et variées sont les techniques utilisées pour rendre la vie intérieure des personnages. Tout ce qui relève de la gamme des émotions, des sentiments, des impulsions, des intuitions (les appréhensions, les doutes, les joies, les peines, les angoisses, les exaltations, les abattements, etc.) ou des activités intellectuelles (les raisonnements, les cogitations, les réflexions, les méditations, les interrogations), ainsi que les rêves, les hallucinations, les visions, bref, toute vie intérieure d'un personnage peut être rendue de quatre principales façons:

- le discours direct;
- le discours intérieur assumé par le discours du narrateur (discours indirect libre);

- le discours du narrateur sur la vie intérieure d'un personnage (analyse de sentiments ou d'attitudes; monologue remémoratif);
- le discours intérieur du personnage (monologue intérieur).

À ces formes s'ajoutent d'autres techniques qui sont soit des variations de ces procédés, soit des formes plutôt secondaires: le soliloque, le dialogue fictif prononcé, le dialogue intérieur, la vision, le rêve, l'hallucination, la lettre, la mise en scène de la vie intérieure...

Le discours direct

On a vu que le discours direct pouvait servir à actualiser la parole des personnages. Le discours direct peut traduire de simples indications d'actions ou élaborer des descriptions intégrées au récit. Mais il peut aussi livrer la vie intérieure des personnages en communiquant leurs pensées, leurs sentiments ou en opérant une réflexion thématique. Voici quelques exemples.

Les secrétaires qui préparaient les papiers du courrier d'Europe, sachant qu'il serait retardé, travaillaient mal. Du terrain on demandait par téléphone des instructions pour les équipes qui, maintenant, veillaient sans but. Les fonctions de la vie étaient ralenties. «*La mort, la voilà! pensa Rivière. Son oeuvre était semblable à un voilier en panne, sans vent, sur la mer*» [14].

Sa fugue jouée, le Lucon releva sa chevelure, puis il chargea sa pipe.
- Merci, lui dit Menaud, Ça fait du bien! Ça remonte.
Alors il se mit à lancer contre les siens tout ce qu'il avait amassé dans son vieux sac de colère:
«Tas de lâches! disait-il, qui, dans le péril commun, n'ont pas de coeur au delà de leurs clôtures.
«Que tout s'en aille aux étrangers, la montagne, les champs, les bois... bah! qu'est-ce que cela leur fait à ces avares crispés chacun sur ses écus?
«Le passé? Ils accablent leurs morts de belles paroles pour n'avoir pas à les entendre.
«Les héros? Ils s'imaginent qu'ils ont fait comme eux quand ils les ont vantés.
«Le domaine? Ils sont contents quand on leur accorde d'y vivre en esclaves...»
Puis il cita l'exemple du Délié et de ses pareils «vils trafiquants du patrimoine! traîtres! renégats!»
Et tandis que revolaient les anathèmes au bout du poing fermé, Marie se rappela la scène des bleuets. [15]

Le discours indirect libre

On a déjà indiqué que l'analyse d'attitudes ou de sentiments pouvait être opérée par le narrateur ou par un personnage (discours direct, indirect...). Dans certains cas, l'analyse effectuée par le personnage est prise en charge par le discours du narrateur: il s'agit du style indirect libre où le narrateur conserve la 3 ^{e} personne, le temps de la narration, mais tente aussi de respecter la langue propre au personnage. Le discours indirect libre sera lui aussi consonant ou dissonant, c'est-à-dire révélera une harmonie entre le narrateur et le personnage ou une distance critique, ironique, sarcastique...

Le discours du narrateur sur la vie intérieure du personnage

L'indication de sentiments ou d'attitudes et l'analyse de sentiments ou d'attitudes traduisent toutes deux la réalité intérieure des personnages. La première ne fait que la nommer, la seconde la scrute, l'explique, la juge, la commente. Le choix entre ces deux procédés peut dépendre du rythme que l'on veut donner à la séquence narrative ou du point de vue de narration. Voici une série d'indications de sentiments ou d'attitudes tirées du premier chapitre de *Des souris et des hommes: «George se moqua»*, *«Lennie le regarda tristement»*, *«Lennie (...) observa la colère de George»*, *«Sa colère tomba brusquement. Par dessus le feu, il regarda la figure angoissée de Lennie, puis, honteux, il baissa les yeux vers les flammes. Toujours maussade, George regardait le feu»*. L'indication de sentiments ou d'attitudes peut, bien sûr, se faire aussi par le biais du style direct: *«Elle était pas agréable à caresser, dit Lennie»*.

De même, l'analyse de sentiments, d'attitudes, d'états d'âme peut être rendue par le narrateur ou par le personnage même (style direct, indirect, dialogue). Là encore, le rythme et le point de vue influencent les choix narratifs. Voici quelques cas où l'analyse est faite par le personnage ou le narrateur.

George passa la main sur l'épaule de Lennie.
- Je l'ai pas pris pour être méchant. Cette souris est pas fraîche, Lennie, et en plus tu l'as toute abîmée à force de la caresser. [16]

Lennie le regarda tristement.
- Elles étaient si petites, dit-il pour s'excuser. Je les caressais, et puis bientôt, elles me mordaient les doigts, alors, je leur pressais un peu la tête, et puis elles étaient mortes... [17]

Les premiers mois ont été durs. Mais justement l'effort que j'ai dû faire aidait à les passer. Par exemple, j'étais tourmenté par le désir d'une femme. C'était naturel, j'étais jeune. Je ne pensais jamais à

Marie particulièrement. Mais je pensais tellement à une femme, aux femmes, à toutes celles que j'avais connues, à toutes les circonstances où je les avais aimées, que ma cellule s'emplissait de tous les visages et se peuplait de mes désirs. Dans un sens, cela me déséquilibrait. Mais dans un autre, cela tuait le temps. [18]

Dans certains cas, c'est le discours du narrateur qui prend à son compte cette analyse. Le narrateur peut alors procéder sans mettre en relief la distance qui le sépare de son personnage (analyse consonante) ou accroître l'écart en se faisant juge, critique, en adoptant un ton sarcastique, supérieur (analyse dissonante). Ces deux attitudes sont possibles même si le narrateur se confond avec le personnage central. Le prochain extrait, tiré du *Père Goriot*, montre un narrateur qui adopte une attitude générale de supériorité envers le personnage. Celle-ci verse d'ailleurs dans le discours abstrait de l'évaluation morale.

Pendant cette année, le citoyen Goriot amassa les capitaux qui plus tard lui servirent à faire son commerce avec toute la supériorité que donne une grande masse d'argent à celui qui la possède. Il lui arriva ce qui arrive à tous les hommes qui n'ont qu'une capacité relative. Sa médiocrité le sauva. D'ailleurs, sa fortune n'étant connue qu'au moment où il n'y avait plus de danger à être riche, il n'excita l'envie de personne. Le commerce des grains semblait avoir absorbé toute son intelligence. (...)

Sorti de sa spécialité, de sa simple et obscure boutique sur le pas de laquelle il demeurait pendant ses heures d'oisiveté, l'épaule appuyée au montant de la porte, il redevenait l'ouvrier stupide et grossier, l'homme incapable de comprendre un raisonnement, insensible à tous les plaisirs de l'esprit, l'homme qui s'endormait au spectacle, un de ces Dolibans parisiens, forts seulement en bêtise. Ces natures se ressemblent presque toutes. À presque toutes, vous trouveriez un sentiment sublime au coeur. Deux sentiments exclusifs avaient rempli le coeur du vermicellier, en avaient absorbé l'humide, comme le commerce des grains employait toute l'intelligence de sa cervelle. [19]

Dans l'extrait suivant, le narrateur omniscient analyse les sentiments de Maria Chapdelaine face à la mort prochaine de sa mère: il s'établit une harmonie entre lui et le personnage, diminuant ainsi l'écart qui le sépare du personnage.

Maria soupira encore: mais son coeur avait trouvé dans la certitude et dans l'attente de la mort une sorte de sérénité triste. La maladie obscure, l'inquiétude de ce qui pouvait venir, c'étaient des choses qu'on combattait à l'aveuglette, sans trop les comprendre, des choses vagues et terrifiantes comme des fantômes. Mais devant la mort inévitable et prochaine, ce qui restait à faire était simple et prévu depuis des siècles par des lois infaillibles. [20]

Le discours intérieur du personnage

Parmi les moyens privilégiés de pénétrer, d'actualiser le monde intérieur des personnages, le monologue intérieur s'impose depuis le milieu du XIXe siècle. En fait, d'un point de vue historique, on est passé d'un monologue en style direct signalé par les guillemets ou d'autres signes («*Il pense*», «*Il murmura*», «*Il dit*») traduisant la méditation ou le débat intérieurs à une insertion directe où se mêlent voix du narrateur et du personnage. On en trouve la première réalisation magistrale dans *Ulysse* de Joyce: «*La présence de monologues rapportés dépourvus des signaux explicites de la citation dans un contexte à la troisième personne est la pierre de touche par laquelle on peut juger de l'influence d'*Ulysse *sur les romans ultérieurs*» [21]. En l'absence de ces signes conventionnels, le passage au présent de narration et à la première personne du singulier sert de signes linguistiques stables.

La forme que prend le monologue intérieur varie en fonction des techniques centrales de la voix et du point de vue narratifs et du contexte. Cependant, l'on retrouve la même constante de «*la reproduction mimétique du discours du personnage*»: tout monologue intérieur est supposé «*restituer ce qu'un personnage se dit à lui-même effectivement*». [22] Évidemment, les procédés de citation du monologue varieront s'il s'agit d'un récit à la troisième personne («*Il se disait...*») ou d'un récit à la première («*Je me disais à moi-même...*»). Ainsi, le discours intérieur du personnage donne à voir ce qui se passe dans sa conscience. Pour certains, cette voix de la conscience prend la forme du discours articulé des personnages «*cherchant à aller au fond d'eux-mêmes par l'introspection*» [23], alors que pour d'autres elle se manifeste par un foisonnement de sensations, d'impulsions, de sentiments qui réagissent au discours articulé et manifestent la vérité profonde de la conscience dans cette couche qui avoisine l'inconscient: « [...] *le monologue rapporté se présente comme un discours organisé, manifestant de la suite dans les idées du personnage, que ses facultés intellectuelles soient mises au service d'une rationalisation de ses attitudes, de la découverte de vérités difficiles, ou de l'élaboration de manœuvres de défense. Mais la technique est surtout connue pour sa capacité à mimer des mouvements psychiques moins bien maîtrisés, plus passifs, et pour suivre le cours sinueux de pensées spontanées [...]*». [24]

Quelle que soit l'orientation retenue par le romancier, le monologue intérieur «*ne peut raconter que ce que le personnage éprouve au moment même: On se trouve par conséquent devant une conscience fermée*». [25] Le monologue intérieur est lui aussi une technique large qui peut intégrer des procédés comme le discours direct, indirect, indirect libre. Il peut même, dans certains cas, constituer à lui seul le récit ou une partie importante de celui-ci. Par exemple, la nouvelle *Le cimetière de Venise* de Pierre Bourgeade est contenue entre le début de la phrase initiale «*Le cimetière de Venise sur cette photo surexposée*» et sa fin «*était bleu pâle.*», contenue donc dans une parenthèse de quelque six pages; ou encore le célèbre monologue de Molly dans *Ulysse* qui couvre près de soixante pages. En voici un extrait. On notera les phrases incomplètes, les associations d'idées, les ellipses, donc une organisation syntaxique particulière. D'ailleurs, «*d'un point de vue stylistique, en tout cas, le monologue intérieur n'est intéressant que dans la mesure où il s'écarte du modèle de la conversation courante et cherche à imiter un langage destiné, par définition, à rester muet*». [26]

> (...) j'espère qu'il m'écrira une lettre plus longue la prochaine fois si c'est vrai que je lui plais O je vous remercie mon Dieu j'ai enfin quelqu'un pour me donner ce dont j'avais tant besoin pour me redonner un peu de goût à vivre tu n'as pas d'occasions ici comme tu en avais là-bas autrefois j'aimerais tant que quelqu'un m'écrive une lettre d'amour il n'y avait pas grand chose dans la sienne et je lui avais dit qu'il pouvait m'écrire ce qu'il voulait bien à vous Hugh Boylan dans le Vieux Madrid les sottes de femmes se figurent l'amour soupire et moi j'expire pourtant je pense que s'il l'écrivait il y aurait un peu de vrai vrai ou pas vrai ça vous remplit vos journées et votre vie c'est toujours quelque chose à quoi penser tout le temps et on voit autour de soi comme si le monde était tout neuf je pourrais écrire la réponse dans mon lit pour qu'il puisse m'imaginer courte quelques mots pas comme ces longues lettres écrites en large et en long qu'Atty Dillon envoyait au type qui était quelque chose au tribunal et qui a fini par la plaquer copiées dans le Correspondant des Dames quand je lui ai dit à elle d'écrire quelques mots très simples où il pourrait trouver ce qu'il voudrait que je n'agis pas avec précipitation avec une égale franchise la plus grande félicité sur la terre comment répondre affirmativement à une offre de mariage d'un monsieur bonté divine c'est la seule chose à faire tout est facile pour eux mais quand vous êtes une femme dès que vous êtes vieille on ferait aussi bien de vous jeter tout de suite aux ordures. [27]

Par contre, dans le deuxième exemple, le monologue prend plutôt l'aspect d'un discours articulé dont le but d'introspection est évident.

> Au salon, Thérèse était assise dans le noir. Des tisons vivaient encore sous la cendre. Elle ne bougeait pas. Du fond de sa mémoire, surgissaient, maintenant qu'il était trop tard, des lambeaux de cette confession préparée durant le voyage; mais pourquoi se reprocher de ne s'en être pas servie? Au vrai, cette histoire trop bien construite demeurait sans lien avec la réalité. Cette importance qu'il lui avait plu d'attribuer aux discours du jeune Azévédo, quelle bêtise!

Comme si cela avait pu compter le moins du monde! Non, non: elle avait obéi à une profonde loi, à une loi inexorable; elle n'avait pas détruit cette famille, c'était elle qui serait donc détruite; ils avaient raison de la considérer comme un monstre, mais elle aussi les jugeait monstrueux. Sans que rien ne parût au-dehors, ils allaient, avec une lente méthode, l'anéantir. «Contre moi, désormais, cette puissance mécanique familiale sera montée - faute de n'avoir su ni l'enrayer ni sortir à temps des rouages. Inutile de chercher d'autres raisons que celle-ci «parce que c'étaient eux, parce que c'était moi...» Me masquer, sauver la face, donner le change, cet effort que je pus accomplir moins de deux années, j'imagine que d'autres êtres (qui sont mes semblables) y persévèrent souvent jusqu'à la mort, sauvés par l'accoutumance peut-être, chloroformés par l'habitude, abrutis, endormis contre le sein de la famille maternelle et toute-puissante. Mais moi, mais moi, mais moi...»
Elle se leva, ouvrit la fenêtre, sentit le froid de l'aube. [28]

Le monologue intérieur, tout comme le monologue remémoratif, peut aussi bien rapprocher le narrateur du personnage (monologue consonant) [29] qu'accroître la distance entre les deux si le narrateur s'en sert, par exemple, pour montrer comment le personnage se dissimule la vérité (monologue dissonant).
À cette forme de monologue intérieur, on doit rapprocher la *sous-conversation* qui se greffe au dialogue et laisse voir les différents mouvements de la conscience qui assaillent le personnage et se dissimulent derrière les paroles.

Les variations de ces procédés et quelques techniques secondaires

Aux formes déjà présentées s'ajoutent d'autres techniques qui sont soit des variations de ces procédés, soit des formes plutôt secondaires.

Le soliloque, le dialogue fictif et le dialogue intérieur

Le *soliloque* est parfois synonyme de monologue intérieur. Le plus souvent, il est réservé à une situation où le personnage se parle à lui-même à haute voix. On en retrouve de nombreux exemples dans *Le vieil homme et la mer*.
Le *dialogue fictif* prononcé est une variante du soliloque puisque le personnage parle à un autre personnage, à un objet ou à un animal et répond à la place de ce personnage, de cet objet ou de cet animal. *Le vieil homme et la mer* et *Des souris et des hommes* utilisent fréquemment cette technique.
Le *dialogue intérieur* est un dialogue fictif intériorisé. Il n'est pas prononcé et reste une voix intérieure. Dans certains cas, le personnage se dédouble; il

s'interroge et se répond mentalement. *Un homme en suspens* de Saul Bellow et *Un homme qui dort* de Georges Perec abondent en dialogues intérieurs.

La vision, le rêve et l'hallucination

Il y a *vision* quand le personnage voit apparaître un personnage, un animal ou une forme quelconque; à titre d'exemple, l'apparition de tante Clara ou du lapin dans *Des souris et des hommes*.

Le *rêve* est un procédé fort connu. Par exemple, *Chronique d'une mort annoncée* de Gabriel Garcia Marquez s'ouvre sur deux rêves de Santiago Nasar: le bois de figuiers et l'avion de papier.

Enfin, l'*hallucination* est une perception de faits, d'objets qui n'existent pas, de sensations en l'absence de tout stimulus extérieur. L'hallucination peut être visuelle, auditive, objective. Par exemple, l'hallucination visuelle du narrateur dans *Le horla* de Guy de Maupassant.

La lettre

Aux techniques déjà indiquées, vient s'ajouter la *lettre* souventes fois utilisée à cette fin comme, par exemple, les lettres de Mac Whirr et de M. Jukes qui terminent *Typhon* de Joseph Conrad, la lettre de Véronique à la fin de *Ma fille comme une amante*. Ou encore, la célèbre confession de Stavroguine dans *Les possédés* de Dostoïevski, lue par Tikhone en sa présence. En voici un bref extrait.

> D'ailleurs, je devance trop les faits; il vaut mieux s'en référer au document même. Voilà donc ce que lut Tikhone.
> «De la part de Stavroguine.
> «Moi, Nicolaï Stavroguine, officier en retraite, j'ai passé les années 186... à Pétersbourg en m'adonnant à la débauche dans laquelle je ne trouvais aucun plaisir (...)
> Je vis Matriocha amaigrie, les yeux fiévreux, exactement telle qu'elle était lorsqu'elle se tenait sur le seuil de ma chambre et, hochant la tête, me menaçait de son petit poing. Et jamais rien ne me fut aussi douloureux. Pitoyable désespoir d'un petit être impuissant à l'intelligence encore informe, et qui me menaçait (de quoi? que pouvait-il me faire?), mais certainement n'accusait que lui-même. Jamais encore rien de semblable ne m'était arrivé. Je restai assis toute la nuit sans bouger, ayant perdu la notion du temps. Je voudrais maintenant expliquer et dire aussi clairement que possible ce qui se passait en moi. Est-ce là ce qu'on appelle des remords de conscience, le repentir? Je l'ignore encore aujourd'hui. Ce qui m'est

insupportable, c'est uniquement cette vision, et justement sur le seuil, avec son petit poing levé et menaçant; ni avant ni après mais précisément à cette minute; rien que l'aspect qu'elle avait alors, rien que cet instant, rien que ce hochement de tête. Ce geste, le fait précisément qu'elle me menaçait, ne me paraît plus ridicule, mais horrible. Je ressens pour elle une pitié aiguë, à en devenir fou, et je suis prêt à abandonner mon corps à toutes les tortures pour que cette chose ne se soit pas produite ce jour-là. Ce n'est pas mon crime que je regrette, ni la mort de l'enfant; c'est uniquement cet instant qu'il m'est impossible, absolument impossible de supporter, car depuis lors elle m'apparaît chaque jour et je sais avec certitude que je suis condamné.» [30]

Il est évident que la lettre est une forme large qui peut facilement intégrer diverses techniques comme le discours direct ou indirect, qui sert aussi à d'autres fins: elle peut jouer un rôle actif aussi bien sur le plan de l'intrigue que sur celui de la vie intérieure des personnages.

La mise en scène de la vie intérieure du personnage

On notera de plus la mise en scène de la vie intérieure d'un personnage à l'aide de techniques qui, règle générale, ne sont guère utilisées à cette fin.

En voici un exemple tiré de *Vol de nuit*. Fabien, le courrier de Patagonie, est pris dans un cyclone: il volera jusqu'à l'épuisement de ses réserves d'essence, puis périra. Sa femme, comme à chaque envolée, téléphone pour savoir s'il a atterri.

La femme de Fabien téléphona.
La nuit de chaque retour elle calculait la marche du courrier de Patagonie: «*Il décolle de Trelew...*» Puis se rendormait. Un peu plus tard: «*Il doit approcher de San Antonio, il doit voir ses lumières...*» Alors, elle se levait, écartait les rideaux, et jugeait le ciel: «*Tous ces nuages le gênent...*» Parfois la lune se promenait comme un berger. Alors la jeune femme se recouchait, rassurée par cette lune et ces étoiles, ces millions de présences autour de son mari. Vers une heure, elle le sentait proche: «*Il ne doit plus être bien loin, il doit voir Buenos Aires...*» Alors, elle se levait encore, et lui préparait un repas, un café bien chaud: «*Il fait si froid, là haut...*» Elle le recevait toujours, comme s'il descendait d'un sommet de neige: «*Tu n'as pas froid? Mais non! Réchauffe-toi quand même...*» Vers une heure et quart tout était prêt. Alors elle téléphonait. [31]

On constate que le passage commence par une indication d'action: «*La femme de Fabien téléphona*» et que le reste de l'extrait est constitué par un retour en arrière sur le rituel qui précède cette action; c'est pourquoi il se termine par *«alors elle téléphonait»* qui, par l'imparfait, marque bien l'action qui se répète. Le passage est structuré à partir de trois composantes narratives: l'indication de temps, l'indication d'action ou de sentiment et le discours direct. Ces procédés rendent bien l'attente de la jeune femme. Les indications de temps (*«La nuit de chaque retour, Un peu plus tard, Alors, Parfois, Vers une heure, Vers une heure et quart»*) établissent la chronologie des faits et marquent la progression. Les indications d'actions (*«Elle calculait la marche du courrier* [...] *se rendormait»*, *«Elle se levait, écartait les rideaux...»*, *«Elle se levait encore»*, *«Elle lui préparait un repas...»*, etc.) précisent les faits et soulignent (emploi de l'imparfait) leur aspect rituel. Les indications de sentiments (*«La jeune femme... rassurée par cette lune»*, *«Elle le sentait proche»*) sont rendues par le narrateur, alors que la hâte, l'anxiété et l'admiration de la jeune femme sont traduites par le discours direct qui intègre parfois des indications d'actions ou de sentiments imaginées par la jeune femme, et le dialogue intérieur: *«Il doit approcher de San Antonio...»*, *«Tous ces nuages le gênent»* (indication de sentiments en style direct), *«Tu n'as pas froid? - Mais non! - Réchauffe-toi quand même...»* (dialogue). À ce rituel s'opposeront les démarches de la jeune femme qui apprendra le retard tragique de son mari. Ainsi dans cet extrait le romancier a mis en scène la vie intérieure du personnage par diverses techniques romanesques qui, habituellement, ne sont pas liées à cet aspect du récit.

La mise en scène de la vie intérieure peut également se faire par le seul enchaînement des faits et des gestes des personnages ponctué par les conclusions de leur cheminement intérieur. Ces ellipses et ce laconisme caractérisent, par exemple, *La femme gauchère* de Peter Handke.

Le projet de lecture

Ainsi, le profil d'une oeuvre est circonscrit par la voix et le point de vue narratifs, et par les autres techniques romanesques dominantes. En effet, puisqu'elles sont presque toutes utilisées dans un roman, il faudra indiquer celles auxquelles le narrateur fait largement appel et qui dessinent les traits dominants de l'oeuvre. Par exemple, une oeuvre comme *L'or* de Blaise Cendrars est dominée par les indications d'actions et les notations éparses de temps et d'espace, alors que dans *Des souris et des hommes*, ce sont les scènes dialoguées qui s'imposent, et dans *La jalousie*, c'est le monologue intérieur (ou *«extérieur»*, selon l'expression de B. Pingaud) où les indications d'actions et les descriptions intégrées relèvent d'un fonctionnement mental obsessionnel [32]; dans *Le diable au corps*, c'est l'analyse de sentiments ou d'états d'âme qui domine, dans *Chronique d'une mort annoncée*, ce sont toutes les formes de discours rapporté qui, jointes aux indications d'actions, caractérisent le tissu narratif de l'oeuvre. Se familiariser avec ces techniques, c'est devenir sensible au tissu narratif même et apprécier ce que d'aucuns considèrent comme l'accessoire, mais qui risque fort d'être l'essentiel.

En guise de rappel

Le texte romanesque met en oeuvre tout un arsenal de techniques qui servent à donner vie au récit. Voici, en guise de rappel, les principales techniques présentées dans ce chapitre.

Les techniques utilisées pour exprimer la vie du personnage

Pour faire vivre son personnage le narrateur peut:

* indiquer ses faits, ses actions (*indications d'actions*);
* les rapporter globalement (*récit sommaire*);
* transmettre ces événements par un dialogue (*récit dialogué*) ou un monologue (*récit monologué*);

● **les actions du personnage**

* reproduire telles quelles ses paroles (*discours direct*),
* ou sa conversation avec un autre ou d'autres personnages (*dialogue*);
* jumeler les indications d'actions et le discours des personnages (*scène dialoguée*);
* reproduire de façon indirecte ses paroles (*discours indirect* ou *indirect libre*);
* faire un sommaire;
* traduire le discours par des indications d'actions;

● **le discours du personnage**

* indiquer sommairement le temps et le lieu de l'action (*notations éparses de temps et de lieux*);
* procéder à une description (*tableau descriptif*);
* traduire la vision de l'espace par le discours du personnage;
* faire de l'espace un thème;

● **sa situation dans le temps et dans l'espace** (Voir au au chapitre suivant **Le temps et l'espace**)

• indiquer ses sentiments, ses attitudes (*indication de sentiments ou d'attitudes*); • analyser, expliquer, juger, commenter sa vie intérieure (*jugement, appréciation ou analyse de sentiments ou d'attitudes*); • présenter sa réflexion intérieure (*monologue intérieur, soliloque*); • rendre compte directement des réflexions, des pensées du personnage (*discours direct, monologue, dialogue, discours indirect*); • reproduire un dialogue fictif, mais prononcé, avec un personnage (être ou objet) (*dialogue fictif*); • reproduire un dialogue intérieur avec un personnage (*dialogue intérieur*); • mettre en scène ou dramatiser sa vie intérieure par des indications d'actions; • divulguer une ou des lettre(s) révélant sa vie intérieure; • rendre une sous-conversation; • raconter ou rendre un rêve, une vision, une hallucination du personnage (*rêve, vision, hallucination*).	• **la vie intérieure du personnage**

Questions

1 - Dressez la liste des différentes techniques dont le romancier dispose pour faire parler les personnages. Donnez des exemples de chacune d'elles à partir du premier chapitre d'un roman.

2 - Identifiez les caractéristiques propres aux styles direct et indirect de même que les indices qui peuvent les révéler.

3 - Quels rôles narratifs peuvent jouer les dialogues? Rédigez un dialogue d'une dizaine de lignes illustrant l'un de ces rôles.

4 - Qu'est-ce qui différencie monologue remémoratif et monologue intérieur?

5 - Qu'est-ce qui oppose discours indirect et discours indirect libre?

6 - Comment peut-on définir le *sommaire*?

7 - Dressez la liste des différentes façons de rendre la vie intérieure des personnages. Retracez quelques-unes d'entre elles dans un roman que vous avez déjà lu.

8 - Comment le discours direct peut-il rendre la vie intérieure d'un personnage? Rédigez un court paragraphe en style direct illustrant chaque possibilité.

9 - Rédigez un texte d'une vingtaine de lignes où un narrateur omniscient fait l'analyse des sentiments ou des attitudes d'un personnage. Reprenez ce passage dans le cadre d'un récit à la première personne.

10 - Qu'est-ce qui oppose l'analyse de sentiments consonante et dissonante?

11 - Pourquoi, selon vous, la lettre est-elle un bon moyen de rendre la vie intérieure d'un personnage? Quels rôles jouent les lettres d'Augustin dans *Le Grand Meaulnes* ou de Stevens Brown dans *Les fous de bassan*?

12 - Qu'est-ce qu'un monologue intérieur?

13 - Quelles sont les deux grandes orientations que le monologue intérieur peut prendre?

14 - Pourquoi dit-on que le monologue intérieur est le discours d'une «*conscience fermée*»?

15 - Qu'est-ce qui justifie, dans un monologue intérieur, l'emploi d'une syntaxe particulière?

16 - Qu'est-ce qui rapproche monologue intérieur et sous-conversation?

17 - Qu'est-ce qui oppose dialogue fictif et dialogue intérieur?

18 - Connaissez-vous des romans où la vision, le rêve ou l'hallucination révèlent la vie intérieure d'un personnage? À quelles conditions ces formes peuvent-elles s'intégrer à un récit fait par un narrateur dont le point de vue est une vision extérieure neutre? Dans *Des souris et des hommes*, les apparitions du lapin et de tante Clara dans le dernier chapitre vous semblent-elles conformes au point de vue utilisé par le romancier?

19 - Comment peut-on rendre la vie intérieure d'un personnage à partir d'indications d'actions, de notations éparses de temps ou d'espace et du style direct? Quel effet produit ce procédé? Analysez la mort de Lennie dans *Des souris et des hommes* en fonction de ces éléments.

20 - Amusez-vous, à partir d'un court extrait d'un roman que vous appréciez, à le transformer selon l'une ou l'autre des techniques présentées dans ce chapitre.

B- OBSERVATION ET ANALYSE

Texte 1: «L'étranger»

(extrait)

Albert Camus

L'étranger *raconte l'histoire d'un Français en Algérie qui sera mêlé à une histoire de jalousie et qui tuera sans raisons évidentes un jeune Arabe. L'extrait ci-dessous correspond à sa rencontre avec le concierge de l'asile de vieillards de Marengo où il va veiller sa mère morte.*

Quand elle est partie, le concierge a parlé: «*Je vais vous laisser seul*». Je ne sais pas quel geste j'ai fait, mais il est resté, debout derrière moi. Cette présence dans mon dos me gênait. La pièce était pleine d'une belle lumière de fin d'après-midi. Deux frelons bourdonnaient contre la verrière. Et je sentais le sommeil me gagner. J'ai dit au concierge, sans me retourner vers lui: «*Il y a longtemps que vous êtes là?*» Immédiatement il a répondu: «*Cinq ans*» - comme s'il avait attendu depuis toujours ma demande.

Ensuite, il a beaucoup bavardé. On l'aurait bien étonné en lui disant qu'il finirait concierge à l'asile de Marengo. Il avait soixante-quatre ans et il était Parisien. À ce moment je l'ai interrompu: «*Ah! vous n'êtes pas d'ici?*». Puis je me suis souvenu qu'avant de me conduire chez le directeur, il m'avait parlé de maman. Il m'avait dit qu'il fallait l'enterrer très vite, parce que dans la plaine il faisait chaud, surtout dans ce pays. C'est alors qu'il m'avait appris qu'il avait vécu à Paris et qu'il avait du mal à l'oublier. À Paris, on reste avec le mort trois, quatre jours quelquefois. Ici on n'a pas le temps, on ne s'est pas fait à l'idée que déjà il faut courir derrière le corbillard. Sa femme lui avait dit alors: «*Tais-toi, ce ne sont pas des choses à raconter à monsieur.*» Le vieux avait rougi et s'était excusé. J'étais intervenu pour dire: «*Mais non. Mais non.*» Je trouvais ce qu'il racontait juste et intéressant.

Albert Camus, *L'étranger*, Paris, Gallimard, Coll. «Folio», n° 2, 1957, 186 pages, pp. 15 - 16.

Questions

1 - Identifiez les diverses techniques romanesques utilisées.

2 - Précisez celles qui dominent.

3 - Quels effets produit l'intégration du discours des différents personnages?

Texte 2: «L'or»

(extraits)
Blaise Cendrars

L'or, c'est la vie du capitaine Johann August Suter devenue mythe. Récit de voyage, mais aussi élaboration d'un héros de légende qui assumera les symboles de la richesse, de la puissance, de la réussite, et qui mourra ruiné. En voici deux courts extraits qui correspondent au début de son projet.

Durant les trois mois qu'il vient de passer à Fort Independence, Johann August Suter a mûri son plan.

Sa résolution est prise.

Il ira en Californie.

Il connaît la piste jusqu'à Fort Van Couver, le dernier, et si certains renseignements qu'il a pu se procurer ne sont pas trompeurs, il saura continuer plus loin.

La Californie n'attire encore l'attention ni de l'Europe ni des États-Unis. C'est un pays d'une richesse incroyable. La république de Mexico s'est approprié les trésors accumulés durant des siècles dans les Missions. Il y a des terres, des prairies, des troupeaux innombrables qui sont à la merci d'un coup de main.

Il faut oser et réussir.

On peut s'en emparer.

Il est prêt.

(...) Enfin, voici qu'ils ont atteint la grande faille du sud, l'Evans Pass. Ils sont sur le sommet de la muraille qui sépare les États-Unis des territoires de l'Ouest, à la frontière, à 7 000 pieds au-dessus du niveau de la mer, à 960 lieues du Fort Independence.

Et maintenant, en avant!

La piste n'est plus frayée.

D'ici à l'embouchure de l'Orégon, sur le Pacifique, il y a encore quatorze lieues.

En fait, il n'y a plus de sentier.

Le 1ᵉʳ août, ils arrivent au Fort Hall. Le commandant veut les retenir. Les Peaux Rouges sont sur les sentiers de la guerre. Mais Suter veut partir. Ils ont déjà traversé les territoires de tant de tribus en guerre! Ils repartent le 4 août. Une escorte les accompagne trois jours.

Le 16 août, ils arrivent au Fort Boisé où il y a un grand comptoir de la Compagnie de l'Hudson Bay. Le capitaine Ermatinger les quitte là, il a rejoint son poste; deux femmes entrent au comptoir de la Compagnie. Ce qui reste de la petite troupe continue sa route à travers un pays infesté d'Indiens Kooyutt. Il y a eu une grande famine, les Indiens harponnent le saumon, bien que ça ne soit pas la saison de pêche; ils sont farouches et menaçants. Il y en a plein des canoës dans les rivières.

Suter et ses compagnons traversent la région des grandes forêts de pins géants et arrivent, fin septembre, à Fort Van Couver, qui est un grand centre de pelleterie. Les missionnaires sont rendus. La dernière femme est morte en route de privations.

Suter reste seul.

Blaise Cendrars, *L'or,* Paris, Denoël, Coll. «Le Livre de Poche», 1968, 178 pages, pp. 36-37, 39-40.

Questions

1 - Identifiez la voix narrative et le point de vue de narration.

2 - Caractérisez chaque extrait par les techniques romanesques dominantes, après avoir identifié pour chacun d'eux celles qui ont été mises en oeuvre par le romancier.

3 - Les techniques utilisées vous semblent-elles adaptées à un récit d'aventures? Quelles sont les caractéristiques linguistiques de la phrase employée par Blaise Cendrars?

Texte 3: «Les petits enfants du siècle»

(extrait)

Christiane Rochefort

> Les petits enfants du siècle *raconte l'histoire de Josiane, et la vie de familles pauvres dans les grands ensembles d'habitation. C'est l'adolescence de la fille aînée de la famille Rouvier à la recherche de l'amour, de la tendresse, du bonheur. Elle maintiendra tout au long du récit une rare faculté d'étonnement combinée à un regard critique fort sarcastique.*

On rejoignit la route. J'aurais bien recommencé. Ça devait être l'inconvénient des hommes, par rapport aux garçons, ils ne recommencent pas aussitôt. Il était pressé de rentrer, à cause de sa femme et du Bazar.

«Tu m'as rendu fou, soupira-t-il, à l'arrêt du bus. C'était un moment de folie. Un merveilleux moment, précisa-t-il. Merveilleux. De folie. Mais quand je pense qu'à ton âge déjà, tu vois ça me bouleverse dans le fond. Je ne sais pas quoi penser.

- Pense pas, je lui dis.
- Si, justement...»

Il voulait penser. Tout à l'heure dans les fourrés il n'y pensait pas, à penser.

«Dans le fond c'est terrible. Je m'en veux. J'aurais pas dû. J'aurais dû prendre sur moi, puisque toi... mais tu m'as rendu fou. Tu ne devrais pas regarder les hommes comme tu fais, qu'est-ce que tu veux c'est ta faute, aussi! Ils sont faibles les hommes, ils ne peuvent pas résister quand une fille les regarde comme tu fais...»

On monta dans le bus qui nous ramena Porte de Vincennes, là on prit le 115, je descendrais devant la maison, lui continuerait, il voulait essayer d'arriver au Bazar avant la fermeture, de façon à ramener à sa femme n'importe quoi enveloppé dans le papier du magasin.

«Faut que tu me pardonnes. Faut qu'on oublie ça. Hein? Promets-moi. Promets-moi que tu ne regarderas plus les hommes comme ça. Promets-moi de ne plus faire des choses pareilles. Tu ne sais pas sur qui tu peux tomber. Il y a des salauds. Ils ne sont pas tous comme moi tu sais... Un moment de folie et c'est toute une vie gâchée... Quand je pense que tu as l'âge de ma fille, ça me fait froid dans le dos.»

Avant ça lui faisait plutôt chaud.

J'éprouvais pas le besoin de discuter. J'étais légèrement engourdie. On était de plus en plus entassés sur la plate-forme à mesure que les gens montaient.

«Mignonne comme t'es, ce serait trop dommage...»

Je le regardai avec un grand sourire. Les cahots du bus nous jetaient l'un contre l'autre, je laissais aller, et je sentais qu'il commençait à récupérer. Il leur faut du temps.

«Penser que tu vas aller faire ça avec n'importe lequel... ça me rend enragé... un beau petit corps comme ça.»

Profitant d'un cahot, il me retint. Quand on arriva à mon arrêt il ne lui restait plus beaucoup de morale, il ne disait plus un mot. Je demandai:

«Ta fille, c'est Juliette Halloin?»

J'eus le temps de voir sa gueule se figer. Il murmura quelque chose comme je descendais, du genre «tu ne vas pas...» J'étais partie. Du trottoir, je regardai, sur sa plate-forme. Il était vert de peur.

Ils sont formidables.

Du reste il ne s'était pas passé trois jours qu'il me refaisait de l'oeil; moi je filais. À la fin il me demanda si j'étais fâchée et si je lui en voulais.

«On était pas bien là-bas?...

- Je ne me plains pas.

- Alors?...»

Quand est-ce qu'on y retourne? ne dit-il pas. Ça lui avait repris. Ce qu'il leur faut c'est simplement un petit temps de repos. Je lui dis:

«J'ai suivi tes conseils j'ai acheté une conduite.

- Non? dit-il, ne sachant comment le prendre, s'il devait me féliciter ou quoi.

- Oui, je ne couche plus avec les pères de famille.»

C'est bon un homme mais il y a des limites.

Il était furieux. Il partit les dents serrées, et le reste en bandoulière. Ils sont formidables.

J'étais contente de moi; il y a des plaisirs supérieurs à ceux de la chair.

Christiane Rochefort, *Les petits enfants du siècle*, Paris, Grasset, Coll. «Le Livre de Poche», 1961, 159 pages, pp. 117-119.

Questions

1 - Quels sont la voix et le point de vue narratifs utilisés?

2 - Identifiez les différentes techniques propres aux discours des personnages et à leur vie intérieure.

3 - Précisez comment leur agencement contribue à accroître l'efficacité du jugement critique de Josiane.

Texte 4: «Pleure, ô pays bien aimé»

(extrait)
Alan Paton

Pleure, ô pays bien aimé *raconte la quête de Stephen Koumalo, vieux pasteur noir à la recherche de son fils Absalon à Johannesburg. Il y découvrira la misère de son peuple, l'apartheid, la violence, la déchéance. Il rentrera dans son petit village avec la femme de son fils, lequel attend son exécution pour meurtre.*

Cette nuit, on travaille à Orlando. Dans toutes les maisons, il y a des lumières allumées. - Je porterai la tôle et toi, ma femme, tu porteras l'enfant, et toi, mon fils, deux pieux, et toi, petite, apporte autant de sacs que tu peux près de la ligne de chemin de fer. Beaucoup de gens vont s'y installer, on entend déjà le bruit des pelles et des marteaux. Il fait beau, la nuit est chaude et il ne pleut pas. Merci, monsieur Dubula, ce bout de terrain-là nous convient très bien. Merci, monsieur Dubula, voici notre shilling pour le Comité.

Cabaneville s'est bâtie en une nuit. Quelle surprise pour les gens qui s'éveillent le lendemain! De la fumée sort entre les sacs, et il y a déjà deux ou trois maisons qui ont des cheminées. Il y avait un joli tuyau de cheminée par terre près du poste de police de Kliptown mais je n'ai pas fait la sottise de le ramasser.

Cabaneville s'est bâtie en une nuit. Et les journaux en sont pleins. Il y a de grands mots écrits en grandes majuscules, et des images.

- Regardez, c'est mon mari, là, debout à côté de la maison. Moi, malheureusement, je suis arrivée trop tard pour la photo. Ils nous appellent les sans-logis. Nous sommes les sans-logis. Dans ce grand village fait de sacs, de planches et de tôle, on ne paie pas de loyer, on donne seulement un shilling au Comité.

Cabaneville s'est bâtie en une nuit. La petite tousse très fort et son front brûle comme du feu. Ça m'ennuyait de la sortir, mais c'était la nuit de l'emménagement. Le vent froid souffle entre les sacs. Qu'est-ce qu'on fera quand il pleuvra, et en hiver? Calme-toi, mon enfant, ta mère est près de toi. Calme-toi, mon enfant, ne tousse pas comme ça, ta mère est près de toi.

L'enfant tousse très fort, son front est plus chaud que le feu. Calme-toi, mon enfant, ta mère est près de toi. Dehors, on entend des rires et des plaisanteries, des coups de pioches et de marteaux, et des appels dans des langues que je ne comprends pas. Calme-toi, mon enfant, il y a une jolie vallée où tu es née. L'eau chante sur les pierres, et le vent nous rafraîchit. Les bêtes descendent à la rivière, sous les arbres. Calme-toi, mon enfant, oh! Dieu, calme-la. Dieu, aie pitié de nous. Christ, aie pitié de nous. Homme blanc, aie pitié de nous.

- Monsieur Dubula, où est le docteur?
- Le docteur sera là demain matin. Ne craignez rien, le Comité le paiera.
- Mais on dirait que l'enfant va mourir. Regardez ce sang.
- Ce ne sera plus long jusqu'au matin.
- C'est long quand un enfant meurt. Quand le coeur s'effraie. Est-ce qu'on ne peut pas aller le chercher tout de suite, monsieur Dubula?
- Je vais essayer, mère. J'y vais tout de suite.
- Je vous remercie, monsieur Dubula.

Dehors, il y a des chants, des chants autour d'un feu. C'est *Nkosi Sikelel'i Afrika* qu'ils chantent. Dieu protège l'Afrique. Dieu protège ce fragment d'Afrique qui est à moi, né de mon corps dans la douleur, nourri de mon sein, aimé par mon coeur, parce que c'est la nature des femmes. Oh! repose doucement, petite. Docteur, pourquoi est-ce que vous ne venez pas?

- J'ai envoyé chercher le docteur, mère. Le Comité a envoyé une voiture pour ramener le docteur. Un docteur noir, un des nôtres.
- Je vous remercie, monsieur Dubula.

- Voulez-vous que je leur demande de se taire, mère?
- Ce n'est pas la peine. Elle ne les entend pas. Peut-être qu'un docteur blanc aurait été meilleur, mais n'importe quel docteur pourvu qu'il vienne. Peu importe qu'ils se taisent ou non, ces bruits d'un pays étranger. J'ai peur, mon mari. Elle brûle ma main comme du feu.

Nous n'avons plus besoin de docteur. Ni docteur blanc, ni docteur noir ne peut plus rien pour elle. Oh! enfant de mon ventre et fruit de mon désir, c'était plaisir de tenir les petites joues dans mes mains, c'était plaisir de sentir la menue pression des doigts, c'était plaisir de sentir la petite bouche tirer mon sein. C'est la nature des femmes. C'est le lot des femmes, de porter, de supporter, de garder et de perdre.

Alan Paton, *Pleure, ô pays bien aimé*, Paris, Albin Michel, Coll. «Le Livre de Poche», 1950, 429 pages, pp. 94-97.

Questions

1 - Dans cet extrait, il s'agit d'un narrateur omniscient. Compte tenu de cette information, identifiez les diverses techniques utilisées pour rendre le discours des personnages.

2 - Quels liens établissez-vous entre le discours du narrateur et celui des personnages?

3 - Quelle est l'attitude du narrateur face aux personnages?

4 - Établissez un lien entre le thème et l'agencement des techniques.

C- PRODUCTION

Canevas de rédaction 1

- Prenez le premier épisode d'une bande dessinée que vous appréciez et transposez-le sous forme de narration en utilisant les diverses formes de prise de parole.
- Comparez les deux récits. Quelles sont les différences les plus importantes entre la figuration narrative et le texte que vous avez produit?

Canevas de rédaction 2

- Rédigez un court texte (30-40 lignes) sur un thème de votre choix où vous ferez intervenir des objets ou des animaux. Le narrateur du texte fera appel au style direct proprement dit, au dialogue fictif et à la sous-conversation.

Canevas de rédaction 3

- Rédigez une courte lettre à partir de cette phrase: «*Je t'aime*». Intégrez à la lettre diverses formes de prise de parole. Indiquez de façon sommaire les événements de l'épisode qui précéderaient et suivraient cette lettre. Faites varier le sens de la lettre en modifiant ces événements.

NOTES

1 - En ce qui a trait aux techniques qui permettent de situer le personnage dans le temps et dans l'espace, elles seront traitées dans le chapitre qui analyse ces aspects du roman.

2 - Antoine de Saint-Exupéry, *Vol de nuit, op. cit.*, p. 49.

3 - *Ibid.*, p. 60.

4 - Antoine de Saint-Exupéry, *Vol de nuit, op. cit.*, p. 175. Le dialogue remplit différents rôles dans le récit. De plus la structure du dialogue et son tissu linguistique imposent un style propre à chaque auteur. Milan Kundera dans l'introduction à *Professeur de désir* souligne les orientations du dialogue chez trois romanciers pour lesquels il représente «*le pilier principal du récit*»: Diderot: le dialogue englobant et théâtral; Hemingway: le dialogue lyrique et Roth: le dialogue épique.

5 - John Steinbeck, *Des souris et des hommes, op. cit.*, p. 35.

6 - Voir, entre autres, Jean Dubois et René Lagane, *La nouvelle grammaire du français*, Paris, Larousse, 1973, 272 pages, pp. 211-213; Jean Dubois et alii, *Dictionnaire de linguistique*, Paris, Larousse, 1973, 518 pages, pp. 158-159, 457; Oswald Ducrot et Tzvetan Todorov, *Dictionnaire encyclopédique des sciences du langage*, Paris, Seuil, 1973, 470 pages, pp. 386-388.

7 - Antoine de Saint-Exupéry, *Vol de nuit, op. cit.*, p. 43. C'est nous qui soulignons.

8 - Blaise Cendrars, *L'or*, Paris, Denoël, Coll. «Le Livre de Poche», 1968, 178 pages, p. 88.

9 - Gérard Bessette, *Le libraire*, CLF Poche, 1968, 154 pages, p. 48. C'est nous qui soulignons.

10 - Yves Beauchemin, «Sueurs», *Fuites et poursuites*, Montréal, Quinze, 1982, 200 pages, p. 165.

11 - Roland Topor, *Four Roses for Lucienne*, Christian Bourgois, Coll. «10/18», 1967, 254 pages, p. 65.

12 - Katherine Pancol, *Moi d'abord*, Paris, Seuil, 1978, 190 pages, p. 44.

13 - Nathalie Sarraute, *L'ère du soupçon*, Paris, Gallimard, Coll. «Idées», 1958, 184 pages, p. 124.

14 - Antoine de Saint-Exupéry, *Vol de nuit, op. cit.*, p. 157.

15 - Félix-Antoine Savard, *Menaud Maître-Draveur*, Montréal, Fides, 1937, 214 pages, p. 136.

16 - John Steinbeck, *Des souris et des hommes, op. cit.*, p. 40.

17 - *Ibid.*, p. 41.

18 - Albert Camus, *L'étranger, op. cit.*, p. 114.

19 - Honoré de Balzac, *Le Père Goriot*, Paris, Garnier-Flammarion, 1966, 254 pages, pp. 95-96.

20 - Louis Hémon, *Maria Chapdelaine*, Montréal, Fides, 1980, 225 pages, p. 176.

21 - Dorrit Cohn, *La transparence intérieure, op. cit.*, p. 81.

22 - *Ibid.*, p. 95.

23 - *Ibid.*, p. 99.

24 - *Ibid.*, p. 103.

25 - Michel Butor, *Essais sur le roman, op. cit.*, p. 19.

26 - Dorrith Cohn, *op. cit.*, p. 111.

27 - James Joyce, *Ulysse,* Paris, Gallimard, Coll. «Folio», 1981 (© 1927), 538 pages, pp. 500-501.

28 - François Mauriac, *Thérèse Desqueyroux*, Paris, Grasset, Coll. «Le Livre de Poche», 1983 (© 1927), 184 pages, pp. 135-136.

29 - On a un excellent exemple avec *Il n'y a pas de pays sans grand-père* de Roch Carrier (Montréal, É. internationales Alain Stanké, Coll. «10/10», n° 16, 1979, 128 p.)

30 - Fédor M. Dostoïevski, *Les possédés*, Paris, Gallimard, Coll. «Folio», 1925 (© 1871), 492 pages, pp. 448 et 457.

31 - Antoine de Saint-Exupéry, *Vol de nuit*, *op. cit.*, p. 121.

32 - Paul A. Fortier, *Structures et communication dans* La Jalousie *d'Alain Robbe-Grillet*, *op. cit.*: «Loin d'être lucidement objectif, cet esprit, malgré son grand souci de la précision, se caractérise par le fait qu'il aboutit habituellement à l'incertitude», p. 32.

CHAPITRE 6

Le temps et l'espace

A - THÉORIE

Le temps

Pour permettre au lecteur de se retrouver dans une ambiance familière, pour créer en fait, à ses yeux, l'illusion de la réalité, les personnages, les événements, les thèmes d'un roman doivent évoluer dans un contexte spatio-temporel qui leur est propre. Sans ce contexte, les personnages d'un roman seraient des êtres désincarnés, évanescents, insaisissables.

L'organisation du temps est, pour le romancier, un défi, une des tâches les plus ardues parce que, justement, le roman dans sa spécificité est un art temporel, c'est-à-dire un art qui implique la notion de progression. Roland Bourneuf et Réal Ouellet[1] attirent l'attention sur le fait que, par opposition aux arts spatiaux (peinture et sculpture), le roman est un art temporel dans la mesure où il est discours, et par discours on entend succession, mouvement. Le romancier doit donc insérer les événements, articuler les thèmes, faire vivre ses personnages dans la mobilité, dans la mouvance.

Évidemment, chaque romancier rêve de créer, dans les limites de son roman, son temps propre qui, tout en référant nécessairement à des notions spécifiques du temps réel - ce temps linéaire, chronologique (heures, jours, semaines, mois, années...) qui modèle inexorablement les hommes, les civilisations - se voudrait différent dans la mesure où il est création de l'esprit humain et revêt une signification par rapport aux événements et aux personnages: «(...) *le grand romancier, comme le poète ou le musicien,* écrit Claude-Edmonde Magny, *aspire à sortir du temps commun, ordinaire, à créer pour y situer son oeuvre une durée qui ne soit qu'à lui».* [2]

Pour le romancier, créer *son* temps, c'est donc inventer un temps purement romanesque en conciliant la durée de vie des personnages, une journée ou dix ans par exemple, et la réalité matérielle du roman: un nombre déterminé de pages où devront vivre des êtres de papier. La difficulté réside dans la conjugaison du temps aux modes propres à l'imaginaire: «*Le roman veut exprimer le temps alors qu'il se situe sur le plan de l'imaginaire*». [3] Voilà un problème, de prime abord, difficile à résoudre. Pour le clarifier, il faut établir des différences entre *temps de la fiction* (ou temps raconté) et *temps de la narration* (ou temps racontant), définir les expressions *temps social, temps de l'écriture, temps de la lecture* et déterminer ce qu'on entend par *temps autobiographique* et *thématisation du temps*.

Le temps de la fiction (temps raconté)

On appelle *temps de la fiction* ou de l'histoire «*la durée du déroulement de l'action*» (Goldenstein), c'est-à-dire la suite chronologique des faits ou la disposition des événements dans l'histoire.

Le temps de la fiction varie d'un roman à l'autre. Il peut être de courte durée. Mme Rolland - Élisabeth d'Aulnières - , penchée sur le visage de son deuxième mari agonisant, revit en une nuit presque toute sa vie. Le temps linéaire se résume donc à peu de chose par rapport aux nombreux retours en arrière (temps de la narration) du récit de *Kamouraska*.

Le temps de la fiction peut, par contre, s'échelonner sur certaines étapes de la vie d'un personnage (c'est le cas d'*Une vie* de Guy de Maupassant, de *Madame Bovary* de Gustave Flaubert); sur une année environ (*Maria Chapdelaine* de Louis Hémon, *Le Survenant* de Germaine Guèvremont); sur quelques mois (*Le libraire* de Gérard Bessette); ou sur une fin de semaine (*Des souris et des hommes* de John Steinbeck). À l'opposé, il peut s'échelonner sur des siècles, voire des millénaires. La science-fiction fourmille d'exemples: Isaac Asimov, Ray Bradburay, Élisabeth Vonarburg, etc.

Dans certains romans, le temps de la fiction, chargé d'événements qui se déroulent à la suite les uns des autres, prend, pour ainsi dire, toute la place et laisse peu de *temps* et d'espace aux descriptions psychologiques des personnages. Mais, inversement, lorsque le temps de la fiction n'est pas trop chargé d'événements - en d'autres mots, lorsque les personnages ne sont pas uniquement définis en action - les descriptions psychologiques peuvent jouer un rôle important dans le récit.

Tout un monde sépare *Les Plouffe* de Roger Lemelin du *Voyageur distrait* de Gilles Archambault. L'un est un roman de moeurs où la succession des événements tient une grande place, l'autre, un roman qui se rapprocherait plutôt de la catégorie des romans dits «*psychologiques*», car le tissu narratif est surtout composé d'analyses. Certains romanciers ont su toutefois équilibrer ces deux dimensions: Dostoïevski, Balzac, Flaubert, Stendhal, Zola, Malraux... pour n'en nommer que quelques-uns.

Le temps de la narration (temps racontant)

Pour le romancier, le problème consiste, en fait, à réorganiser, restructurer le temps dans la matrice même du récit. Si le romancier décide de raconter en deux cents pages une seule journée de la vie de son personnage, le rythme de l'écoulement du temps dans l'évolution de l'intrigue ne sera certainement pas le même que celui qu'on retrouverait s'il s'agissait de raconter toute une vie. Le temps est tributaire du matériel romanesque. Comment le couler, l'actualiser, l'étaler dans un foisonnement de descriptions, de monologues en style direct ou indirect, de récits fictifs, de scènes dialoguées, de soliloques, de rêveries, etc.? Par des rappels temporels? par des ellipses qui permettent de faire évoluer le récit par bonds? par sa suspension? par des retours en arrière? par des anticipations?

Pour certains, le narrateur, lorsqu'il s'agit d'organiser le temps du récit, doit aller à l'essentiel comme le fait remarquer Michel Butor: «L'idéal du récit quotidien c'est, bien sûr, de ne retenir que l'important, le *significatif*, c'est-à-dire ce qui peut remplacer le reste, ce par quoi le reste est donné, et par conséquent de passer ce reste sous silence, et même, procédant par degré, de *s'attarder* sur l'essentiel et de *glisser* sur le secondaire». [4]

Pour d'autres, par contre, les zones les plus denses de signification émergent du fait tu ou voilé, fût-il secondaire: l'important étant cet éclatement de l'essentiel dont les fragments seuls sont révélateurs. Il existe donc plusieurs façons de concevoir le temps de la narration, de l'organiser. Cette régulation du temps s'opère grâce à un certain nombre de techniques romanesques.

Les techniques romanesques reliées au temps de la narration

Le temps et les événements

Dans un roman, les événements peuvent être datés de façon absolue. Par exemple, le fatidique 9 juillet dans *Le jardin d'acclimatation* d'Yves Navarre joue un rôle capital dans la famille de Henri Prouillan. *Le libraire* de Gérard Bessette, journal écrit par Hervé Jodoin, va du 10 mars au 10 mai. Le lecteur guidé par ces jalons que sont les chapitres datés de façon absolue évolue dans le temps sans s'y perdre, au même rythme que Jodoin, le *je* narrateur héros.

Souvent, par contre, les événements sont datés de façon relative.

a - Ou bien le narrateur, par des allusions à des événements historiques ou sociaux plus ou moins extérieurs au récit lui-même, inscrira les événements romanesques dans une dimension spatio-temporelle. Il s'agit ici, en fait, du temps social ou historique qui peut servir de toile de fond au temps de l'aventure comme on le verra plus loin.

b - Ou bien le narrateur renverra le lecteur à des signes extérieurs de l'écoulement temporel: changement de saisons, fêtes, vacances, etc. On connaît l'influence qu'exercent les changements de saisons sur les personnages de certains romans du terroir. Que l'on songe à *Maria Chapdelaine* de Louis Hémon et au *Survenant* de Germaine Guévremont.

Une autre technique consiste à situer les épisodes du récit les uns par rapport aux autres en y insérant des rappels temporels: «*Avant de partir...*», «*Le même jour...*», «*Quelque temps après...*». Le lecteur d'ailleurs ne porte guère attention à ces formules qui traduisent l'écoulement linéaire du temps: «*L'habitude nous empêche de faire attention à ces formules qui jalonnent les oeuvres les plus filées, les plus coulantes*».[5]

Enfin, les scènes peuvent aussi être narrées selon un schéma logique. Par exemple, pour un mariage, on pourrait retrouver les étapes suivantes:
- préparatifs,
- cérémonie religieuse ou civile,
- réception,
- départ des mariés.

Pourront alors se greffer des événements qui modifieront cette organisation anticipée par le lecteur. Ainsi, dans *Moi d'abord* de Katherine Pancol, l'héroïne, la date des épousailles fixée, les préparatifs amorcés, rencontrera un autre homme: Antoine. Ce coup de foudre renouera l'histoire amoureuse et le suspense: «*Chaque fois que je rencontre un homme qui me plaît, c'est plus fort que moi; je m'imagine mariée*».[6]

Le temps et le rythme

Quant au rythme du roman, il variera si le temps relié aux différents épisodes est réparti inégalement comme c'est souvent le cas. Le rythme est donc lié aux orientations suivantes.

a - La progression du récit par bonds créée en opposant un récit minutieux et systématique (des analyses, des descriptions), qui provoque l'immobilisation de la narration des faits ou des événements, à un survol qui se traduit par des ellipses, des résumés d'action ou des récits sommaires. Exemple: «*Le lendemain de cette longue et périlleuse remise en question de sa vie, Pierre, devenu soudain actif, alla faire quelques courses dans la matinée, repeignit, dans l'après-midi, sa salle de bains et se retrouva, le soir, au cinéma. Une semaine plus tard, c'est un Pierre rajeuni de dix ans qui apparaissait devant Isabelle*».

b - La suspension du récit opérée grâce à des pressentiments, des anticipations, des associations d'images, des rêveries. Lorsqu'un personnage s'évade dans la rêverie, par exemple, le temps est, pour ainsi dire, suspendu. L'aiguille s'arrête de tourner; elle reprendra son cours un peu plus loin quand le personnage rompra le charme.

c - **L'organisation de décalages** entre la succession des faits de l'histoire et l'ordre de ces faits dans le récit. Si l'histoire d'un roman se caractérise par un commencement, un milieu et une fin, le temps qui s'inscrit dans la trame des événements n'épouse pas nécessairement, comme on le sait, l'ordre chronologique, linéaire, matériel du temps réel dans lequel vit tout être humain. Comme on vient de le voir, le temps du récit avance parfois par soubresauts, par secousses, par bonds; il peut être même momentanément suspendu au profit d'une réflexion. Mais d'autres techniques font aussi varier le rythme du récit. Le décalage entre la succession des événements de l'histoire et l'ordre de ces faits dans le récit est accentué par

- *des retours en arrière:* certains romans, comme *Kamouraska* d'Anne Hébert, *Thérèse Desqueyroux* de François Mauriac, *Le jardin d'acclimatation* d'Yves Navarre, multiplient les retours en arrière (flash-back) pour faire connaître au lecteur un passé actualisé dans le récit par le pouvoir de l'écriture;

- *des anticipations:* le personnage se projette dans l'avenir ou s'y voit déjà agissant; mais comme pour le passé, le futur, dans le récit, est actualisé; passé et futur peuvent être parfois narrés dans le récit au présent de l'indicatif;

- *des ellipses:* un fait est passé sous silence, est omis parce qu'il n'a aucun intérêt ou parce qu'il en a trop; le roman policier procède beaucoup par ellipses pour créer un effet de mystère;

- *des télescopages ou des chevauchements d'actions:* quand les événements se croisent, s'entrechoquent, se juxtaposent, se chevauchent afin de créer, non pas la confusion, mais l'idée de simultanéité: *Prochain épisode* d'Hubert Aquin;

- *des retours cycliques:* des crises peuvent resurgir périodiquement, des obsessions hantent un personnage, des thèmes dévoilent leurs visages en certaines circonstances.

Le temps de la narration est donc, comme on vient de le constater, assez complexe. Il appartient au lecteur, familiarisé avec ces différentes techniques, d'en dégager toute la signification à partir de sa propre perception.

En fait, le temps de la fiction et le temps de la narration peuvent être qualifiés de *temps internes* dans la mesure où ils sont des temps propres à l'organisation même du récit. Mais tout lecteur peut s'interroger sur l'époque qui sert de toile de fond à l'intrigue (temps social) ou sur celle où a été écrit le roman (temps de l'écriture); enfin, la perception que l'on peut avoir d'un roman varie d'un lecteur à l'autre (le temps de la lecture). Voilà pourquoi *le temps de l'écriture* et *le temps de la lecture* peuvent être envisagés comme des temps externes au récit. Le temps social, comme on le verra, est à la fois considéré comme temps interne et externe.

Le temps social ou historique

Le temps du récit peut se situer à une époque précise de l'histoire d'une nation, d'un pays. Le roman fait appel, à ce moment, à un événement capital (une guerre par exemple) qui s'est réellement produit dans l'histoire d'un peuple et qu'il recrée à sa manière à l'intérieur de ses propres limites. Ce temps est à la fois interne et externe au roman. Il est interne dans la mesure où il relève de la fiction; le narrateur, selon sa fantaisie, peut modifier l'événement en fonction de la logique interne de son récit. Mais il est également externe parce qu'il fait référence à un événement qui a vraiment eu lieu à une époque spécifique de l'histoire d'un individu ou d'une nation. Ce qui est alors intéressant de faire ressortir, ce sont les similitudes et les différences qui peuvent exister entre l'événement purement extérieur au roman et son intégration dans le récit romanesque. C'est le cas de la célèbre émeute du Forum, à la suite d'une punition donnée par le président de la Ligue nationale de hockey à Maurice Richard, le 17 mars 1955, et qui prend place dans *Les inutiles* d'Eugène Cloutier, mais dans une perspective propre à cet univers romanesque.

Cet événement d'un intérêt historique ou social peut servir d'arrière-plan à l'intrigue. On parle alors de temps historique ou social dans un roman. C'est ainsi que l'histoire de *Boule de Suif* de Guy de Maupassant se déroule pendant la guerre franco-prussienne de 1870; que *Le diable au corps* de Raymond Radiguet a comme toile de fond la guerre de 14-18; que *Le silence de la mer* de Vercors et *Bonheur d'occasion* de Gabrielle Roy correspondent à la Seconde Guerre mondiale; que *Moi, mon corps, mon âme, Montréal, etc.* de Roger Fournier est intimement lié aux événements d'Octobre 1970; que *Les égarés* de Frédérick Tristan correspond à la montée du nazisme; que *Maryse* de Francine Noël s'inscrit dans cette décennie qui suit la Révolution tranquille; enfin que l'oeuvre de Zola se situe au début de l'ère industrielle et que celle de Mohammed Dib correspond à l'époque de la guerre d'Algérie.

Il est important de circonscrire le temps historique ou social, car il peut jeter une certaine lumière sur le comportement psychologique des protagonistes du roman. C'est pour sauver les autres Français qui l'accompagnent que Boule de Suif se donne au Prussien: son geste est d'autant plus noble qu'il s'agit d'un ennemi en temps de guerre. Elle le fait donc dans un esprit de sacrifice. Le malaise du curé Folbèche, dans *Les Plouffe* de Roger Lemelin, et son entêtement à faire prier ses ouailles *contre* la conscription doivent se comprendre comme l'expression du refus du démembrement de *sa* paroisse, c'est-à-dire d'une perte de son autorité. Enfin, on ne peut guère séparer les événements d'Octobre 70 de l'ambiance dépressive dans laquelle s'enlise Lucie dans *Moi, mon corps, mon âme, Montréal, etc.*

Le temps de l'écriture

Le temps de l'écriture c'est, d'une part, le temps de rédaction du livre (durée de composition) et, d'autre part, le contexte temporel où ce livre a été publié.

Comme le font remarquer Roland Bourneuf et Réal Ouellet, il y a une différence entre un roman écrit en huit jours et un autre en cinq ans. Il arrive parfois, comme le ressentait Balzac, que la conjugaison du temps qui passe trop vite et de la vie intellectuelle si dynamique fasse vieillir les idées à peine énoncées sur le papier. La durée de composition d'une oeuvre peut être également signifiée dans le récit même - exemple: *Prochain épisode* d'Hubert Aquin - et s'opposer au temps de la fiction.

Il est aussi important d'identifier l'année (ou les années) où le livre a été écrit car tout écrivain est influencé, à différents degrés et de différentes manières, par son milieu géographique, social, culturel et intellectuel. Tout écrivain traite son sujet (fût-il historique) avec la sensibilité de son temps. Roland Bourneuf et Réal Ouellet feront remarquer que «*la technique romanesque elle-même est indissociable du moment de l'écriture*».[7] Les techniques du roman réaliste du XIXe siècle ne sont pas les mêmes que celles du nouveau roman, et un Kateb Yacine, une Marguerite Yourcenar, un Patrick Modiano ou une Marie Cardinal n'écrivent pas de la même manière qu'un Balzac, un Flaubert, un Maupassant, un Georges Sand ou un Zola. *Kamouraska* d'Anne Hébert est un drame historique écrit avec la sensibilité d'un auteur du XXe siècle. La facture du roman est moderne.

Le temps de la lecture

Le temps de la lecture peut être compris comme le temps que le lecteur met pour lire un livre (cinq heures, vingt heures). Il arrive exceptionnellement que le temps de la lecture corresponde au temps de la fiction. Il faudrait tenter l'expérience avec *La modification* de Michel Butor. Ordinairement, cela va de soi, le temps de la lecture est beaucoup plus rapide que celui de la fiction; sinon, il faudrait mettre vingt ans de sa vie pour lire un roman dont le temps chronologique s'échelonnerait sur une durée de vingt ans... On met une seconde à tourner une page qui fait avancer parfois le récit d'un an («*Un an plus tard...*»).

Quoi qu'il en soit, deux lecteurs n'ont pas la même perception du même roman. Chacun, dans une certaine mesure, le recrée à sa fantaisie, selon son bagage culturel, son degré de sensibilité, l'acuité de son intuition. C'est justement ce qu'on appelle une lecture active: «*Chaque lecteur crée sa durée propre. Le roman devient un thème sur lequel le lecteur improvise ses vibrations personnelles au gré de son génie inventif ou de sa richesse intérieure*».[8]

Quant à la perspective dans laquelle seront perçus les événements et quant à la signification globale qui pourra se dégager d'un roman, elles varieront d'autant plus s'il s'agit de lecteurs de nationalités différentes. Le lecteur suisse ne fera pas de *Prochain épisode* la même lecture que le lecteur québécois. Pas plus que le lecteur français qui se penche sur les oeuvres de Mouloud Feraoun ou de Mohammed Dib ne les interroge de la même manière que le lecteur maghrébin.

Le même roman sera également perçu différemment d'une génération à l'autre. On ne lit plus *Bonheur d'occasion* ou *Les Plouffe* aujourd'hui de la même manière qu'on les lisait dans les années 50 alors que, pour la première fois dans notre histoire littéraire, des auteurs présentaient au lecteur la réalité des niveaux culturel et socio-économique des quartiers ouvriers. Assurément, le lecteur des années 50 pouvait plus facilement identifier le curé Folbèche des *Plouffe* à son curé de paroisse que ne pourrait le faire le lecteur des années 80, car, depuis lors, la Révolution tranquille a profondément modifié les structures traditionnelles de la société québécoise.

Le temps autobiographique

Jean Starobinski définit le récit autobiographique de la manière suivante: «*La biographie d'une personne faite par elle-même*».[9] Ce qui suppose, au point de vue rédactionnel, que l'auteur est identifié au *je* narrateur. Le récit autobiographique doit couvrir une durée suffisamment longue pour faire ressortir le «*tracé d'une vie*».[10] Donc, le narrateur, dans le récit autobiographique, prend en fait, comme thème principal, son propre passé. Le temps, dans ce cas, devient un thème majeur du récit. Si le narrateur, toutefois, relate son passé, son style est lié au présent de l'acte d'écrire. Or le style a ses propres découpes, ses redondances, ses ratés. Jean Starobinski écrit à ce sujet: «*Au vrai le passé ne peut jamais être évoqué qu'à partir d'un présent: la «vérité» des jours révolus n'est telle que pour la conscience qui, accueillant aujourd'hui leur image, ne peut éviter de leur imposer sa forme, son style. Toute autobiographie - se limitât-elle à une pure narration - est une auto-interprétation*».[11]

Si le nouveau moi du narrateur se penche sur son ancien moi pour le scruter, l'analyser, le décrire, que penser de la pertinence de son interprétation, de l'authenticité des faits relatés? Jean Starobinski a démontré qu'il était à toutes fins pratiques impossible au nouveau moi revêtu d'une nouvelle sensibilité d'éviter de tomber dans le piège de l'auto-interprétation, c'est-à-dire d'édulcorer, de déformer, d'exagérer, de noircir ou d'enjoliver involontairement la réalité de son ancien moi.

Que penser maintenant de celui qui aimerait se raconter, mais sans dévoiler son identité? C'est ici qu'entre en jeu le subterfuge romanesque. Il faut d'abord établir une différence entre le récit autobiographique et le roman autobiographique. Le récit autobiographique raconte une vie qui pourrait passionner l'historien qui voudrait en vérifier l'authenticité des faits. Saint Augustin, sainte Thérèse, Napoléon, Jean-Jacques Rousseau sont des personnes illustres passées à l'histoire. On peut tout aussi bien discuter certaines interprétations qu'ils donnent de leur vie, que mettre en doute la véracité des faits qu'ils relatent. Une vérification d'ordre historique est alors presque toujours possible. Quant au roman autobiographique, on peut certes se demander si le *je* narrateur héros est la doublure, la copie conforme d'un auteur qui voudrait se raconter par narrateur interposé. En d'autres mots, tenter de cerner la part qui revient au vécu de l'auteur et celle propre à son personnage. Or, il faut convenir que le propre du récit de fiction est d'inventer sa propre vérité psychologique, historique ou sociale. Le roman fait intervenir la fiction dans son contenu; ce n'est pas - même lorsqu'il s'agit d'un roman autobiographique - un récit qui relate scrupuleusement la vie de tel ou tel auteur. Contrairement au récit autobiographique, ce qui est intéressant de mesurer ici, ce n'est pas l'écart entre l'ancien moi et le nouveau moi de l'auteur narrateur, mais celui qui s'établit entre l'ancien moi et le nouveau moi du *je* narrateur héros évoluant dans son univers romanesque indépendamment de l'auteur. Ce qui ne veut pas dire que la vie du *je* narrateur héros ne ressemble pas, parfois, étrangement à celle de l'auteur.

Le temps, toutefois, dans le roman autobiographique, joue un rôle capital parce qu'il est le principal agent de la métamorphose d'un personnage qui se dit. Mais le personnage qui se raconte est intéressant dans la mesure où, justement, sa vie est caractérisée, à un moment donné de son évolution, par une transformation importante. Elle prend alors une nouvelle orientation: elle sort de l'anonymat, de l'ordinaire; elle devient aux yeux du lecteur *passionnante*. Le *je* narrateur héros, se penchant, après coup, sur sa propre vie, se penche en réalité sur le temps et constate l'oeuvre que celui-ci a accomplie sur lui et en lui. Le temps devient alors thème du récit.

Le temps comme thème de réflexion

Le temps, dans certains romans, peut faire l'objet d'une réflexion intimement liée, parfois, aux problèmes de l'écriture et à d'autres sous-thèmes, tels l'impuissance, l'aliénation, l'amour, la politique. Cette réflexion sur le thème du temps jette de la lumière sur le comportement psychologique du narrateur ou d'un personnage.

Michel, le *je* narrateur héros (aux pronoms variés: je, tu, il) du *Voyageur distrait* de Gilles Archambault réfléchit constamment sur la fuite du temps qui émousse le goût de vivre et rend futile tout projet, même celui de l'écriture.

> Te souviens-tu de ce temps où il te fallait écrire tous les jours sous peine de culpabilité? Tu demandais alors à l'écriture ce que la vie ne te donnait pas. Des étreintes sans fin pour ne pas songer au temps qui passe. Ta reddition est complète. Plus question de réclamer à ta littérature la moindre libération. [12]
>
> Michel savait trop bien que chaque jour qui s'ajoutait l'éloignait de l'appétit de la vie. [13]
>
> La certitude en même temps des années qui fuient à une vitesse vertigineuse. Seules les heures où j'ai cru aimer avec passion m'ont permis un peu d'échapper à cette interrogation. J'oubliais alors de me poser les questions que je connaissais bien sur l'inutilité de tout. [14]

Cette prise de conscience de «*l'inutilité de tout*» accentue le désir chez le narrateur, alors en voyage de trois semaines aux U.S.A., de retourner se réfugier avec Mélanie dans la solitude de sa maison. Écriture, temps, espace, solitude sont ici des thèmes intimement liés qui s'entrecroisent tout au long du roman. Le roman s'ouvre, d'ailleurs, sur cette phrase:

> Je ne peux m'empêcher d'évoquer un monde fermé, replié sur soi, un cottage anglais tapi au fond d'une impasse dans un quartier bourgeois de Montréal, entouré de pelouse et de fleurs, une petite maison en briques rouges rongée par le lierre. J'y vis avec une femme. [15]

La maison est donc «*une coquille dont on ne sort que par obligation*». [16] Cette introspection actualise un temps de nature psychologique, dans la mesure où il est la source même du manque d'intérêt que porte le narrateur à la vie.

Le temps et le nouveau roman

Le nouveau roman remet toutefois en cause la conception traditionnelle de l'organisation du temps dans le roman. Le cinéma a joué un rôle - aux yeux d'un Alain Robbe-Grillet entre autres - dans la perception que se font certains romanciers contemporains du déroulement temporel objectif ou linéaire. Un certain cinéma moderne, que l'on songe à *L'année dernière à Marienbad*, désarticule le temps en créant un effet, aux yeux du spectateur, d'un perpétuel présent. À toutes fins utiles, le temps dans le film n'existe plus; seul l'instant de l'image s'imprime dans la mémoire. Le nouveau roman abonde dans le même sens. Il rêve, d'ailleurs, d'inventer un nouveau lecteur dans la mesure où, celui-ci, momentanément dérouté par une écriture qui ne réfère pas aux conventions de la structuration du temps dans le récit est obligé «*d'inventer à son tour l'oeuvre - et le monde - et d'apprendre ainsi à inventer sa propre vie*».[17] *La jalousie* d'Alain Robbe-Grillet, justement «*est un monde sans passé qui se suffit à lui-même à chaque instant et qui s'efface au fur et à mesure*».[18]

*

* *

Temps et espace sont interdépendants. «(...) *en fait pour pouvoir étudier le temps dans sa continuité*, écrit Michel Butor, *donc pouvoir mettre en évidence des lacunes, il est nécessaire de l'appliquer sur un espace, de le considérer comme un parcours, un trajet*». [19]

Il s'agit donc maintenant de définir ce que l'on entend par espace dans un roman.

L'espace

Le personnage vit des événements; il en est le moteur ou, au contraire, il les subit. Il habite des lieux ou rêve d'y habiter. Il vit en harmonie avec les espaces qu'il fréquente ou s'y sent confronté; il voudrait en conquérir d'autres ou se confiner à ceux qui le reflètent. Dans le monde du roman, l'espace constitue un ensemble qui révèle le personnage, qui permet le développement de l'action, qui, à l'occasion, devient thème donc objet de réflexion du personnage. C'est à titre d'élément cristallisant des zones de signification de l'univers romanesque qu'il devient un objet important d'analyse.

L'espace romanesque est plus qu'un simple décor de l'action. Sa spécificité doit être reconnue, ses significations, dégagées. Pour y arriver, il importe de faire ressortir l'organisation de l'espace d'un roman. Cette organisation se révélera grâce à quelques démarches relativement simples. Il faudra

- reconstituer l'itinéraire du personnage central à partir des principaux lieux fréquentés;
- vérifier les oppositions entre différents espaces;
- dégager le sens de l'itinéraire du personnage.

Ce sont ces différents aspects qui seront maintenant abordés.

La spécificité de l'espace romanesque

Qu'est-ce qui caractérise l'espace romanesque, l'oppose à l'espace cinématographique ou pictural? Bien sûr, c'est un espace verbalisé, qui n'existe pas sans le langage; c'est un espace de fiction, de création: «*L'espace du récit se distingue, en raison de son caractère purement verbal, des espaces qu'expriment des signes non linguistiques, comme ceux des mathématiques et de la physique moderne, ou des images concrètes et immédiatement perceptibles, comme celles des arts plastiques et du cinéma».* [20] L'espace romanesque est tributaire des formes narratives (voix et point de vue) et des ressources dont dispose la langue pour l'exprimer.

L'organisation de l'espace romanesque

L'espace est principalement lié aux personnages: l'organisation de l'espace structure les déplacements des protagonistes. Aussi, pour dégager clairement l'organisation spatiale d'un roman, faut-il associer les personnages aux lieux qui les caractérisent, cerner leur itinéraire, vérifier les oppositions significatives et dégager le sens du parcours du personnage.

Lieux et itinéraires

Le personnage dans les limites du roman se déplace ou refuse tout déplacement. Le personnage tentera, par exemple, de s'approprier le monde, de le soumettre, de s'y intégrer, d'en triompher. L'élément dynamique de ce projet, c'est le désir du personnage: sa passion, sa volonté de changer le monde, de le modifier. Dans certains cas, le personnage sera au contraire ballotté, broyé, détruit. Là encore son itinéraire s'inscrira dans des espaces qui matérialiseront, concrétiseront sa recherche de sens, ses valeurs, ses obsessions. *L'itinéraire* d'un personnage, c'est l'ensemble des déplacements d'un personnage dans l'espace et les changements que ces déplacements provoquent dans sa vie intérieure ou dans ses relations avec les autres personnages.

Dans l'analyse, il importe donc d'identifier les lieux qui cristallisent le projet du personnage et de dégager le sens de l'itinéraire qu'il parcourt. Par exemple, dans *L'or* de Blaise Cendrars, on retrouve à la fois la conquête, l'envahissement et la destruction. Suter, attiré par l'Ouest, conquerra la Californie, véritable lieu mythique qui recèle des richesses fabuleuses. Il y édifiera un petit empire: la Nouvelle Helvétie. Or, sur ses terres, on découvrira de l'or. La ruée vers l'or de dizaines de milliers d'hommes envahissant ses terres entraînera la destruction de son domaine, sa ruine, sa déchéance. Dans *Le petit Prince*, le personnage central accomplit une quête: il est à la recherche d'un sens qui lui permettrait de comprendre l'attitude de sa fleur, attitude qui provoqua la rupture de leur relation et son départ de sa planète. Cette quête se révélera une forme d'initiation, de révélation qui sera le fruit d'une série de rencontres caractérisées par des espaces significatifs. Dans les six premières planètes, il rencontrera des gens centrés sur eux-mêmes, dans un monde à part, symbolisés ici par les six petites planètes. Déçu, il visitera la terre. Le désert correspondra à son état intérieur. Cet espace désertique, peu fréquenté, permettra d'accomplir son initiation. La visite du jardin de roses, la rencontre du renard, la recherche de l'eau constitueront les étapes de cet itinéraire qui dévoilera au petit prince le sens de l'amitié et de l'amour, cette vision du coeur, cette tendresse attentionnée qui font de chaque être des individus uniques. Enfin, dans *Sur la route* de Jack Kerouac, c'est l'errance qui se révèle la clé de l'organisation de l'espace. Dean Moriarty et Sal tentent de se désolidariser de l'univers démentiel des villes; la route leur apparaîtra comme ce lieu privilégié où les gens en marge de la société se retrouvent; leurs virées folles, leur errance sera leur façon de dire non à cet univers de ruine.

L'identification des lieux, de leurs significations pour les personnages permet souvent de reconstituer des itinéraires qui correspondent à des schémas simples mais révélateurs des vérités profondes des personnages: l'exil, l'errance, la conquête, le périple, l'initiation, la quête...

Lieux et symboles

La valeur accordée à certains lieux par les personnages en fait de véritables symboles, c'est-à-dire des objets qui cristallisent des significations de différents ordres: psychologique, spirituel, social... Parfois c'est le lieu même qui devient symbole, parfois aussi c'est un ou des objets qui y sont associés.

Par exemple, Michel et Catherine, personnages d'Anne Hébert, habitent des «*chambres de bois*», espace symbolique qui oblige les personnages à se définir en fonction de lui. Michel, à l'image même de cet espace clos, étouffant, feutré, se coupe de la vie; Catherine, littéralement enfermée, frustrée par cet espace, recherche la lumière, le soleil, la vie, la liberté.

Sophie, dans *Moi d'abord*, est fascinée par la «*véranda verte*», image de la sécurité, d'une vie banale, conformiste. Elle souhaite cette vie où elle se sentirait protégée, aimée. C'est contre cet espace intériorisé qu'elle devra lutter pour mettre fin à cette terreur de la liberté qui la caractérise.

Janou, dans *Ma fille comme une amante*, fera de La Chanterelle le symbole même de sa nouvelle vie, de ses tendresses et de ses amitiés renouvelées. Aussi ressentira-t-elle comme une intrusion dans sa vie intérieure les visites envahissantes de Véronique, sa fille, dans ce lieu.

Dans d'autres cas, ce sont les objets qui révèlent la partie symbolique de l'espace. [21] Dans *Le petit Prince*, les baobabs, le puits, l'eau ont des dimensions symboliques certaines. De même, la perle, symbole de l'univers inaccessible au pauvre, symbole des rêves de Kino, des possibles transformations de l'ordre social, donne à la parabole de *La perle* de John Steinbeck cette dimension de mythe. De même enfin, la Cité, symbole de la mère qu'Élisa n'a jamais eue, elle qui est née en laboratoire, et dont elle apprendra lentement et douloureusement à se passer; c'est là le sens même du beau roman de science-fiction d'Élisabeth Vonarburg, *Le silence de la cité*.

Les oppositions significatives

Règle générale, l'organisation de l'espace se construit à partir de termes qui s'opposent. S'il en va ainsi pour l'espace physique (le haut/le bas; le long/le large; le petit/le grand), il en va également de même pour l'espace romanesque. Ces oppositions ont cependant, dans l'oeuvre de fiction, une portée plus abstraite, plus figurée:
- l'espace réel/l'espace rêvé,
- le clos/l'ouvert,
- le masculin/le féminin,
- le labyrinthe/la voie droite,
- la ville/la campagne,
- ...

Aussi, pour bien saisir la portée de l'organisation de l'espace romanesque devra-t-on identifier les couples de termes antithétiques qui la structurent. En guise d'exemples, voici quelques romans qui offrent des oppositions spatiales.

L'espace réel et l'espace rêvé

Dans *Madame Bovary*, par exemple, l'espace quotidien, banal, provincial, médiocre d'Emma s'oppose à l'espace rêvé, caractérisé par l'élégance, le luxe, la rêverie. Cette opposition renvoie au drame même d'Emma, à cette discordance entre l'idée qu'elle se fait de la vie et cette humble vie qui est la sienne. De même, dans *Des souris et des hommes* de John Steinbeck, l'espace rêvé joue un rôle compensatoire. George et Lennie vivent dans un monde où ils doivent vendre leur travail pour manger, où ils accomplissent des tâches subalternes, où ils ne possèdent rien, où ils sont à la merci des caprices et des humeurs des propriétaires du ranch. Ils rêvent d'une petite ferme où ils organiseraient eux-mêmes leur temps et leur travail.

Le clos et l'ouvert

Dans *Maria Chapdelaine*, Lorenzo Surprenant et François Paradis représentent chacun des valeurs d'ouverture. François est un nomade; il incarne la liberté, la mobilité, le changement, l'aventure. Lorenzo renvoie aux valeurs de la modernité: le luxe, le confort, la facilité des villes. Opposé à ces personnages, Eutrope Gagnon cristallise les valeurs d'un univers clos, modelé sur le passé et les formes diverses de la tradition: les coutumes, la religion... Dans *Vol de nuit*, lors de l'escale de San Julian, s'opposent les valeurs de l'action et du bonheur individuel. L'action, c'est l'ouvert, la nuit, l'univers fluide; le bonheur individuel, c'est le clos, le village, la routine, la douceur de vivre. Dans *Le voyageur distrait*, la maison de briques rouges devient coquille, refuge, refus du désir, de la passion, acceptation de la mesure; le voyage est ouverture sur des rencontres possibles, sur le désordre intérieur, sur le passé.

Le féminin et le masculin

Dans *Le vieil homme et la mer*, la mer est perçue différemment par le vieil homme et par les jeunes pêcheurs. Pour le vieux, ce sont les valeurs féminines qui la caractérisent. Il l'appelle «*la mar*», comme s'il s'agissait d'une femme. Il la perçoit comme quelque chose qui livre ou refuse de grandes faveurs, qui peut, sous l'influence de la lune, devenir mégère, folle. Pour les jeunes, l'océan, c'est «*el mar*»: l'adversaire, l'ennemi; un lieu qu'il faut maîtriser, dominer.

Dans *Bonheur d'occasion*, le quartier clos de St-Henri est le monde des femmes, dont les hommes ne peuvent sortir que par l'accès à la montagne des riches ou par le chemin de fer qui mène à la guerre.

Le labyrinthe et la voie droite

Enfin, dans *Le procès* de Frank Kafka, Joseph K., petit employé de banque qui mène une vie rangée, partagée entre son bureau et la pension où il vit, se trouve confronté à un procès pour lequel il ne connaît ni la faute dont on l'accuse, ni les circonstances. Ses contacts avec cette mystérieuse et absurde machine administrative prendront l'aspect d'autant de dédales d'un labyrinthe. En fait, cet univers concentrationnaire correspond à la culpabilité obsessionnelle du personnage; le labyrinthe renvoie aux aliénations de l'individu dans un univers qui le nie, le modèle, l'écrase.

L'organisation de l'espace et le sens de l'itinéraire

Une fois les lieux significatifs identifiés, une fois les oppositions significatives dégagées se construit le sens de l'itinéraire du personnage central: volonté de conquête, assouvissement d'un désir passionnel, clarification d'une vision du monde, refus du monde ou de l'ordre des choses, fuite dans la folie, déchéance, destruction, etc. Ainsi, au trajet physique du personnage correspond un itinéraire intérieur. L'exploration de l'espace romanesque est investigation d'expériences humaines types: expérimentation de l'intimité, du vide, de la solitude et de la mort.

Les techniques reliées à l'espace

L'espace peut être rendu par le tableau descriptif, les notations éparses, le discours direct ou indirect; il peut devenir thème ou s'intégrer au monologue intérieur, au monologue remémoratif, au dialogue intérieur, etc.

Dans le récit fantastique, qui est une expérimentation des limites, la perception de l'espace et du temps relèvera de l'altération des dimensions usuelles du temps et de l'espace. Aussi celles-ci acquerront-elles une importance plus considérable que dans les autres nouvelles ou romans. Des oeuvres comme celles de Poe, de Hoffman, de Nerval, de Maupassant ou de Borges illustrent bien l'expérimentation de toutes les virtualités de l'espace romanesque. Le récit de science-fiction exploite souvent le temps et l'espace comme thèmes: hyperespace, temps galactique, trous noirs,... Dans le roman policier, temps et espace sont au coeur de l'intrigue: où sont les indices? où se cache l'assassin? le suspect a-t-il eu le temps de commettre le crime? le héros aura-t-il le temps de mettre la main sur le criminel avant que...?

Le projet de lecture

Après ce tour d'horizon des différentes caractéristiques du temps et de l'espace dans le roman, il est facile de comprendre pourquoi ceux-ci ne doivent jamais être vus comme des éléments indépendants du tissu narratif.

Le temps permet à l'expérience du personnage central de s'actualiser. Il peut se contracter ou se dilater. Parfois, il devient même thème majeur du roman. De plus, il permet au temps du lecteur de se confondre, de se recréer dans la durée romanesque. Mais le temps ne peut se concevoir, dans la réalité comme dans un roman, sans l'espace.

L'espace est un des matériaux privilégiés du *monde* romanesque. Il se matérialise de multiples façons et offre des significations d'ordres différents. Chaque espace a ses caractéristiques propres, ses significations particulières. La grand-route, comme le signale Jacques Lacan, n'est pas une série de petites routes additionnées. C'est un autre concept. C'est pourquoi il faut s'attarder à dégager l'organisation spatiale de chaque roman, à situer cet élément dans son ensemble: l'univers romanesque. [22]

Toutefois, en terminant, est-il besoin de rappeler que le nouveau roman remet en cause l'architecture spatiale du roman traditionnel. Les descriptions spatiales, parfois d'une minutie obsessionnelle, sont souvent discontinues. Le lecteur dépaysé (c'est le cas de le dire) peut davantage se concentrer sur l'instant de l'écriture.

En guise de rappel

Le temps romanesque

Le temps de la fiction, c'est le temps linéaire chronologique, c'est-à-dire l'ordre dans lequel se seraient passés les événements s'ils étaient réellement arrivés et la durée réelle de chacun d'eux.

Le temps de la narration, c'est l'ordre textuel dans lequel se déroulent les événements et la durée de ceux-ci dans le récit.

L'organisation du temps dans le récit découle de la comparaison du temps de la fiction et du temps de la narration.

Le temps, les événements et le rythme

Pour inscrire les événements dans le temps romanesque, le narrateur peut:

- dater les événements de façon absolue;
- dater les événements de façon relative par:
  - des allusions à des événements historiques ou sociaux (temps social ou historique);
  - des signes extérieurs de l'écoulement temporel (changements de saisons...);
  - des rappels temporels (*Avant de partir..., Le lendemain...*);
  - des scènes narrées selon un schéma logique;
  - une thématisation du temps.

Pour créer le rythme du récit, le narrateur peut faire:

- progresser le récit par bonds;
- suspendre le récit;
- établir un décalage entre la succession des événements et l'ordre des faits dans le récit par:
  - des retours en arrière (présenter des faits passés);
  - des anticipations (présenter des faits qui devront ou devraient se réaliser);
  - des ellipses (passer des faits sous silence);
  - des chevauchements d'actions (entrecroiser ou juxtaposer deux ou plusieurs histoires);
  - des retours cycliques (faire resurgir périodiquement des faits).

L'espace romanesque

L'organisation de l'espace

Pour dégager l'organisation de l'espace, il faut:

1 -identifier les lieux importants, les caractériser et les associer aux personnages;
2 -vérifier s'il n'y a pas des oppositions significatives qui structurent l'espace:
  • le clos/l'ouvert,
  • la ville/la campagne,
  • le labyrinthe/la voie droite,
  • l'espace réel/l'espace rêvé,
  • le féminin/le masculin;
3 -reconstituer l'itinéraire du personnage central et tenter de le réduire à un schéma simple: l'exil, l'errance, la fuite, l'évasion, le périple, l'initiation, la quête, la conquête...;
4 -dégager le sens de cet itinéraire: le personnage tente
  • de s'approprier le monde, d'en découvrir le sens, de s'y intégrer, d'en triompher ou, au contraire,
  • il est broyé, détruit par ce monde...

La façon de rendre l'espace

Pour rendre l'espace romanesque, le narrateur peut utiliser:
• les notations éparses;
• les tableaux descriptifs;
• la description intégrée au discours du personnage;
• la thématisation de l'espace;
• les indications d'actions.

Questions

A. *Le temps*

1 - Pourquoi ne peut-on concevoir un roman sans les dimensions spatio-temporelles de l'histoire?

2 - Qu'est-ce qu'on entend spécifiquement par temps de la narration dans un roman?

3 - Quelle relation peut-on établir entre le temps de la fiction et celui de la narration?

4 - Ce temps de la narration est lié à des techniques particulières. Que signifient les expressions suivantes:
    a - événements datés de façon absolue?
    b - événements datés de façon relative?

5 - Comment peut-on répartir inégalement le temps pour faire varier le rythme du roman?

6 - Identifiez et expliquez deux techniques qui peuvent servir à provoquer un décalage entre la succession des événements de l'histoire et l'ordre du récit.

7 - Le temps social ou historique peut parfois aider le lecteur à saisir le comportement de tel ou tel personnage. Expliquez.

8 - Qu'est-ce qui caractérise le temps du récit autobiographique?

9 - Le temps de l'écriture revêt deux dimensions. Nommez-les.

10 - Expliquez pourquoi le temps de la lecture ne peut être identique chez deux lecteurs différents.

11 - Pourquoi, habituellement, d'une génération à une autre, le même roman est-il perçu différemment?

12 - Le temps peut être parfois considéré comme un des thèmes principaux du roman. Dans quelles circonstances?

13 - À quels autres sous-thèmes peut-on rattacher le thème du temps?

B. L'espace

1 - Qu'est-ce qui oppose l'espace romanesque à d'autres espaces?

2 - Nommez quelques formes que l'espace revêt dans un roman. Identifiez quelques romans où l'espace joue un rôle clé.

3 - Nommez quelques itinéraires types. Essayez de relier chacun à un roman.

4 - Comment procède-t-on pour dégager l'organisation spatiale d'un roman?

5 - Pourquoi le temps et l'espace jouent-ils un rôle déterminant dans les récits fantastiques? Donnez quelques exemples.

6 - Quelles sont les techniques dont le romancier dispose pour rendre l'espace dans un roman?

7 - Identifiez les principaux lieux de *Pleure pas, Germaine* de Claude Jasmin. Montrez en quoi ils constituent un itinéraire pour les principaux personnages. Quelle signification peut-on accorder à cet itinéraire?

8 - Faites de même pour *Les engagés du grand portage* de Léo-Paul Desrosiers.

B- OBSERVATION ET ANALYSE
Texte 1: «Les têtes à Papineau»
(extraits)

Jacques Godbout

Il s'agit ici d'un extrait du troisième chapitre du roman qui raconte la naissance du bicéphale Charles-François Papineau, fils d'Alain-Auguste Papineau et de Marie Lalonde, «monstre» à deux têtes qui sera appelé à survivre longtemps avant de subir une intervention chirurgicale qui aura pour résultat de souder les deux têtes pour en faire une seule...

En mille neuf cent cinquante-cinq, avant le premier mai de cette année-là, et les douleurs de l'accouchement, personne au monde ne nous attendait. Surtout pas l'obstétricien, un brave garçon un peu myope derrière une moustache mal taillée.

Il était deux heures du matin. Nous aurions pu choisir un autre moment, mais quand on décide de naître on a rarement l'occasion de jeter auparavant un coup d'oeil à l'horloge grand-père. C'est donc les yeux ensablés de sommeil, la bouche ouverte de stupeur et le coeur battant que l'accoucheur et les deux infirmières virent apparaître notre première petite tête suivie de son écho. Nous ne savons, à cette heure, si c'est Charles ou François qui le premier vit le jour électrique qui baignait la salle. Mais dès que nous sommes apparus l'une des deux infirmières fut saisie d'un fou rire aigu. L'autre jeune femme, et le médecin par-dessus le marché, se virent plutôt paralysés par la frayeur. Cloués sur place. Comme des mannequins en vitrine. Ils nous offraient les masques de la peur et du rire. (...) (p. 41)

*
* *

La première visite que nous fit papa... on ne s'en souvient pas. Nos premiers souvenirs vifs remontent à trois ou quatre jours après notre naissance. En fait dès le quatre ou cinq mai nous avions doublement conscience de ce qui nous entourait, sans savoir à l'époque qui - de Charles ou de François - enregistrait tel ou tel événement, car nous ne nous étions pas encore spécialisés. Spécialisés.

Notre naissance avait été largement annoncée dans la presse, et l'hôpital n'avait osé refuser l'entrée à la marée humaine qui déferla à l'heure des visites.

Au fond les religieuses étaient ravies. Elles mettaient le peuple en rangs entre des pots de fleurs et des crucifix.

Il n'y avait pas grand-chose à faire en l'an mille neuf cent cinquante-cinq (1955), à Montréal, PQ. C'était vraiment la province. (...) (p. 44)

*

*   *

À notre naissance Alain-Auguste nous épargna le fer rouge, il se contenta de pratiquer son métier de journaliste. Il aurait pu demander à un collègue de le remplacer. Il n'en fit rien. Nous étions un fait divers en or, il mit ses émotions de côté, dans le tiroir de gauche, et plongea avec une belle objectivité professionnelle sur le clavier de son dactylographe Underwood. Il intitula son articulet: «Fait divers ou fait divin?» et celui-ci fut publié - exceptionnellement - en première page de *La Presse*, le deux (2) mai mille neuf cent cinquante-cinq (1955). Nous citons:

«A Montréal, hier, une jeune femme a accouché d'un enfant bicéphale vivant dont le père se porte bien. C'était son premier bébé. La mère de vingt-deux ans a déclaré à notre reporter: «J'espère qu'il saura au moins se servir de ses têtes!» D'après le Dr Pilotte, qui assista la primipare, il n'y aurait qu'une chance sur un milliard de concevoir un bicéphale, et une sur deux milliards que ce soit un fils vivant. Aucun des ancêtres du côté de la mère ou du père n'eut jamais plus d'une tête à la fois (...) (p. 46)

*

*   *

Ému par les ventes exceptionnelles du journal, le directeur de *La Presse* accorda à Alain-Auguste deux jours de congé de paternité. Cela créait un précédent qu'exploiterait un jour le syndicat. Les Unions sont sans scrupules. (p. 46)

Jacques Godbout, *Les têtes à Papineau*, Paris, Seuil, 1981, 156 pages.

Questions

1 - Comment les événements sont-ils situés dans le temps? Sont-ils:
- daté de façon absolue?
- renvoyés à des signes extérieurs?
- situés en fonction d'un schéma logique de narration?

2 - Quel est le rythme du récit? Quels procédés narratifs sont employés pour créer ce rythme:
- retour en arrière?
- anticipation?
- ellipse?
- chevauchement d'actions?
- télescopage?
- etc.

3 - Énumérez les faits et les réactions psychologiques qui se rattachent à chaque indice.

4 - Sur combien de jours s'étalent ces extraits?

5 - Quelles relations peut-on établir entre le temps, l'espace, les événements et le point de vue dans ces extraits?

6 - Dégagez-en les significations.

Texte 2: «Le voyageur distrait»

(extraits)
Gilles Archambault

> *Dans* Le voyageur distrait, *un écrivain d'âge mûr, amateur de jazz, accepte, sans enthousiasme, d'écrire avec son ami Julien un livre sur Jack Kerouac. Pour se documenter, ils se rendent à Lowell et à New-York. En cours de route, Michel pense souvent à Mélanie, son amie qui partage sa vie à Montréal. Il réfléchit aussi sur sa vie, la littérature, ses amours. À San Francisco, où Michel se rendra seul, il réalisera son désir de revoir Andrée avec qui il avait déjà vécu. Rentré à Montréal, il se réfugie dans «sa coquille»: telle est l'expression qu'il emploie pour désigner sa maison.*

Michel, c'est le désir de vivre qui est mort en toi. Tu ne souhaites plus rien. La paix que t'apporte Mélanie, votre immense tendresse, ce n'est pas la vie. Puisque tu ne luttes plus. Ce n'est qu'avec Andrée que tu as consenti à te livrer entièrement. Tu as failli y laisser ta peau et depuis tu vis à l'économie. Tu as réussi à te délivrer de tout souhait. Tu regardes passer le temps. On n'a pas besoin de voyager pour cela. Tu ne t'es éloigné de chez toi que parce qu'après tant d'années te revenait le scrupule de revoir Andrée. Pour constater où en était rendue ton oeuvre de dévastation. Car tu t'étais aperçu aussi que la passion, pour laquelle tu n'étais pas fait, n'avait pas nui qu'à toi. Tu avais laissé quelques victimes tout au long d'une vie pourtant assez peu remplie d'aventures amoureuses. Seule la liaison avec Andrée avait été longue pour qu'il ne soit pas possible que tu l'oublies. Et puis pouvais-tu faire mine de ne pas savoir qu'elle n'est plus qu'une femme exténuée qui va de clinique psychiâtrique en maison de repos depuis cinq ans au moins. C'est l'enfer qui t'attend mais déjà tu ne vis plus que pour ce moment. (...) (p. 22)

*

*   *

Tant d'années étaient passées qui avaient fait de lui un être instable, lunaire, passible des pires crises de doute, mais il savait maintenant qu'il tiendrait le coup jusqu'à la fin, qu'il ne se suiciderait jamais. Depuis quand avait-il la certitude que tous les êtres humains à des degrés divers étaient aussi désemparés que lui? Tout autour de lui on ne s'occupait qu'à masquer la faille du désarroi. Ne jamais laisser croire qu'on est inquiet, donner le change. Comme si la maladie, la mort, les espoirs toujours déçus n'étaient que des accidents de parcours. Que de conversations sur ce sujet avec Julien! Julien qui se passionnait pour une femme, une idée, un gadget, comme si la vie ne devait jamais avoir de cesse. (...) (p. 47)

*

* *

Et moi, je sais pourquoi je n'ai pas entrepris de livre depuis sept ans. Je ne veux plus aller au bout de moi-même, m'imaginer en tout cas que j'ai atteint les limites de mon expression. Pourquoi remuer tout ce désordre, ce tumulte intérieur pour ne produire qu'un roman qui ne me satisfera pas et qu'on lira distraitement pour l'oublier tout aussitôt? Je n'ai plus la foi nécessaire à l'écriture. Que puis-je apporter? Qu'est-ce qui me donne la moindre assurance que mes livres puissent former une oeuvre véritable? (...) (p. 49)

*

* *

Michel, dont l'existence avait consisté en des passions successives tout compte fait très mesurées, aurait-il pu affronter Jack? Apprenant qu'il était lui aussi écrivain, Jack ne lui aurait-il pas demandé de résumer ces pauvres passions? Que lui dire sinon qu'elles étaient les jalons d'une lente entreprise de dépossession puisqu'il ne parlait dans ses livres que de sa maladresse à vivre? (...) Ai-je raté ma vie? La question même ne m'intéresse plus. Je vis avec Mélanie, je me le rappelle constamment, je suis sûr de l'aimer à ma façon, je ne m'éloigne jamais très longtemps d'elle de crainte de périr. Je n'ai jamais consenti à vivre et ne le regrette pas. (...) (p. 50)

*

* *

(...) mais je ne peux plus me permettre de perdre du temps. Dans deux ans j'aurai cinquante ans. La fugacité, seule loi. Mon corps se fatigue vite, il ne me sert plus avec la même fidélité. Un jour viendra

où je devrai admettre de n'être qu'un vieillard. Comme l'autre qui ne
vit plus que par le souvenir. (p. 59)

Gilles Archambault, *Le voyageur
distrait*, Montréal-Paris, Stanké,
1981, 120 pages.

Questions

1 - Le récit est écrit à la première, deuxième et troisième personne du
singulier. L'emploi de ces trois pronoms renvoie à quel personnage?

2 - Quelles significations se dégagent de ces changements de pronoms?

3 - Quels effets a opéré le temps dans la vie de Michel? Dans celle d'Andrée?

4 - Michel fait le bilan de sa vie. À quoi cela se résume-t-il?

5 - Quelles sont les principales caractéristiques du temps de la narration
dans cet extrait?

6 - Donnez au moins un indice qui traduit l'expression du temps linéaire.

Texte 3: «Le mas Théotime»

(extraits)
Henri Bosco

> Le mas Théotime *nous présente Pascal Dérivat, un solitaire qui vit retiré sur ses terres qu'il tient d'un grand oncle. Cet homme doit affronter son cousin Clodius qui le hait. Une petite cousine, Geneviève Métidieu, viendra bouleverser sa solitude. Puis, ce sera la venue de l'étranger, le meurtre de Clodius, le procès et, enfin, la paix retrouvée.*

Je m'assis en face d'elle.
«Tu aimes la maison?» lui demandai-je?
Elle réfléchit un moment puis me répondit:
«J'aime tout ce qui me protège, Pascal.»
Le lait était bon, le pain chaud et nous sentions sur nous la puissance du refuge.

*
* *

C'est elle qui me révéla cette puissance et aussi cette qualité d'abri moral qui émane des murs du mas Théotime. La douceur m'en était depuis longtemps perceptible, mais je ne savais pas en définir la nature. Geneviève trouva le sens de la maison dont le signe s'était perdu depuis tant d'années. Loin d'y apporter le désordre, elle y venait chercher l'apaisement. Car elle avait imaginé sans doute que nous ne bâtissons jamais pour nous abriter seulement des fureurs de l'hiver, mais aussi pour nous mettre à couvert des mauvaises saisons de l'âme.

De là cette piété quasiment filiale, chez elle, pour cette masse paternelle qui nous abritait tous les deux.

Elle en connaissait les moindres retraites et particulièrement les plus difficiles à atteindre. Des celliers aux mansardes, elle avait exploré, pièce par pièce, les profondeurs de la vieille demeure; et, même dans les chambres basses, où l'on met les provisions de bois et les vieux tonneaux, elle avait trouvé du plaisir à s'aventurer.

Jamais cependant elle n'avait pénétré dans le grenier où je tiens mes plantes.

J'étais avec elle et nous nous promenions à travers la maison. Je lui expliquais: «Ici, tu vois, c'est la soupente où l'on fait sécher les raisins pour l'hiver.» Ou bien: «Voici la chambre d'Anne-Clémence Clodius. Elle est bien délabrée.»

Mais, en passant devant le grenier, je ne dis rien. Comme elle attendait une explication, elle me regarda. J'étais gêné. Je murmurai l'air bougon: «C'est le coeur de la maison. On n'y entre pas.»

Elle détourna la tête et sourit. Je compris aussitôt que j'avais eu tort. Un vif désir venait de s'allumer en elle, si vif que je craignis qu'elle ne pût le contenir.

Mécontent et bourru, je l'entraînai plus loin. Elle continuait de sourire, en dessous, avec une expression soumise, où pointait la ruse. Je l'avais piquée, je le voyais bien. Mais au bout d'un moment elle parut penser à autre chose. (...)

*

* *

Quand Geneviève se fut retirée dans sa chambre, je montai au grenier comme tous les soirs.

À peine eus-je refermé la porte, que je fus saisi d'un pressentiment étrange: il ne fallait à aucun prix que jamais Geneviève pénétrât dans le grenier (...)

*

* *

Tout m'était familier et très amical dans cette studieuse retraite où j'avais abrité, depuis plusieurs années, la part la plus secrète de ma vie. J'y reconnaissais le visage du moindre objet et je n'y voyais rien qui ne m'inclinât à la confiance. Confiance si naturelle que je dors quelquefois dans le grenier, surtout l'hiver. Alors j'allume un grand feu dès six heures du soir, et il y fait très bon.

J'ai donc installé dans le fond, où s'ouvre une sorte d'alcôve, un vieux lit de bois. Je le dissimule pendant le jour derrière un rideau glissant sur une tringle.

C'est là que je dors le mieux. Personne ne s'en doute, car j'aime pour dormir les lieux ignorés; et nul ici ne connaît l'existence de ce lit de repos dont j'assure moi-même l'entretien. (...)

*

* *

Je défends ce lieu de rencontre. J'ai peur que la moindre intrusion y dérange le secret de ces habitudes. Toutefois, si j'en ai toujours interdit l'accès à Geneviève, ce fut autant pour elle que pour moi. Je savais qu'il était prudent d'arrêter, une fois au moins, son désir, inlassable à tout pénétrer, à tout saisir et à tout perdre. Pour calme qu'elle me parût, je craignais que ce feu ne revînt la surprendre. Je pensais donc que le meilleur moyen de lui conserver les avantages de ce nouvel état, d'où lui venait quelque bonheur, était d'abord de ne pas lui livrer le coeur même de la maison; car il n'est sans doute que mon propre coeur, trop sauvage et mal défendu.

Geneviève ne me dit rien, mais n'oublia pas la défense.

Henri Bosco, *Le mas Théotime*, Paris, Gallimard, Coll. «Folio», n° 168, 1952, 446 pages, pp. 62-67.

Questions

1 - Pourquoi Geneviève aime-t-elle le mas Théotime? Quelles valeurs lui attribue-t-elle?

2 - Qu'est-ce qui caractérise le grenier pour Pascal Dérivat?

3 - À quelle partie de la maison Geneviève n'a pas accès?

4 - Pourquoi? Précisez le sens de cette interdiction pour les deux personnages.

Texte 4: «Les chambres de bois»

(extraits)
Anne Hébert

> Les chambres de bois *raconte l'histoire de Catherine qui s'éprend de Michel, jeune pianiste distant et froid. Ce jeune homme étrange vit dans un univers sombre, renfermé; il craint la lumière du jour. Catherine tente de se libérer de l'emprise de Michel afin de vivre un amour de soleil avec Bruno.*

Michel et Catherine habitèrent encore longtemps ces deux seules pièces lambrissées de bois, aux meubles anciens, aux bibelots rares, aux objets usuels incommodes ou abîmés. Entre les deux chambres se glissait un mince couloir sombre et nu qui menait au cabinet de toilette.

La rumeur de la ville, avec ses marchés criards d'odeurs, ses jours humides, ses pavés raboteux, ses grandes places éclatantes, ses paysages d'étain aux environs de l'eau et des ponts, ses voix humaines bien sonores, venait mourir, pareille à une vague, sous les hautes fenêtres closes.

Derrière les rideaux, en cet abri couleur de cigare brûlé, aux moulures travaillées, au parfum de livres et de noix, Michel et Catherine se fuyaient, se croisaient, feignaient de s'ignorer et, situés pour toujours l'un en face de l'autre, en un espace aussi exigu, craignaient de se haïr.

À longueur de journées, sur sa chaise à haut dossier, Catherine lisait, brodait, cousait. (...)

*
* *

Lorsqu'après une longue suite de jours et de nuits, Michel leva la tête, son oeil de hibou fixa Catherine avec étonnement:

- Catherine, ma petite Catherine, que se passe-t-il, comme tu es belle et poignante?

- C'est une petite mort, Michel, ce n'est rien qu'une toute petite mort.

Le langage de Catherine surprenait Michel et le ravissait à la fois. Il balbutia:

- Comme tu as appris à bien dire des choses atroces, Catherine.

Catherine, debout près de la fenêtre, le nez contre la vitre, le rideau de mousseline sur son dos, regardait obstinément ce pan de mur gris derrière lequel le monde emmêlait sa vie véhémente et tumultueuse.

- Pourquoi ne sortons-nous jamais, Michel? Et tous ces concerts que tu m'avais promis...

Michel devint très sombre. Il sembla chercher quelque chose de cruel et de précis dans les volutes bleues de sa cigarette. Puis, il articula à voix basse, mais très nettement:

- C'est bien cela, Catherine, pas un seul concert... Et la saison s'achève... Plus un seul concert; ce n'est rien, Catherine, ce n'est que le désir qui manque.

Catherine se retourna brusquement. Tout le rideau moussa sur elle en un vif bouillonnement de lumière argentée. Michel, ébloui, mit la main sur ses yeux. Il supplia Catherine de ne point demeurer là et de tirer le rideau à cause du soleil. Catherine ne broncha pas, les yeux grands ouverts, nimbée de lumière de la tête aux pieds.

Anne Hébert, *Les chambres de bois*, Paris, Seuil, 1958, 190 pages, pp. 81-82, 88-89.

Questions

1 - Dans cet extrait, identifiez toutes les techniques utilisées pour rendre l'espace et donnez un exemple de chacune d'elles.

2 - En quoi l'espace est-il significatif du profil psychologique de Michel et de Catherine? Comment influence-t-il le comportement des personnages? Pourquoi Catherine, à la fin de l'extrait, ne répond pas à la supplication de Michel?

3 - La relation tissée par le narrateur entre l'espace et les personnages opère un développement thématique. Quel est le thème développé dans cet extrait?

Texte 5: «Les chambres de bois»

(extraits)
Anne Hébert

Voir l'introduction du texte 4.

Catherine profita de l'absence de Bruno pour ranger la chambre de la servante. Parmi les tabliers empesés, les robes et le linge usé, elle trouva quelques lettres dont elle fit une liasse afin de les brûler. Deux photos glissèrent sur le carrelage. Catherine se pencha pour les ramasser. Sur l'une des photos elle distingua la silhouette massive de la maison des seigneurs.

Au premier plan, se tenait un homme jeune aux traits fins, en costume de chasse. Catherine examina ce visage qui aurait pu être celui de Michel, réduit à la dureté essentielle, sans la douceur équivoque des larmes. «Son père, pensa-t-elle, comme il lui ressemble!» Sur l'autre photo on reconnaissait Aline à ses yeux exorbités; petite fille joufflue en uniforme de bonne, aux deux courtes nattes s'échappant comme des cornes de son bonnet tuyauté.

Catherine, penchée sur la photo, s'efforça un instant d'apercevoir l'intérieur du vestibule, derrière la petite servante posée contre la porte ouverte: «Tout est noir», songea-t-elle, évoquant le pays d'enfance de Michel et Lia d'où elle s'était échappée comme une taupe aveugle creusant sa galerie vers la lumière.

La jeune femme fut tirée de sa rêverie par la voix de Bruno qui l'appelait du jardin. Elle ne répondit pas tout de suite, laissa la voix s'étonner et répéter: «Catherine, où êtes-vous?» Ne fallait-il pas que cet homme fruste qui avait partagé avec elle ces derniers temps de maladie et de deuil apprenne, du silence même de Catherine, cette part secrète en elle où passait parfois l'ombre dévastée des chambres de bois?

Elle fit un paquet des affaires de la servante, mais ne sut qu'en faire, et demeura debout, un gros ballot à la main, vague et perdue comme dans une gare.

- Catherine, où êtes-vous?

La voix se perdait sous les arbres. Elle s'approcha de la fenêtre et appela le jeune homme. Il monta, déchargea Catherine du paquet qu'il déposa sur une chaise. Elle éclata en sanglots. Il la tira doucement par la main. (...)

*

* *

La chambre donnait sur la mer. La large porte-fenêtre battait sous le vent. Cela sentait l'encaustique et le linge. Catherine demeura à la fenêtre, droite et coiffée. Bruno vint près d'elle et la tira par les deux mains, doucement, dans la chambre. Il la porta sur le lit comme on porte un enfant qui va mourir.

Il la chercha des mains et des lèvres, par-dessus les vêtements et la coiffure haute. Elle parla du vent et de la mer, et se coucha sur le côté, ses cheveux écroulés en une seule gerbe. L'homme aima le corps léger, dépistant la joie avec soin sous les espaces dorés par le soleil et les tendres places de neige ou de mousse à l'odeur secrète.

Anne Hébert, *Les chambres de bois*, Paris, Seuil, 1958, 190 pages, pp. 178-179 et 183.

Questions

1 - Comment l'espace est-il rendu dans cet extrait? Énumérez toutes les techniques utilisées et donnez un exemple de chacune d'elles.

2 - Comparez le texte précédent avec celui-ci. Quels éléments propres à l'espace participent à la même orientation? Lesquels diffèrent? Sur quoi se fonde cette opposition?

Texte 6: «Ma fille comme une amante»

(extraits)

Julie Stanton

Dans Ma fille comme une amante, *Janou et Véronique, la mère et la fille, se retrouvent après cinq ans de séparation dont l'origine est le divorce. Les images que chacune a conservées de l'autre sont brouillées: l'adolescente est devenue femme; la mère traditionnelle, Janine, est devenue Janou - elle vit de façon bohème et nomade. Le cheminement qui sera nécessaire pour que chacune se reconnaisse dans son altérité est l'histoire même du livre. Véronique voudra dans un premier temps partager «l'espace» de sa mère.*

Ah, non, tu ne vas pas te mettre à vouloir t'installer aussi à La Chanterelle...

Comme une île flottante. Sans racines et sans feu. Véronique dérive de son monde à celui de Janou. Celle-ci la regarde dériver, tentant de nommer ses espaces, de protéger ses balises contre les voyagements de sa fille. Dépaysée en rupture d'enfance...

... bien sûr, bien sûr, il y a eu cette soirée de folie au café où nous nous sommes bues du regard. Toi et moi. Embrassées comme des amantes. Et ton rire et mes larmes. Et mon rire et tes larmes: «Danse, dansons, tu es mon amour. C'est ma fille, c'est Véronique»...

Jérôme désemparé de leurs élans, Jérôme comme un poisson hors de l'aquarium et qui n'est jamais revenu.

Mais la Chanterelle est son port d'attache! Véronique n'est pas pour venir ici s'immiscer entre son corps et son coeur, entre aujourd'hui et avant. Elle a mis des jours et des mois, presque une année, à apprivoiser ce lieu, à y dessiner les chemins de tendresse et d'amitié...

... tu n'es pas pour venir ici m'appeler Janine et brouiller les pistes. M'appeler Maman et te remettre entre mes bras à toutes heures du jour et de la nuit. C'est fini le temps du carré de sable où je te surveillais du coin de l'oeil pour que personne ne te blesse. Fini le temps où je poussais la balançoire les mains ouvertes pour que tu

touches les cieux. C'est au tour de Janou de saisir les nuages à bras-
le-corps. Et elle ne sait plus la route quotidienne des repas quoti-
diens.

Alors rien ne te sert de te tenir à La Chanterelle en jouant de mon
nom et de nos appartenances pour t'approprier et le lieu et les gens.
Ou pour m'obliger à n'avoir d'yeux que pour toi. Ah, que tu es lourde
sur mes rires!...

La Chanterelle a séduit Janou dès son arrivée dans le quartier
Latin, lieu intimiste, île dans la ville. Elle en avait aimé le décor simple qui lui rappelait celui des petites auberges du midi de la France.
Les nappes à carreaux, toujours des fleurs fraîches sur les tables et
cette bonne odeur de café qui flottait dans l'air. Et le cognac. Ah! le
cognac de La Chanterelle!

Les premiers temps, timide et fragile, elle restait en retrait au
fond du café où se tiennent les nouveaux venus, les indécis. Ceux qui
n'osent pas. Elle écoutait Martin lui causer psychologie derrière le
bar. D'ailleurs, elle ne venait que les soirs où elle savait le trouver
là, affairé à préparer café et croque-Monsieur mais toujours gentil
et présent à elle accoudée au zinc près de l'ancienne caisse
enregistreuse. Elle ne venait que les soirs où elle savait le trouver là,
non parce qu'elle éprouvait quelque sentiment amoureux pour ce
garçon mais il était le seul qu'elle connaissait un peu dans cet
univers aux vibrations qu'elle ne pouvait encore nommer (...) (pp.
31-32)

*
* *

Il y a pas mal de monde à La Chanterelle ce soir, fine pluie de
juillet aux carreaux. Janou est crevée. Son dernier reportage du
Festival terminé, elle a juste envie de serrer la main de Marc sous la
table et rentrer dans sa bulle, comme elle dit, silencieuse et présente
à regarder les autres. Sans parler, juste être là près de Marc, com-
plices.

Quelqu'un ou plutôt quelqu'une brouille les ondes. Dans son
champ de vision, Véronique belle et infiniment triste, à une autre
table, au creux de la foule pareille à une noyante au creux de la
lagune. Janou détourne les yeux...

...je voudrais que tu ne sois pas là, à me regarder comme si tu
avais la rougeole et que je m'apprêtais à aller au bal. Arrête! Arrête
de te rapprocher de fille à mère. Je veux vivre toutes mes naissances.
Comme toi. Le sais-tu? Véronique, la même faim, les mêmes poings, le
vois-tu Véronique? Et j'ai peur du poids de ton poids sur mes jours, de
ta main agrippée à ma folie m'empêchant de fouler les terres pro-
mises... (p. 47)

Julie Stanton, Ma fille comme une
amante, Montréal, Léméac, 1981, 95
pages.

Questions

1 - Quels sont les pronoms employés dans la narration?

2 - Quel est le point de vue de narration?

3 - Quels effets l'emploi du discours intérieur du personnage produit-il sur la relation narrateur-personnage principal?

4 - Quel est le lieu important de cet extrait?

5 - Comment est-il présenté? Explorez toutes les possibilités:
- notations éparses
- tableau descriptif
- description intégrée
- thématisation de l'espace
- indications d'actions

6 - Quelle est la signification de La Chanterelle pour
- Janou?
- Véronique?

7 - Les rapports de ces personnages à ce lieu ont-ils évolué?

Texte 7: «Lumière d'août»

(extrait)
William Faulkner

Lumière d'août raconte l'histoire de Joe Christmas, un orphelin qui ne sait s'il est blanc ou noir. Le récit nous présente au début Lena Grove, jeune femme noire, enceinte, qui parcourt les routes du Mississipi à la recherche du père de l'enfant qu'elle porte. C'est elle qui nous mène à la scierie où travaillent Joe Brown (alias Lucas Burch) et Joe Christmas. Joe Christmas va commettre un meurtre: il tuera Joanna Burden et il sera lynché par Percy Grimm. Le roman nous présente la genèse du meurtre de Miss Burden.

La charrette avance lentement, sans arrêt, comme si, dans la solitude ensoleillée de l'immense campagne, elle échappait aux lois du temps et de la hâte. Il y a douze milles du magasin de Varner à Jefferson.

- Arriverons-nous avant dîner? dit-elle.

Le conducteur crache: - Ça se pourrait, dit-il.

Il ne l'a probablement jamais regardée, pas même quand elle est montée dans la charrette, et, vraisemblablement, elle non plus ne l'a pas regardé, pas plus qu'elle ne le regarde à présent.

- M'est avis que vous devez aller bien souvent à Jefferson.

Il dit: - Plus d'une fois.

La charrette avance en grinçant. Champs et bois semblent suspendus à une distance inévitable, intermédiaire. Ils semblent à la fois statiques et fluides, rapides comme des mirages. Et cependant, la charrette les dépasse.

- Des fois, vous n'connaîtriez pas un nommé Lucas Burch, à Jefferson?

- Burch?

- J'vais là-bas pour le retrouver. Il travaille à la scierie.

- Non, dit le conducteur. J'crois point que je l'connaisse, mais il y a plus d'une personne que j'connais pas, à Jefferson. Probable qu'il y est.

- Je l'espère bien, pour sûr. On finit par se fatiguer d'être en route.

Le conducteur ne la regarde pas. - Vous venez de loin, comme ça, pour le retrouver?

- De l'Alabama. Ça fait un bout de chemin.

Il ne la regarde pas. Il parle d'un ton dégagé: - Comment que ça s'fait que vos parents vous aient laissée partir dans votre position?

- Mes parents sont morts. J'habite avec mon frère. C'est moi qui ai décidé de partir.

- Je vois. Il vous a fait dire de venir le retrouver à Jefferson.

Elle ne répond pas. Sous sa capeline, il peut voir son profil calme. La charrette avance, lentement, hors du temps. Rouges et sans hâte, les milles se déroulent sous les pieds sûrs des mules, sous le grincement, sous le craquement des roues. Le soleil est maintenant juste au-dessus de leur tête. L'ombre de la capeline tombe sur ses genoux. Elle lève les yeux vers le soleil.

- M'est avis qu'il est temps de manger, dit-elle.

Il l'observe du coin de l'oeil, tandis qu'elle déballe le fromage et les biscuits et les sardines. Elle les lui offre.

- J'me sens pas envie de rien prendre, dit-il.

- J'vous serais bien obligée si vous vouliez partager.

- J'm'en sens point envie. Ne vous gênez pas. Mangez.

Elle commence à manger. Elle mange lentement, sans s'interrompre, tout en pourléchant, avec une volupté lente et complète, ses doigts qu'englue l'huile épaisse des sardines. Puis elle s'arrête complètement, mais sans brusquerie. Sa mâchoire remue faiblement. Dans la main, elle tient un biscuit entamé. Elle a baissé la tête, les yeux vides, comme si elle écoutait quelque chose, très loin, ou si près qu'elle le sent en elle-même. Son visage a perdu sa couleur, la pleine ardeur de son sang, et elle reste assise, sans bouger, entendant, sentant la terre implacable et immémoriale, mais sans crainte ni alarme. «Ça doit être au moins des jumeaux», se dit-elle en elle-même, silencieusement, sans remuer les lèvres. Puis, le spasme disparaît. Elle se reprend à manger. La charrette ne s'est pas arrêtée. Le temps ne s'est pas arrêté. La charrette franchit la dernière côte, et ils aperçoivent de la fumée.

- Jefferson, dit le conducteur.

- Eh bien, par exemple, dit-elle, nous y voilà donc quasiment?

Cette fois, c'est l'homme qui n'écoute pas. Il regarde en face de lui, par-dessus la vallée, vers la ville sur l'autre versant. En suivant son fouet qu'il pointe, elle aperçoit deux colonnes de fumée: l'une, au sommet d'une grande cheminée, dense, lourde comme la fumée du charbon, l'autre, une grande colonne jaune qui sort apparemment d'un bouquet d'arbres, à quelque distance au-delà de la ville.

- C'est une maison qui brûle, dit le conducteur, vous voyez?

Mais elle, à son tour, ne semble ni écouter, ni entendre.

- Mon Dieu, mon Dieu, dit-elle. Quand on pense qu'il n'y a pas quatre semaines que je suis en route et que me v'là déjà à Jefferson. Mon Dieu, mon Dieu! Comme on peut en faire du chemin, tout de même!

William Faulkner, *Lumière d'août*, Paris, Gallimard, Coll. «Folio», 1935, 628 pages, pp. 48-50.

Questions

1 - Quel est le point de vue de narration?

2 - Quelles sont les principales composantes du tissu narratif de cet extrait?

3 - Relevez les passages reliés au temps et à l'espace.

4 - Comment le temps et l'espace sont-ils rendus dans cet extrait? Explorez toutes les possibilités: notations éparses, tableau descriptif, scène dialoguée, monologue intérieur, retour en arrière, anticipation, datation absolue, etc.

5 - Quelle relation existe-t-il entre temps et espace dans cette page de *Lumière d'août*?

6 - Il y a une opposition entre la chute de l'extrait, qui correspond à la fin du premier chapitre du livre, et ce qui le précède. Pourquoi? Quel effet ce contraste produit-il?

C- PRODUCTION

Canevas de rédaction 1

Imaginez que vous êtes un coureur automobile et que vous reviviez de grandes tranches de votre vie pendant les quelques secondes qui précèdent votre mort au moment où votre corps est éjecté du bolide.

Consignes

* Employez le *je* narrateur héros, la vision intérieure.
* Puisqu'il s'agit d'un retour en arrière, utilisez les procédés suivants:
    * ellipses,
    * télescopages ou chevauchements d'actions,
    * retours cycliques.

Canevas de rédaction 2

Utilisez le canevas n° 1, mais tenez compte des nouvelles consignes.

Consignes

* Employez le *il* omniscient.
* Le temps linéaire couvrira la description de l'accident jusqu'aux funérailles.
* Ce temps linéaire pourra être suspendu dans le récit pour faire place à un retour sur la vie du pilote
    * en datant certains faits de sa vie de façon absolue;
    * en procédant par bonds dans le temps (du passé au présent alors que celui de l'histoire va du présent au futur; de l'accident aux funérailles);
    * en entrecroisant temps de la fiction et temps de la narration.
* Le *il* omniscient peut très bien relater les pensées d'un personnage qui a bien connu le coureur.
* Longueur: trois ou quatre pages.

Canevas de rédaction 3

Synopsis

Une jeune fille se promène dans la nature. Elle est en paix et remplie de sérénité. Elle sent naître en elle une indicible joie à contempler les beautés qui l'environnent. Sa joie progresse et lui donne le goût de chanter, de courir, de danser, de s'exalter.

Sensations reliées à l'espace

- Paix apportée par le calme environnant.
- Détente des muscles. Bien-être.
- Sensation physique de la joie. Elle se reflète sur le visage et se manifeste par:
  - la danse,
  - le chant,
  - le rire,
  - le fait de parler aux fleurs et aux oiseaux,
  - le goût de faire mille *folies*.
- Osmose de sa joie intérieure et de l'espace qu'elle explore.

Consignes

- Comme point de vue, adopter un narrateur à vision omnisciente sans restriction de champ **ou** un narrateur héros à vision intérieure.
- Faire ressortir l'importance de l'espace (thématisation de l'espace) dans l'envahissement progressif de la paix intérieure.
- Provoquer des retours en arrière sur d'autres espaces clés pour le personnage.

NOTES

1 - Roland Bourneuf et Réal Ouellet, *L'univers du roman*, Paris, PUF, Coll. «SUP», 1972, 232 pages, p. 124.

2 - Claude-Edmonde Magny, *Histoire du roman français depuis 1918*, Paris, Seuil, 1950, 318 pages, p. 260.

3 - *Ibid.*, p. 256.

4 - Michel Butor, *Essais sur le roman*, Paris, Gallimard, Coll. «Idées», 124 pages, p. 115.

5 - *Ibid.*, p. 116.

6 - Katherine Pancol, *Moi d'abord*, Paris, Seuil, 1979, 190 pages, p. 67.

7 - Roland Bourneuf et Réal Ouellet, *op. cit.*, p. 134.

8 - *Ibid.*, p. 140.

9 - Jean Starobinski, «*Le style autobiographique*» dans *Poétique*, Paris, Seuil, vol. 3, 1970, p. 257.

10 - *Ibid.*, p. 257.

11 - *Ibid.*, p. 259.

12 - Gilles Archambault, *Le voyageur distrait*, Montréal-Paris, Stanké, 1981, 120 pages, p. 20.

13 - *Ibid.*, p. 21.

14 - *Ibid.*, p. 89.

15 - *Ibid.*, p. 11.

16 - *Ibid.*, p. 54.

17 - Alain Robbe-Grillet, *Pour un nouveau roman*, Paris, Gallimard et les Éditions de Minuit, 1963, 148 pages, p. 169.

18 - *Ibid.*, p. 165.

19 - Michel Butor, *Essais sur le roman*, *op. cit.*, p. 119.

20 - Jean Weisberger, *L'espace romanesque,* Lausanne, Éditions L'Âge de l'Homme, 1978, 265 pages, p. 11.

21 - Le lecteur intéressé à ces dimensions pourra se référer, par exemple, à des oeuvres comme *L'espace littéraire* de Maurice Blanchot, *Les structures de l'imaginaire* de Gilbert Durand, *Métamorphoses de l'âme et des symboles* de Carl Gustave Jung; aux célèbres travaux de Bachelard sur les quatre éléments: feu, air, eau, terre, et aux *Cahiers internationaux de symbolisme.*

22 - On aura remarqué que dans ce chapitre, dont une partie est consacrée à l'espace, il n'a pas été question des objets et du décor, ni des techniques pour les présenter et situer leur place et leur rôle. Nous sommes conscients de cette lacune mais nous n'avons pas voulu alourdir l'étude de la dimension spatiale dans cet ouvrage d'initiation.

CHAPITRE 7
Les thèmes

A - THÉORIE

Les personnages qui évoluent dans le temps et dans l'espace romanesques aiment, souffrent, réfléchissent, luttent, se révoltent, se soumettent, espèrent et désespèrent; ils expriment dans l'affirmation ou la négation de soi certaines idées, une vision qu'ils ont d'eux-mêmes et du monde. Le développement de ces idées peut s'appeler thèmes.

Il est évidemment nécessaire de donner une définition plus complète de la notion de thème dans un roman avant de dire un mot sur les techniques romanesques qui l'expriment. Un thème peut être aussi d'un intérêt transitoire ou durable; il s'agira de voir quel degré d'intérêt il suscite aux yeux du lecteur. De plus, comme on le sait, le thème est toujours lié au point de vue du roman. Il existe donc une relation entre le personnage, le thème et le point de vue; cet aspect sera également traité dans les pages qui vont suivre. Enfin, un thème peut comprendre plusieurs variantes ou sous-thèmes et un roman renferme un certain nombre de thèmes mineurs. Pour mieux saisir comment se module un thème dans une oeuvre et comment se dépistent les thèmes mineurs, une grande partie de ce chapitre sera consacrée à l'articulation thématique de certaines oeuvres.

Une définition du thème

Une idée, une hantise

Le mot thème vient du grec et du latin *thema*, qui signifie littéralement «*ce qui est posé*». Dans le roman, le thème est un sujet, une idée qui s'articule, se développe à travers différentes techniques (monologues, dialogues, descriptions) ou à travers ce que Jean-Paul Weber qualifie de «*structures implicites ou explicites d'où ressort la hantise qui habite un écrivain*». [1] Par exemple, tout ce qui a trait au temps est symbolisé par l'horloge dans les oeuvres littéraires de Poe et de Vigny ou dans l'oeuvre cinématographique de Bergman.

Une vision du monde

Tout personnage, dans un roman, établit des relations d'ordre affectif et sentimental avec le monde dans lequel il évolue. Il doit se situer par rapport à lui. Sa démarche se caractérise parfois par la recherche d'un sens à la vie, à sa vie. La vie est lutte, la vie est soumission, la vie est révolte, la vie est absurde, la vie est amour, don de soi, travail, monotonie, déchéance, injustice, souffrance, etc.; en fait, le personnage donne au lecteur une vision de son monde. Selon Serge Doubrovsky, le thème, c'est justement «*ce choix d'être qui est au centre de toute vision du monde*». [2]

Le sujet du roman

Quoi qu'il en soit, nous pouvons dire, d'une manière plus prosaïque, que le thème, à toutes fins pratiques, c'est le sujet du roman; à un point tel qu'il a parfois tendance à le qualifier. On parlera ainsi de romans d'amour, de romans d'aventures, de romans chevaleresques, de romans existentialistes, etc.

L'utilité du thème: assurer l'unité organique de l'oeuvre

En fait, à chaque oeuvre correspond un thème majeur et même unique, selon Tzvetan Todorov. L'unité organique de l'oeuvre romanesque est justement assurée par le thème qui, lui, tisse sa toile d'une phrase à l'autre: «*Au cours du processus artistique, écrit Tzvetan Todorov, les phrases particulières se combinent entre elles selon leur sens et réalisent une certaine construction dans laquelle elles se trouvent unies par une idée ou un thème commun. La signification des éléments particuliers de l'oeuvre constituent une unité qui est*

le thème (ce dont on parle). On peut aussi bien parler du thème de l'oeuvre en-
tière que du thème de ses parties. Chaque oeuvre écrite dans une langue pour-
vue de sens possède un thème». [3]

Les thèmes et les techniques romanesques

Le thème est toujours lié aux techniques romanesques, mais il peut être traité de trois manières différentes.

a - Un thème s'actualise de façon ponctuelle par une technique dominante. Par exemple, le thème du temps dans *Le voyageur distrait* de Gilles Archambault est traité principalement par le monologue intérieur.

b - Le thème, toutefois, pourra se dégager des articulations du récit d'une manière implicite. Il est alors plus difficilement décelable parce qu'il n'est pas incarné par un personnage ou lié, d'une manière explicite, à une technique. Il est plutôt , pour ainsi dire, noyé, dilué dans le tissu complexe de l'écriture; il s'inscrit dans les dimensions spatio-temporelles du roman et dans la trame même des événements. Il se matérialise parfois par des objets à portée symbolique. Quand Rose-Anna, dans *Bonheur d'occasion* de Gabrielle Roy, gravit la montagne pour aller rendre visite à son fils malade, elle se retourne à un moment donné et contemple de haut le quartier Saint-Henri. Le narrateur nous dit que deux choses dominent le quartier: les cheminées d'usines et les clochers. Pour celui qui étudie le thème de la religion dans un quartier ouvrier, ce passage-là est un indice. Le thème de l'émancipation-ascension dans *Au pied de la pente douce* de Roger Lemelin se *découvre* tout au long de l'oeuvre grâce à des indices qu'il faut patiemment rassembler.

c - Enfin, un thème s'inscrit aussi dans la dynamique des personnages. Le thème central d'un récit est souvent un des aspects clés de la relation du sujet à l'objet. Interroger cette relation, c'est questionner le *vouloir* de celui autour de qui se structure l'action; c'est mettre à jour soit ses motivations (amour, vengeance, haine...), soit les virtualités de son désir (narcissisme, désir de l'autre, pulsion de mort).

La notion d'intérêt et les thèmes
universels

Un thème doit intéresser et stimuler l'imagination du lecteur, sinon celui-ci se désintéresse de l'oeuvre. Dans la mesure où le lecteur est captivé par un roman, s'abolit ce que l'on pourrait appeler *la distance* entre écriture et lecture. Le lecteur pénètre l'oeuvre et l'oeuvre à son tour pénètre le lecteur. Mais sur quoi se base cet intérêt?

Il arrive parfois que l'intérêt soit engendré par un thème qui traduit, incarne ou reflète une ambiance socio-culturelle intimement liée à une dimension spatio-temporelle bien définie. Par exemple, le thème de l'anticléricalisme dans le roman québécois. Il s'agit ici d'un thème susceptible d'intéresser le lecteur qui est ou qui a déjà été marqué par ce phénomène ou qui en saisit la portée historique. D'autre part, les oeuvres d'actualité trop intimement liées à des réalités contingentes risquent de ne susciter qu'un intérêt temporaire; mais, inversement, comme le fait remarquer Todorov, plus un thème est important, plus l'oeuvre est remplie de vitalité.

«Inversement, plus le thème est important et d'un intérêt durable, plus la vitalité de l'oeuvre est assurée. En repoussant ainsi les limites de l'actualité, nous pouvons arriver aux intérêts universels (les problèmes de l'amour, de la mort) qui au fond restent les mêmes tout au long de l'histoire humaine». [4]

Un thème universel (auquel tout lecteur peut s'identifier: les thèmes de la mort, de l'amour, de la haine, du remords, de la jalousie, de la solitude, de l'angoisse, etc.) ne peut pas être désincarné dans un roman. Il s'inspire, se nourrit nécessairement d'actualités, de faits parfois précis, des us et coutumes de certaines gens qui vivent dans un milieu et à une époque habituellement circonscrits. Tout lecteur a besoin de ces références pour que le roman, à ses yeux, lui semble vraisemblable et parfois même vérifiable. [5]

Mais l'oeuvre devra faire plus que susciter un intérêt momentané. Elle devra soutenir l'intérêt du lecteur. Un thème doit être *«coloré d'émotion»* [6] pour être actualisé: l'oeuvre est *«actuelle»* dans la mesure où *«elle agit sur le lecteur, appelant en lui des émotions qui dirigent sa volonté».* [7] Sympathie, indignation, révolte sont des sentiments qui trouvent résonance dans l'âme du lecteur.

Les thèmes, les personnages et le point de vue

Certains thèmes *sautent aux yeux* dans la mesure où ils sont incarnés par un personnage, habituellement le personnage principal: Emma Bovary, Alain Dubois incarnent, chacun à sa façon, le thème de l'amour; Séraphin Poudrier, celui de l'avarice: Meursault dans *L'étranger* de Camus, celui de l'homme absurde; le *je* (narrateur héros) du *Horla* de Guy de Maupassant, celui de la folie; Julien, dans *Le rouge et le noir* de Stendhal, celui de l'ambition; Santiago, dans *Le vieil homme et la mer* de Hemingway, celui de la victoire dans la défaite, etc.

Quoi qu'il en soit, le thème est très intimement lié à la voix et au point de vue de narration. C'est, en effet, à travers eux qu'il va, non seulement se dégager, mais prendre toute sa signification, toute sa couleur, toute son intensité, toute sa perspective. Prenons, par exemple, le thème le plus universel qui soit dans le roman, celui de l'amour. Qu'il se développe à travers le *je* narrateur héros, ou le narrateur témoin (sous forme de monologues, de dialogues en style direct ou indirect) ou qu'il s'élabore à l'aide de commentaires, de réflexions, de descriptions du narrateur omniscient, d'une façon ou d'une autre, c'est toujours la vision que projette le point de vue qui est présentée au lecteur. Dans une certaine mesure, le thème est donc sinon prisonnier du point de vue, du moins circonscrit, limité par lui. Dans *Thérèse Raquin* d'Émile Zola, le thème de l'amour est traité du point de vue du narrateur omniscient. On remarquera d'ailleurs, dans l'exemple qui va suivre, comment s'y prend le narrateur pour décrire l'amour sous l'angle de la volupté fougueuse:

> Laurent, étonné, trouva sa maîtresse belle. Il n'avait jamais vu cette femme. Thérèse, souple et forte, le serrait, renversant la tête en arrière, et, sur son visage, couraient des lumières ardentes, des sourires passionnés. Cette face d'amante s'était comme transfigurée, elle avait un air fou et caressant; les lèvres humides, les yeux luisants, elle rayonnait. La jeune femme tordue et ondoyante, était belle d'une beauté étrange, toute d'emportement. On eût dit que sa figure venait de s'éclairer en dedans, que des flammes s'échappaient de sa chair. Et, autour d'elle, son sang qui brûlait, ses nerfs qui se tendaient, jetaient ainsi des effluves chauds, un air pénétrant et âcre.
>
> Au premier baiser, elle se révéla courtisane. Son corps inassouvi se jeta éperdument dans la volupté. Elle s'éveillait comme d'un songe, elle naissait à la passion. Elle passait des bras débiles de Camille dans les bras vigoureux de Laurent, et cette approche d'un homme puissant lui donnait une brusque secousse qui la tirait du sommeil de la chair. Tous ses instincts de femme nerveuse éclatèrent avec une violence inouïe; le sang de sa mère, ce sang africain qui brûlait ses veines, se mit à couler, à battre furieusement dans son corps maigre, presque vierge encore. Elle s'étalait, elle s'offrait avec une impudeur souveraine. Et, de la tête aux pieds, de longs frissons l'agitaient.
>
> Jamais Laurent n'avait connu une pareille femme. Il resta surpris, mal à l'aise. D'ordinaire, ses maîtresses ne le recevaient pas avec une telle fougue; il était accoutumé à des baisers froids et indifférents, à des amours lasses et rassasiées. Les sanglots, les crises de Thérèse l'épouvantèrent presque, tout en irritant ses curiosités voluptueuses. Quand il quitta la jeune femme, il chancelait comme un homme ivre. [8]

Un peu plus loin, le même thème est traité du même point de vue, mais cette fois-ci, en style direct; ce qui donne plus de relief, ce qui actualise davantage la passion:

> - Toi, je t'aime, je t'ai aimé le jour où Camille t'a poussé dans la boutique... Tu ne m'estimes peut-être pas, parce que je me suis livrée toute entière, en une fois... Vrai, je ne sais comment cela est arrivé.

Je suis fière, je suis emportée. J'aurais voulu te battre, le premier jour, quand tu m'as embrassée et jetée par terre dans cette chambre... J'ignore comment je t'aimais; je te haïssais plutôt. Ta vue m'irritait, me faisait souffrir; lorsque tu étais là, mes nerfs se tendaient à se rompre, ma tête se vidait, je voyais rouge. Oh! que j'ai souffert! Et je cherchais cette souffrance, j'attendais ta venue, je tournais autour de ta chaise, pour marcher dans ton haleine, pour traîner mes vêtements le long des tiens. Il me semblait que ton sang me jetait des bouffées de chaleur au passage, et c'était cette sorte de nuée ardente, dans laquelle tu t'enveloppais, qui m'attirait et me retenait auprès de toi, malgré mes sourdes révoltes... Tu te souviens quand tu peignais ici: une force fatale me ramenait à ton côté, je respirais ton air avec des délices cruelles. Je comprenais que je paraissais quêter des baisers, j'avais honte de mon esclavage, je sentais que j'allais tomber si tu me touchais. Mais je cédais à mes lâchetés, je grelottais de froid en attendant que tu voulusses bien me prendre dans tes bras... [9]

Il va de soi que l'amour peut se moduler différemment. Par exemple, être présenté avec noblesse de coeur par une personne vertueuse. Que l'on songe à la princesse de Clèves qui aime et est aimée par M. de Nemours. Par respect pour son mari, elle refusera, en se faisant violence, de donner suite à sa passion.

Les sous-thèmes et les thèmes mineurs

Selon le point de vue et le moment dans l'évolution psychologique d'un personnage, le thème de l'amour est donc traité de différentes manières; ceci nous amène à la notion de sous-thèmes qui sont des facettes du thème majeur, qui s'y rattachent pour l'expliciter davantage. On peut parler, à propos des sous-thèmes, de modulations, de variantes du thème majeur. Au thème de l'amour peuvent se greffer violence, jalousie, égoïsme, érotisme, sublimation, folie, haine, etc. À titre d'exemple, dans le court extrait qui va suivre de *Thérèse Raquin*, l'amour de Thérèse envers son amant fait éclater tout le dégoût qu'elle nourrit envers son mari:

- Je ne sais plus pourquoi j'ai consenti à épouser Camille. Je n'ai pas protesté, par une sorte d'insouciance dédaigneuse. Cet enfant me faisait pitié. Lorsque je jouais avec lui, je sentais mes doigts s'enfoncer dans ses membres comme dans de l'argile. Je l'ai pris, parce que ma tante me l'offrait et que je comptais ne jamais me gêner pour lui... Et j'ai retrouvé dans mon mari le petit garçon souffrant avec lequel j'avais déjà couché à six ans. Il était aussi frêle, aussi plaintif, et il avait toujours cette odeur fade d'enfant malade qui me répugnait tant jadis... Je te dis tout cela pour que tu ne sois pas jaloux... Une sorte de dégoût me montait à la gorge; je me rappelais les drogues que j'avais bues, et je m'écartais, et je passais des nuits terribles... Mais toi, toi... [10]

Dans l'exemple qui vient d'être cité, le dégoût envers son mari peut être considéré comme un sous-thème relié à celui de l'amour qu'elle porte pour son amant. Si le sous-thème est toutefois lié au thème, le thème mineur, à la rigueur, peut être traité dans le roman d'une manière indépendante et peut s'inscrire dans une trajectoire tout à fait différente de celle à laquelle se rattachent les sous-thèmes (ou modulations). Il n'en demeure pas moins que les thèmes mineurs gravitent, pour ainsi dire, comme une constellation, autour du thème principal. Un lien indirect, un fil si ténu soit-il, rattache toujours un thème mineur au thème principal du roman. S'établissent ainsi des correspondances thématiques d'où se dégagent la véritable signification du roman, son originalité, sa densité, sa beauté, son actualité.

L'articulation thématique

Les exemples qui vont suivre permettront de mieux saisir comment se développe un thème dans une oeuvre, quelles relations s'établissent entre un thème et ses sous-thèmes et comment se dégage, à travers un roman, une configuration thématique (thèmes, sous-thèmes et thèmes mineurs).

L'évolution du thème du rêve dans *Des souris et des hommes* de John Steinbeck

Dès le premier chapitre (pp. 46-48) [11], le rêve, caractérisé par le désir de posséder une ferme, semble jouer un rôle important sinon aux yeux de George, du moins à ceux de Lennie. C'est d'ailleurs l'élément qui, tout au long du roman, consolidera leur amitié. Le rêve relaté par George fait glousser de joie Lennie. À cette étape, c'est un moyen de contrôle de Lennie, un instrument de différenciation et de compensation.

Mais ce n'est qu'au troisième chapitre (pp. 113-117) que George, en réalité, se laissera lui-même envoûter par son propre récit du rêve (la technique de narration du rêve, d'une fois à l'autre, est à peu près toujours la même: le rêve devient donc une espèce de leitmotiv qui jalonne l'oeuvre): «*George était assis, médusé par sa propre vision*» (p. 113).

C'est toutefois l'intervention et finalement l'intégration d'un nouveau personnage dans le récit (dans le contexte, le rêve est envisagé comme un projet à réaliser) qui donne plus de poids et de sérieux au rêve.

Grâce à Candy, en effet, le rêve peut devenir réalité, se matérialiser, car il a des économies (à la fin du mois, il aura 350$) qu'il est prêt à verser dans le projet. Tous les trois, George, Lennie et Candy, se nourrissent donc maintenant du même rêve.

> Il se rassit. Ils étaient tous assis, immobiles, hypnotisés par la beauté de la chose, l'esprit tendu vers le futur, quand cette chose admirable viendrait à se réaliser (p. 116).

Jusqu'au milieu du troisième chapitre, tout semble aller pour le mieux dans le meilleur des mondes, mais à partir du quatrième chapitre, un personnage interviendra qui sèmera le doute face au projet en question. Ce personnage, c'est Crooks.

Dans un premier temps, Crooks, devant Lennie, se prend à rêver de sa jeunesse passée sur une ferme à volailles avec ses deux frères. Son vécu ressemble étrangement au projet du trio George-Lennie-Candy. Dans le quatrième chapitre, à la page 137, il dit: «*On avait un carré de fraisiers, un coin de luzerne. Quand il y avait du soleil, le matin, on lâchait les poulets dans la luzerne*». Ce sont les mots «*carré de fraisiers*» et «*luzerne*» qui suscitent l'intérêt de Lennie qui enchaîne:

- George dit qu'on aurait de la luzerne pour les lapins.
- Quels lapins?
- On aura des lapins et un carré de fraisiers.
- T'es dingo.
- Pas du tout. C'est vrai. Tu demanderas à George.
- T'es dingo, dit Crooks, méprisant.

C'est que Crooks, face au projet de Lennie, manifeste un réalisme pessimiste. Au rêve de Lennie, il oppose la réalité de centaines d'hommes qui ont fait le même rêve et qui ne l'ont pas réalisé: «*Vous vous bourrez le crâne, les gars. Vous passez votre temps à en parler, mais vous ne l'aurez jamais vot' terre*». (p. 140)

Toutefois, devant l'intervention de Candy, Crooks, en entendant parler d'argent, se laisse prendre au piège (l'argent a donc un pouvoir magique, il est la pierre angulaire du projet): «*Si des fois... vous autres vous avez besoin de quelqu'un...*» (p. 141)

C'est l'arrivée de la femme de Curley qui ramène Crooks sauvagement à la réalité. Ne lui rappelle-t-elle pas la couleur de sa peau? Crooks, abattu, se retire lui-même du projet (pp. 150-151).

Quant à la femme de Curley, elle aussi, justement, a déjà caressé un rêve. Dans la grange, en compagnie de Lennie, elle parle d'un passé fait de rêves avortés. Elle se découvre aux yeux du lecteur (et non à ceux de Lennie) plus ou moins mégalomane; ce qui pourrait expliquer en partie son comportement vis-à-vis les hommes. Jeune, elle avait voulu d'abord devenir une comédienne, puis ensuite une actrice (chap. 5, pp. 160-162).

Finalement, le rêve va s'écrouler quand Lennie tuera accidentellement la femme de Curley. La soumission et la déception caractériseront la réaction de Candy. George réagira avec une certaine agressivité qui se traduira par une forme de méchanceté tournée contre lui-même (désir d'aller dilapider son argent au bordel, un peu comme s'il voulait s'autopunir en opposant la pureté de son rêve déchu au réalisme décevant du bordel).

Enfin, le rêve atteindra son apogée dans la mort de Lennie. George, avant de tuer son compagnon, le lui relate une dernière fois. Il le fait avec une telle tendresse que le rêve, pour Lennie, devient une véritable vision qu'il peut presque toucher du bout des yeux. Le rêve s'actualise et c'est par sa mort qu'il l'habitera (chap. 6, pp. 186-189).

Lennie sera donc le seul personnage du roman à ne pas avoir connu de déception. D'une certaine manière, il aura été le seul à vivre son rêve jusqu'au bout. Son innocence, sa naïveté, son idiotie l'auront suffisamment protégé contre les déceptions et les vicissitudes de la vie. Quant à la signification globale de l'oeuvre, elle s'inscrit dans cette critique constamment réactualisée du rêve américain.

Le thème de l'absurde dans *L'étranger* et *La peste*

Un thème évolue rarement seul. Il se module en sous-thèmes qui l'explicitent. Ainsi, *L'étranger* et *La peste* de Camus s'articulent autour d'un même thème majeur, l'absurde.

Dans *L'étranger*, comme dans *La peste*, le thème de l'absurde se développe à travers les sous-thèmes suivants: routine (la vie), souffrance, mort, révolte. Dans *L'étranger*, se retrouve un autre sous-thème, celui de la réconciliation et dans *La peste*, celui de l'humanisme. Quant au sous-thème de l'amour, il est traité différemment dans les deux romans.

Les sous-thèmes sont d'abord et avant tout liés à une prise de conscience d'un personnage. Prise de conscience déclenchée par l'intervention fortuite d'un événement (l'homicide involontaire due à la brûlure du soleil dans *L'étranger*, les rats et la peste dans *La peste*) qui bouleverse fondamentalement sa vie ou celle de toute une communauté. Le personnage devient alors conscient de réalités propres à son modèle de vie.

La routine

La routine de la vie est, en soi, un élément absurde parce qu'elle est bête, elle n'a aucun sens. Dans *L'étranger*, Meursault vit dans la routine: routine de son travail, routine des loisirs de week-ends, routine en amour. Dans *La peste*, les Oranais n'échappent pas non plus au côté monotone, absurde de la vie routinière. Voici comment, avec humour (description à caractère dissonant), le narrateur fait faire au lecteur la connaissance de la ville:

> Une manière commode de faire la connaissance d'une ville est de chercher comment on y travaille, comment on y aime et comment on y meurt. Dans notre petite ville, est-ce l'effet du climat, tout cela se fait ensemble, du même air frénétique et absent. C'est-à-dire qu'on s'y ennuie et qu'on s'y applique à prendre des habitudes. Nos concitoyens travaillent beaucoup, mais toujours pour s'enrichir. Ils s'intéressent surtout au commerce et ils s'occupent d'abord selon leur expression, de faire. Naturellement, ils ont du goût aussi pour les joies simples; ils aiment les femmes, le cinéma et les bains de mer. Mais, très raisonnablement, ils réservent les plaisirs pour le samedi soir et le dimanche, essayant, les autres jours de la semaine, de gagner beaucoup d'argent. Le soir, lorsqu'ils quittent leurs bureaux, ils se réunissent à heure fixe dans les cafés, ils se promènent sur le même boulevard ou bien ils se mettent à leurs balcons. Les désirs des plus jeunes sont violents et brefs, tandis que les vices des plus âgés ne dépassent pas les associations de boulomanes, les banquets des amicales et les cercles où l'on joue gros jeu sur le hasard des cartes. [12]

La souffrance

La souffrance est injustifiable. Meursault souffre dans sa cellule (du moins au début) de l'absence du corps de Marie, de l'absence de cigarettes, de l'absence de la mer, bref, de tout ce qu'il aimait. Salamano souffre de la perte de son chien. Mais c'est dans *La peste* plus particulièrement que la souffrance est omniprésente. Celle de tous les pestiférés, celle surtout de l'enfant (le fils de M. Othon) qui est tout simplement atroce.

La mort

Dans *L'étranger*, elle est l'élément capital d'une prise de conscience de l'absurdité de la vie. La vie est absurde parce qu'on meurt. La mort, toutefois, sera, pour Meursault, apprivoisée dans une certaine mesure:

Mais tout le monde sait que la vie ne vaut pas la peine d'être vécue. Dans le fond, je n'ignorais pas que mourir à trente ans ou à soixante-dix ans importe peu puisque, naturellement, dans les deux cas, d'autres hommes et d'autres femmes vivront, et cela pendant des milliers d'années. [13]

Dans *La peste*, la mort du fils de M. Othon pose le problème de l'innocence des victimes. La mort d'un enfant (précédée d'atroces souffrances) est, aux yeux du Dr Rieux, la chose la plus révoltante qui soit, car la mort (comme l'avait déjà déclaré Paneloux) n'est pas une rançon à payer pour les fautes commises, surtout pas par un enfant innocent: «*Ah! celui-là, au moins, était innocent, vous le savez bien!*» [14]

La révolte

La prise de conscience de la souffrance et de la mort engendre une révolte qui s'exprime violemment chez Meursault comme chez Rieux. Cette révolte est métaphysique, car elle s'oppose à l'idée de Dieu. Un Dieu bon ne peut avoir créé un monde aussi absurde où ne règnent qu'injustice, misère et souffrance. Quant à l'autre monde qui pourrait expliquer le pourquoi de «*cette vallée de larmes*», c'est une tentation à laquelle il ne faut pas succomber. Deux personnages incarnent la «*tentation de Dieu*», Paneloux dans *Le peste* et l'aumônier dans *L'étranger*. Voici un extrait du dialogue entre Paneloux et Rieux qui suit la mort de l'enfant:

- Pourquoi m'avoir parlé avec cette colère? dit une voix derrière lui. Pour moi aussi, ce spectacle est insupportable.
    Rieux se retourna vers Paneloux:
- C'est vrai, dit-il. Pardonnez-moi. Mais la fatigue est une folie. Et il y a des heures dans cette ville où je ne sens plus que ma révolte.
- Je comprends, murmura Paneloux. Cela est révoltant parce que cela passe notre mesure. Mais peut-être devons-nous aimer ce que nous ne pouvons pas comprendre.
    Rieux se redressa d'un seul coup. Il regardait Paneloux, avec toute la force et la passion dont il était capable, et secouait la tête.
- Non, mon père, dit-il. Je me fais une autre idée de l'amour. Et je refuserai jusqu'à la mort d'aimer cette création où des enfants sont torturés. [15]

Meursault, de son côté, ne veut pas perdre le peu de temps qu'il lui reste à vivre pour discuter avec l'aumônier d'un Dieu auquel il ne croit pas. Mais lorsque l'aumônier lui dit qu'il va prier pour lui, Meursault se révolte, il éclate:

Alors, je ne sais pas pourquoi, il y a quelque chose qui a crevé en moi. Je me suis mis à crier à plein gosier et je l'ai insulté et je lui ai dit de ne pas prier. (...) Que m'importaient la mort des autres, l'amour d'une mère, que m'importaient son Dieu, les vies qu'on choisit, les destins qu'on élit, puisqu'un seul destin devait m'élire moi-même et avec moi des milliards de privilégiés qui, comme lui, se disaient mes frères. [16]

C'est par la révolte que, pour Camus, l'homme s'affirme homme, qu'il regénère son propre moi. Cette révolte permet une réconciliation avec soi-même et avec le monde (*L'étranger*) ou débouche sur une forme d'humanisme (*La peste*).

Réconciliation et humanisme

Meursault, lorsqu'il se retrouvera seul dans sa cellule, après le départ de l'aumônier, sentira monter en lui une grande paix qui le réconciliera avec le monde:

Je m'ouvrais pour la première fois à la tendre indifférence du monde. De l'éprouver si pareil à moi, si fraternel enfin, j'ai senti que j'avais été heureux, et que je l'étais encore. [17]

Rieux, pour sa part, est un homme d'action; il ne se pose pas de questions comme Tarrou («*comment être un saint sans Dieu?*»). Il soigne les malades même si cela est absurde, car, de toute façon, ils vont mourir. La peste, toutefois, crée une certaine solidarité entre les hommes. Rambert restera dans la ville pour aider Rieux parce que la peste «*nous concerne tous*».
La révolte pour Rieux s'incarne dans l'action. Est-ce sa manière de lutter pour ne pas sombrer dans le désespoir? Médecin, il veut faire sa part pour enrayer le mal dans la création: voilà sa forme d'humanisme athée.

- Voilà, dit Tarrou. Pourquoi vous-même montrez-vous tant de dévouement puisque vous ne croyez pas en Dieu? (...) Sans sortir de l'ombre, le docteur dit qu'il avait déjà répondu, que s'il croyait en un Dieu tout-puissant, il cesserait de guérir les hommes, lui laissant alors ce soin. Mais que personne au monde, non, pas même Paneloux qui croyait y croire, ne croyait en un Dieu de cette sorte, puisque personne ne s'abandonnait totalement et qu'en cela du moins, lui, Rieux, croyait être sur le chemin de la vérité, en luttant contre la création telle qu'elle était. [18]

Ainsi se module le thème de l'absurde. Étape par étape, le thème prend différents visages, se construit, s'articule. Mais on sait bien qu'il s'agit d'harmoniques, de rayonnements dont la source est unique.

La configuration thématique des *Plouffe* de Roger Lemelin

La configuration thématique pourrait se définir comme étant l'ensemble des thèmes, sous-thèmes et thèmes mineurs qui dégagent les grands traits d'un roman ou d'une fresque romanesque. *Les Plouffe* de Roger Lemelin est un véritable tableau d'une famille des années 40 et, à ce titre, reste une oeuvre d'un grand intérêt thématique. Il s'agit, à travers le roman, de cerner, sans prétendre en faire une analyse détaillée, un certain nombre de thèmes, de sous-thèmes et de thèmes mineurs. Trois grands thèmes couronnent l'oeuvre: la famille, l'amour et la religion. À chaque thème correspond un ou quelques sous-thème(s). Le roman renferme enfin un certain nombre de thèmes mineurs, tels l'antiaméricanisme, l'antiprotestantisme et l'anglophobie, l'émancipation-ascension.

Les thèmes majeurs et les sous-thèmes

Le thème de la famille et le sous-thème du démembrement

Les Plouffe, c'est l'histoire d'une famille ouvrière de Saint-Sauveur. La mère Plouffe, dévouée et alerte, règne dans sa cuisine. Possessive, elle essaie, mais en vain, de tenir ses enfants en serre chaude. Quant au père, typographe à *L'action chrétienne*, il ne fait pas le poids ni devant sa femme, ni devant ses enfants. Il ne réussira jamais à s'imposer, sauf une fois avant de mourir lorsqu'il conseillera à Napoléon d'épouser Jeanne Duplessis.

Les Plouffe, c'est aussi l'histoire du démembrement d'une famille. Le père perd son emploi, est atteint de paralysie et meurt. Ovide et Napoléon quittent le foyer pour se marier, l'un avec Rita Toulouse, l'autre avec Jeanne Duplessis. Guillaume part pour la guerre. Seule Cécile, après avoir adopté un des enfants d'Onésime, reste avec sa mère.

Le démembrement est aussi provoqué par une remise en cause de certaines valeurs traditionnelles, ou du moins d'une certaine manière de voir les choses. Cécile, contre la volonté de sa mère, recevra régulièrement Onésime sur le balcon. Dans le contexte du roman, c'est presque inadmissible de fréquenter ouvertement un homme marié. Le père Plouffe tiendra même tête au curé (qui, dans le fond était d'accord) et refusera de pavoiser sa maison lors du passage du roi d'Angleterre. Guillaume, en Europe, se fait border par une Flamande: «*À 10 heures, elle est venue me border dans ma chambre, et par ici, tu comprends, il y a bien des choses qui seraient péché à Québec, mais ici, vois-tu la guerre, c'est tellement énervant...*»[19]

L'amour et ses sous-thèmes: platonisme, romantisme, réalisme

Cécile et Onésime ont des amours purement platoniques. Cécile, vieille fille frustrée qui compte son argent, n'a jamais pu se marier avec Onésime à cause de sa mère qui voulait la garder près d'elle. Un jour, elle le lui reprochera amèrement.

Ovide est le personnage le plus coloré de la famille. Excentrique, passionné, romantique, naïf, mais d'une grande générosité de coeur. Ce tailleur de cuir n'a pas les apparences d'un ouvrier. Il se veut différent par son habillement:

> Chétif, malingre, habillé comme un comptable il n'avait pas l'air d'un ouvrier; mais sa prédilection pour l'opéra réussissait à lui donner l'apparence des héros de son imagination. [20]

Ce n'est qu'à 28 ans qu'il songera à une femme. Il rencontre alors, dans son milieu de travail, Rita Toulouse qui n'est absolument pas faite pour lui. Ovide rêve l'amour à travers Rita et son opéra. Rita, âgée de 19 ans, femme du peuple, concrète, délurée, frivole et sans vergogne, acceptera d'épouser, probablement sans trop savoir pourquoi, un Ovide malheureux sortant du monastère. Ils n'ont aucun goût en commun. Rita aime les sportifs (elle avait déjà eu un *faible* pour Guillaume), lit les magazines et adore les chanteurs populaires. Tout le contraire d'Ovide qui recrée dans son imagination une Rita qui est loin de correspondre à la réalité. Ovide aime l'opéra (le lecteur se rappellera la fameuse soirée d'opéra qu'il avait organisée chez lui en l'honneur de Rita...), la littérature, la conversation sérieuse. C'est un rêveur. Ses amours seront romantiques, mais une fois marié, il désenchantera assez vite:

> Ovide cacha ses mains dans ses poches afin de serrer les poings. Il était blême de rage.
> - Pas si fort! Ils vont nous entendre. Vas-y à ton feu d'artifice et va voir tous les soldats du monde. Tu reviendras à minuit comme d'habitude.
> Rita sortit d'un pas de grosse blonde offensée, et Ovide se rendit à la chantepleure où il se versa un verre d'eau. [21]

Les amours les plus simples, les plus vraies, les plus réalistes se retrouvent chez Napoléon et Jeanne Duplessis. Napoléon est un amateur de sport au coeur tendre. Il aime affectueusement Jeanne, chétive, malade qui guérira toutefois. Ses goûts sont simples et il ne rêve pas comme Ovide. Voilà un couple qui vit dans la réalité. Leur mariage semble harmonieux.

Le thème de la religion et les sous-thèmes «sport» et «nationalisme»

C'est le curé Folbèche qui, à toutes fins pratiques, incarne la religion. Il en est la figure dominante. Les Plouffe, comme tous les paroissiens, le respectent et le craignent parce qu'il est le représentant de Dieu sur terre. Seul un Denis Boucher saura le manipuler pour obtenir la lettre de recommandation nécessaire à son embauche à *L'action chrétienne*.

Les paroissiens vivent dans la crainte du péché qui frise le ridicule ou la névrose. Ainsi maman Plouffe ira se confesser d'avoir reçu un pasteur protestant dans sa maison et Ovide sera bourrelé de remords parce qu'il a embrassé Rita Toulouse et entrevu ses seins.

Dans l'ensemble, la foi des paroissiens est naïve, superstitieuse. Maman Plouffe, en particulier, a la foi du charbonnier. La religion est formaliste. Les paroissiens ne remettent jamais en cause ses fondements, ni l'autorité ecclésiastique. Auprès du curé, ce n'est pas des conseils qu'on ira chercher, mais des permissions.

Deux sous-thèmes peuvent se rattacher plus spécifiquement à la religion dans *Les Plouffe*: le sport et le nationalisme.

Le curé Folbèche, sous les conseils de Denis Boucher et pour triompher du protestantisme incarné par le pasteur Tom Brown, acceptera de se mesurer au pasteur lors d'une partie de baseball. Il éliminera du marbre, après trois prises, son adversaire sous les acclamations de la foule. C'est donc par le truchement du sport que la religion catholique reprend ses droits.

Cette religion est drôlement entachée d'un nationalisme à courte vue, tourné vers les valeurs du passé. Lors de la célèbre procession du Sacré-Coeur, le curé Folbèche fera prier ses ouailles *contre* la conscription. On connaît la suite alors que le cardinal Villeneuve se prononce en sa faveur; ce qui fait ressortir l'écart qui existe entre le haut et le bas clergé.

Le curé Folbèche se fait vieux. Son emprise sur sa paroisse commence à diminuer. Rétrograde, luttant désespéremment contre certaines idées «*neuves*» qui s'infiltrent dans sa paroisse, il sentira celle-ci lui échapper. Lui qui s'était méfié de l'instruction verra les jeunes de sa paroisse s'instruire et parfois se rebiffer et le narguer, comme le fait Denis Boucher. Son autorité perd du terrain. La guerre ouvre de nouvelles perspectives. Une ère s'annonce qui bouleversera bien des choses.

En définitive, *Les Plouffe* raconte l'histoire d'une société traditionnelle qui, insidieusement, commence à s'effriter.

Les thèmes mineurs

Les thèmes mineurs sont nombreux dans *Les Plouffe*. Certains d'entre eux donnent à l'oeuvre une dimension humoristique. Ils expriment l'ignorance, les préjugés, la naïveté d'une société repliée sur elle-même et d'une mentalité plutôt bornée. Comme on l'a vu, cette société, toutefois, commencera à s'émanciper d'un lourd passé sclérosant. Le survol de certains thèmes mineurs suffira à illustrer la mentalité des protagonistes du roman.

L'antiaméricanisme

Madame Plouffe est une illustre représentante de l'antiaméricanisme. Elle ne voudra pas que Guillaume aille aux États-Unis, car il y règne la débauche. Quant au curé Folbèche, son antiaméricanisme est plus subtil. Dans son esprit, les Américains ne pratiquent pas de religion; ils construisent des buildings plus hauts que les églises.

L'antiprotestantisme et l'anglophobie

L'arrivée dans la paroisse du pasteur Tom Brown causera tout un émoi. Un pasteur fiancé en plus! On connaît la réaction de madame Plouffe. Quant au curé Folbèche, il le considère avec mépris comme un joueur de baseball et non comme un sauveur d'âmes. Il est d'ailleurs dangereux, car il peut corrompre l'âme de ses paroissiens.

Théophile se fait une idée très claire des Anglais: les Canadiens français leur sont supérieurs dans tous les domaines. Et si le curé Folbèche est absolument contre la conscription, c'est parce qu'il croit que l'Angleterre, par ce moyen, cherche à exterminer les Canadiens français.

L'émancipation-ascension

Ce thème mineur pourrait servir de conclusion à toute la configuration thématique de l'oeuvre. Comment s'évader d'un milieu semblable? Par l'alcool comme Théophile? Par le rêve et l'opéra comme Ovide? On ne s'émancipe d'un milieu ouvrier ni par le sport (Guillaume n'ira pas aux États-Unis) ni par les amours. Seul Guillaume y parviendra à cause de la guerre. Pour Ovide, le monastère n'est qu'une fuite temporaire.

Peut-on accéder à la haute ville? On emprunte l'escalier qui y mène pour aller y travailler comme bonne à tout faire chez les riches (Jeanne Duplessis), pour aller se griser momentanément au château Frontenac et se créer l'illusion d'une certaine ascension dans l'échelle sociale. Mais comme on est gauche et maladroit! On ne peut guère trahir aux yeux du garçon de table ses origines «*basse ville*». À peine peut-on se payer le luxe d'un peu de volupté, mais au prix de quels remords! C'est le cas d'Ovide et de Rita.

La «*pente douce*» qui sépare la haute ville de la basse ville revêt donc une signification symbolique: c'est, en réalité, ce qui sépare deux classes sociales, les riches de la Grande-Allée des pauvres de Saint-Joseph. Seul le sport peut attirer les gens de la haute ville vers la basse ville et c'est seulement en ce domaine que les ouvriers peuvent triompher d'eux: la partie d'anneaux prend ainsi un sens social important.

On notera que d'une configuration thématique se dégagent des aspects importants de la dimension sociologique d'une oeuvre.

Le projet de lecture

On peut donc affirmer que tout roman s'articule autour d'un thème majeur à portée souvent universelle. Mais quel que soit le thème, il nous est, à nous lecteurs, toujours présenté à travers le point de vue du narrateur. Le roman comprend différents épisodes. Ces épisodes sont délimités par un certain nombre d'événements, par des dimensions spatio-temporelles ou par une étape importante dans l'évolution psychologique d'un personnage. Un épisode peut également s'organiser à partir d'un sous-thème (qui, comme on le sait, n'est qu'une modulation, une variante du thème majeur) ou graviter autour d'un thème mineur.

Le thème principal d'un roman peut très bien être incarné par un ou des personnages. Qui dit Tristan et Iseut dit *amour*; qui dit Meursault dit *homme absurde*. Il arrive parfois que le roman soit qualifié par son thème (roman d'amour). De toute façon, on ne peut concevoir un roman sans un thème. Selon Jean-Paul Weber, d'ailleurs, l'oeuvre romanesque d'un écrivain n'est que l'expression, roman par roman, d'un seul et même thème.

Enfin, le thème exprime, à travers le point de vue, une vision du monde propre au(x) personnage(s) et, dans la mesure où cette vision est susceptible de nous toucher en tant que lecteur, l'on peut dire que le roman nous a fait vivre une expérience émotive et intellectuelle.

La mise à jour de la configuration thématique sera une composante importante du projet de lecture.

En guise de rappel

Les thèmes sont, sans doute, l'aspect le plus connu de l'univers romanesque. Pour bien en saisir toutes les dimensions, il n'est pas inutile d'en rappeler les principales composantes.

Définition

Plusieurs définitions du thème ont été données: un choix d'être (Doubrovski); ce dont on parle (Todorov); ce qui exprime la hantise de l'écrivain (Weber); ou tout simplement *le sujet* d'un roman (on dira: un roman d'amour, un roman d'aventures...).

Les thèmes et les techniques romanesques

Comment les thèmes s'inscrivent-ils dans la trame romanesque?

- Un thème s'actualise de façon ponctuelle par une technique romanesque dominante;
- un thème se dégage des articulations du récit d'une manière implicite: il est dilué dans le tissu complexe de l'écriture; il se découvre tout au long de l'oeuvre grâce à des indices qu'il faut patiemment rassembler;
- enfin, un thème s'incarne dans un personnage: Meursault (l'homme absurde); Emma Bovary (l'amour-passion).

La notion d'intérêt

Un thème doit stimuler l'imagination du lecteur (intérêt). Un thème est universel quand il exprime des réalités propres à l'histoire humaine (amour, mort) auxquelles tout lecteur peut s'identifier. Il est caractéristique d'une culture nationale quand il reflète ou actualise une ambiance socio-culturelle bien définie.

Les thèmes et les points de vue

Le thème est intimement lié à la voix et au point de vue de narration. C'est toujours la vision du narrateur qui oriente le lecteur dans sa prise de contact avec le thème.

Les sous-thèmes et les thèmes mineurs

Les sous-thèmes sont des facettes, des modulations du thème majeur qui l'explicitent davantage. Un thème ne se conçoit pas sans modulation(s).Voici par exemple quelques variantes du thème de l'amour: érotisme, jalousie, haine, remords, possessivité, passion, sublimation, etc.

Les thèmes mineurs s'inscrivent dans une trajectoire tout à fait différente. Ils peuvent être traités indépendamment du thème majeur ou y être reliés par un fil ténu. C'est l'ensemble des thèmes, sous-thèmes et thèmes mineurs qu'on appelle *configuration thématique*.

Questions

1)- Quels sont les différents modes d'expression d'un thème dans un roman?

2 - Quelles sont, en relation avec les techniques romanesques, les trois manières de traiter un thème?

3 - Quelle est la principale caractéristique d'un thème universel? Donnez des exemples à partir de romans déjà lus.

4 - Quelle relation peut-on établir entre un thème et un personnage? Entre un thème et le point de vue?

5)- Que signifie l'expression *modulation du thème majeur*?

6 - Établissez un parallèle, au niveau des sous-thèmes, entre *L'étranger* et *La peste* de Camus.

7 - Qu'est-ce qui engendre la révolte de Rieux dans *La peste*? Celle de Meursault dans *L'étranger*?

8)- Formulez dans vos propres termes une définition de l'expression: *configuration thématique*.

9 - Quelles sont les variantes du thème de l'amour dans *Les Plouffe* de Roger Lemelin? Celles du thème de la religion?

10)- Quelle différence peut-on établir entre un sous-thème et un thème mineur?

11 - Identifiez deux thèmes mineurs dans *Les Plouffe*.

B- OBSERVATION ET ANALYSE
Texte 1: «Moi d'abord»

(extrait)

Katherine Pancol

Moi d'abord *raconte l'histoire de Sophie qui, à travers ses aventures amoureuses avec Patrick et Antoine, recherche son autonomie. Aidée par Eduardo, elle parviendra à s'affirmer en décidant de ne pas suivre Antoine aux États-Unis et de devenir journaliste. Dans l'extrait qui suit, Sophie relate une de ses scènes d'amour avec Patrick.*

Par le plus grand des hasards biologiques, mes rapports avec Patrick prirent un tour passionnel, et ceci tout à fait à notre insu.

Un soir où nous étions en pleines délices, Patrick se leva et, me portant tout autour de lui, entortillée, me fit l'amour debout, me laissant glisser et remonter le long de son sexe... Ce soir-là, dans ma petite chambre bien rangée, je crus mourir d'orgasmes. Je n'étais plus qu'une crampe de plaisir, les orteils retroussés, les dents arrachées et un noeud papillon gigantesque au milieu du corps. Je hurlai tant qu'il dut me bâillonner de la main, sinon maman et Philippe seraient accourus pour savoir quelle était l'origine de cette explosion de bonheur par-delà leurs cloisons. La main appuyée sur ma bouche me rappela les séances de M. Hector et tripla mon plaisir. Lorsqu'il se mit à jouir, lui aussi, tout en silence, impressionné par mes réactions, et qu'il me reposa à terre, je me répandis en large flaque à ses pieds. Je restai sur le tapis, hébétée, pendant quelques minutes et m'y serais endormie s'il ne m'avait pas hissée sur le lit.

J'étais frappée d'amour le plus sordide: celui du ventre. Prête à lui lécher l'entre-doigt de pieds, à lui poser tout mastiqué son steak-pommes frites sur les lèvres, à dormir roulée à ses bottes. N'importe quoi pour qu'il recommence à me baiser de la sorte. Pour garder cette crampe en moi jusqu'au trépassement final. Domptée par un direct au Ciel...

Patrick se muait en drogue, en divinité. Ses yeux s'éclairaient de rouge et de bleu, ses cheveux poussaient, il était saisi de lévitation transcendantale.

Ce soir-là, je m'endormis, épuisée, confondue en remerciements. Lorsqu'il se réveilla, le lendemain matin, il me serra très fort contre lui. J'étais peut-être devenue esclave mais, lui, semblait interdit et pétrifié. Nous n'osions plus bouger de peur de rompre l'enchantement... Le jour perçait à travers les volets. Le décor n'avait pas changé, le lit était toujours aussi étroit et, bientôt, le petit déjeuner allait arriver sur nos mines recueillies.

Katherine Pancol, *Moi d'abord*, Paris, Seuil, Coll. «Points», 1979, 190 pages, pp. 28-29.

Questions

1 - Quel est le point de vue de narration?

2 - Quelle est la modulation spécifique du thème de l'amour dans cet extrait?

3 - Grâce au point de vue, comment se perçoit l'héroïne et quelle vision avons-nous de Patrick?

Texte 2: «La belle épouvante»

(extrait)

Robert Lalonde

*Le héros du roman de Robert
Lalonde* La belle épouvante *est
amoureux. Voici un dialogue qui
s'établit entre lui et Marie-Jeanne.*

- Tra-la-la-la-la-la!...
- Oh la belle humeur!
- C'est pas tous les matins qu'on se réveille avec du Mozart à la radio. J'en reviens pas. Ce doit être une erreur. Je vais les appeler pour leur dire.
- Si c'est une erreur, laisse-les se punir eux-mêmes en laissant Mozart jouer jusqu'au bout et va préparer le café!
- Attends! Ferme les yeux deux minutes... Vois-tu?
- Voir quoi?
- La vie en jaune orange qui scintille sous tes paupières?
- Oui, si tu veux.
- Comment, si je veux? Insiste! C'est tellement bon le soleil quand il est en soi. Tu vois, c'est toi qui me fais ça!
- Mon idée que t'as besoin de moi pour voir la vie en jaune orange!
- J'ai pas besoin de toi pour voir la vie en jaune orange mais j'ai besoin de toi pour être sûr et certain que c'est vrai, que je ne suis pas complètement maboul ni totalement malavisé.
- Non, laisse ta main là encore un peu.
- Tiens! J'étais pas au courant que t'aimais que je te touche là.
- Tu vois bien qu'on a jamais fini de se découvrir.
- Tu vois bien que j'ai des mains qui sont plus persuasives que les mots, tu veux dire.
- T'as raison. Si je ferme les yeux maintenant, je suis sûre que je vais voir la vie en jaune orange.
- J't'aime. Avec toutes tes obstinations, tes réponses à tous, tes répliques en ligne brisée, j't'aime!
- J't'aime avec toutes tes déviations, tes remarques personnelles, ta polémique, tes doutes, ta tenace culpabilité, tes façons de filer doux, j't'aime!

- Avec ton habitude inouïe de me dire des bêtises comme des compliments, j't'aime!
- Avec ta tendresse oblique, ton charme meurtri, tes sautillements de poney fou, j't'aime!
- Avec tes gels et tes dégels, ta présence lumineuse et ton absence difficile, j't'aime!
- Avec ta curiosité débordante et ta manie de fabuler, ton détachement et la passion, surtout celle que t'as pour moi, j't'aime!
- Avec tes expansions et tes recroquevillements, tes manières de jeune fille de bonne famille, j't'aime!
- Avec tes culottes ôtées, avec tes culottes sur toi, j't'aime!
- Avec ton sexe mou, ton sexe droit, ton sexe en berne, ton sexe tout court, j't'aime!
- Avec... Hé! J'ai pas fini!
- Alors, continue avec tes mains!
Elle est intarissable.

Robert Lalonde, *La belle épouvante*, Montréal, Quinze, 1981, 155 pages, pp. 77-79.

Questions

1 - Cet extrait nous est-il présenté en style direct ou indirect?

2 - De quel thème s'agit-il? Sous quel ton nous est-il présenté?

3 - À quelle modulation du thème de l'amour ce ton nous renvoie-t-il?

Texte 3: «La peste»

(extrait)

Albert Camus

La peste *raconte l'histoire d'une ville - Oran - envahie soudainement par des rats. La peste se déclare, la ville est fermée, isolée du reste du monde. Le Dr Rieux, aidé de Tarrou et de quelques-uns, soigne les pestiférés même s'il sait qu'ils vont mourir. Cet extrait est un des points culminants du roman. Il décrit l'agonie du fils de M. Othon.*

Ils avaient déjà vu mourir des enfants puisque la terreur, depuis des mois, ne choisissait pas, mais ils n'avaient jamais encore suivi leurs souffrances minute après minute, comme ils le faisaient depuis le matin. Et, bien entendu, la douleur infligée à ces innocents n'avait jamais cessé de leur paraître ce qu'elle était en vérité, c'est-à-dire un scandale. Mais jusque-là du moins, ils se scandalisaient abstraitement, en quelque sorte, parce qu'ils n'avaient jamais regardé en face, si longuement, l'agonie d'un innocent.

Justement l'enfant, comme mordu à l'estomac, se pliait de nouveau, avec un gémissement grêle. Il resta creusé ainsi pendant de longues secondes, secoué de frissons et de tremblements convulsifs, comme si sa frêle carcasse pliait sous le vent furieux de la peste et craquait sous les souffles répétés de la fièvre. La bourrasque passée, il se détendit un peu, la fièvre sembla se retirer et l'abandonner, haletant, sur une grève humide et empoisonnée où le repos ressemblait déjà à la mort. Quant le flot brûlant l'atteignit à nouveau pour la troisième fois et le souleva un peu, l'enfant se recroquevilla, recula au fond du lit dans l'épouvante de la flamme qui le brûlait et agita follement la tête en rejetant sa couverture. De grosses larmes, jaillissant sous les paupières enflammées, se mirent à couler sur son visage plombé, et, au bout de la crise, épuisé, crispant ses jambes osseuses et ses bras dont la chair avait fondu en quarante-huit heures, l'enfant prit dans le lit dévasté une pose de crucifié grotesque.

Tarrou se pencha et, de sa lourde main, essuya le petit visage trempé de larmes et de sueur. Depuis un moment, Castel avait fermé son livre et regardait le malade. Il commença une phrase, mais fut obligé de tousser pour pouvoir la terminer, parce que sa voix détonnait brusquement:

«Il n'y a pas eu de rémission matinale, n'est-ce pas, Rieux?»

Rieux dit que non, mais que l'enfant résistait depuis plus longtemps qu'il était normal. Paneloux, qui semblait un peu affaissé contre le mur, dit alors sourdement:

«S'il doit mourir, il aura souffert plus longtemps.»

Rieux se retourna brusquement vers lui et ouvrit la bouche pour parler, mais il se tut, fit un effort visible pour se dominer et ramena son regard sur l'enfant.

La lumière s'enflait dans la salle. Sur les cinq autres lits, des formes remuaient et gémissaient, mais avec une discrétion qui semblait concertée. Le seul qui criât, à l'autre bout de la salle, poussait à intervalles réguliers de petites exclamations qui paraissaient traduire plus d'étonnement que de douleur. Il semblait que, même pour les malades, ce ne fût pas l'effroi du début. Il y avait même, maintenant, une sorte de consentement dans leur manière de prendre la maladie. Seul, l'enfant se débattait de toutes ses forces. Rieux qui, de temps en temps, lui prenait le pouls, sans nécessité d'ailleurs et plutôt pour sortir de l'immobilité impuissante où il était, sentait, en fermant les yeux, cette agitation se mêler au tumulte de son propre sang. Il se confondait alors avec l'enfant supplicié et tentait de le soutenir de toute sa force encore intacte. Mais une minute réunies, les pulsations de leurs deux coeurs se désaccordaient, l'enfant lui échappait, et son effort sombrait dans le vide. Il lâchait alors le mince poignet et retournait à sa place.

Le long des murs peints à la chaux, la lumière passait du rose au jaune. Derrière la vitre, une matinée de chaleur commençait à crépiter. C'est à peine si on entendit Grand partir en disant qu'il reviendrait. Tous attendaient. L'enfant, les yeux toujours fermés, semblait se calmer un peu. Les mains devenues comme des griffes, labouraient doucement les flancs du lit. Elles remontèrent, grattèrent la couverture près des genoux, et, soudain, l'enfant plia ses jambes, ramena ses cuisses près du ventre et s'immobilisa. Il ouvrit alors les yeux pour la première fois et regarda Rieux qui se trouvait devant lui. Au creux de son visage maintenant figé dans une argile grise, la bouche s'ouvrit, et presque aussitôt, il en sortit un seul cri continu, que la respiration nuançait à peine, et qui emplit soudain la salle d'une protestation monotone, discorde, et si peu humaine qu'elle semblait venir de tous les hommes à la fois. Rieux serrait les dents et Tarrou se détourna. Rambert s'approcha du lit près de Castel qui ferma le livre, resté ouvert sur ses genoux. Paneloux regarda cette bouche enfantine, souillée par la maladie, pleine de ce cri de tous les âges. Et il se laissa glisser à genoux, et tout le monde trouva naturel de l'entendre dire d'une voix, un peu étouffée, mais distincte derrière la plainte anonyme qui n'arrêtait pas: «Mon Dieu, sauvez cet enfant».

Mais l'enfant continuait de crier et, tout autour de lui, les malades s'agitèrent. Celui dont les exclamations n'avaient cessé, à l'autre bout de la pièce, précipita le rythme de sa plainte jusqu'à en faire, lui aussi, un vrai cri, pendant que les autres gémissaient de plus en plus fort. Une marée de sanglots déferla dans la salle, couvrant la prière de Paneloux, et Rieux, accroché à sa barre de lit, ferma les yeux, ivre de fatigue et de dégoût.

Quant il les rouvrit, il trouva Tarrou près de lui.

«Il faut que je m'en aille, dit Rieux. Je ne peux plus les supporter.»

Mais brusquement, les autres malades se turent. Le docteur reconnut alors que le cri de l'enfant avait faibli, qu'il faiblissait encore et qu'il venait de s'arrêter. Autour de lui, les plaintes reprenaient, mais sourdement, et comme un écho lointain de cette lutte qui venait de s'achever. Car elle s'était achevée. Castel était passé de l'autre côté du lit et dit que c'était fini. La bouche ouverte, mais muette, l'enfant reposait au creux des couvertures en désordre, rapetissé tout d'un coup, avec des restes de larmes sur son visage.

Albert Camus, *La peste*, Paris, Gallimard, Coll. «Folio», n° 42, 1947, 279 pages, pp. 195 à 197.

Questions

1 - Quel est le point de vue de cet extrait?

2 - Dégagez un thème de cet extrait.

3 - Quelles sont les techniques reliées à son développement?

4 - Identifiez au moins une intrusion de l'auteur.

Texte 4: «La peste»

(extrait)
Albert Camus

Dans ce court extrait qui fait suite au précédent, un thème majeur peut se dégager auquel se greffent des sous-thèmes. Le dialogue se déroule entre le Dr Rieux et le prêtre Paneloux.

Mais Rieux quittait déjà la salle, d'un pas si précipité, et avec un tel air, que lorsqu'il dépassa Paneloux, celui-ci tendit le bras pour le retenir.

«Allons, docteur», lui dit-il.

Dans le même mouvement emporté, Rieux se retourna et lui jeta avec violence:

«Ah! celui-là, au moins, était innocent, vous le savez bien!»

Puis il se détourna et, franchissant les portes de la salle avant Paneloux, il gagna le fond de la cour d'école. Il s'assit sur un banc, entre les petits arbres poudreux, et essuya la sueur qui lui coulait déjà dans les yeux. Il avait envie de crier encore pour dénouer enfin le noeud violent qui lui broyait le coeur. La chaleur tombait entre les branches des ficus. Le ciel bleu du matin se couvrait rapidement d'une taie blanchâtre qui rendait l'air plus étouffant. Rieux se laissa aller sur son banc. Il regardait les branches, le ciel, retrouvant lentement sa respiration, ravalant peu à peu sa fatigue.

«Pourquoi m'avoir parlé avec cette colère? dit une voix derrière lui. Pour moi aussi, ce spectacle était insupportable».

Rieux se retourna vers Paneloux:

«C'est vrai, dit-il. Pardonnez-moi. Mais la fatigue est une folie. Et il y a des heures dans cette ville où je ne sens plus que ma révolte».

- Je comprends, murmura Paneloux. Cela est révoltant parce que cela passe notre mesure. Mais peut-être devons-nous aimer ce que nous ne pouvons pas comprendre».

Rieux se redressa d'un seul coup. Il regardait Paneloux, avec toute la force et la passion dont il était capable, et secouait la tête.

- Non, mon père, dit-il. Je me fais une autre idée de l'amour. Et je refuserai jusqu'à la mort d'aimer cette création où des enfants sont torturés».

Sur le visage de Paneloux, une ombre bouleversée passa.

- «Ah! docteur, fit-il avec tristesse, je viens de comprendre ce qu'on appelle la grâce».

Mais Rieux s'était laissé aller de nouveau sur son banc. Du fond de sa fatigue revenue, il répondit avec plus de douceur:

«C'est ce que je n'ai pas, je le sais. Mais je ne veux pas discuter cela avec vous. Nous travaillons ensemble pour quelque chose qui nous réunit au-delà des blasphèmes et des prières. Cela seul est important».

Paneloux s'assit près de Rieux. Il avait l'air ému.

«Oui, dit-il, oui, vous aussi vous travaillez pour le salut de l'homme.»

Rieux essayait de sourire.

«Le salut de l'homme est un trop grand mot pour moi. Je ne vais pas si loin. C'est sa santé qui m'intérese, sa santé d'abord.»

Paneloux hésita.

«Docteur», dit-il.

Mais il s'arrêta. Sur son front aussi la sueur commençait à ruisseler. Il murmura: «Au revoir» et ses yeux brillaient quand il se leva. Il allait partir quand Rieux, qui réfléchissait, se leva aussi et fit un pas vers lui.

«Pardonnez-moi encore, dit-il. Cet éclat ne se renouvellera plus».

Paneloux tendit sa main et dit avec tristesse: «Et pourtant je ne vous ai pas convaincu!»

- Qu'est-ce que cela fait? dit Rieux. Ce que je hais, c'est la mort et le mal, vous le savez bien. Et que vous le vouliez ou non, nous sommes ensemble pour les souffrir et les combattre».

Rieux retenait la main de Paneloux.

«Vous voyez, dit-il en évitant de le regarder, Dieu lui-même ne peut maintenant nous séparer».

Albert Camus, *La peste*, Paris, Gallimard, Coll. «Folio», n° 42, 279 pages, pp. 198-199.

Questions

1 - Quelles seraient les modulations du thème majeur?

2 - Quelle est la technique principale qui rend bien ces modulations?

3 - L'espace est rendu par un tableau descriptif. Quelle est sa principale caractéristique?

C- PRODUCTION

Canevas de rédaction 1

Le thème de l'amour avec un sous-thème:
la jalousie

Synopsis

Vous apercevez dans une discothèque, alors que vous y êtes entré(e) seul(e), votre ami(e) accompagné(e) d'une autre personne.

Articulation du thème

- Vous entrez dans la discothèque un peu désoeuvré(e) parce que vous êtes seul(e). Votre ami(e) ne vous a pas téléphoné.
- Vous réfléchissez, en vous installant à une table, sur ce que vous croyez être des liens profonds qui vous rattachent à lui (à elle).
- En apercevant sur la piste de danse celui ou celle que vous aimez, vous passez par toutes sortes de phases successives:
  - Bouleversement. Vous êtes sidéré(e). (Que vois-je? Je suis incapable de bouger, mes mains sont de glace, je ne sens plus mes pieds...)
  - Peine profondément ressentie.
  - Ressentiment, agressivité.
  - Mélange d'apitoiement et d'affirmation de soi.
  - Brusque décision de quitter l'endroit. Exécution.

Consignes

Faites un récit à la première personne (le *je* narrateur héros), à vision intérieure, sous forme de *monologue intérieur* et de *dialogue intérieur* où le héros ou l'héroïne (vous-même...) s'interroge et se répond. «Qu'est-ce qu'il (elle) fait là? Ah oui! je sais, cette blonde... (ce garçon...)»
Longueur: maximum de deux pages.

Vocabulaire

- Hall d'entrée, vestiaire, hôtesse, placeur, ouvreuse, pourboire, bar, table, piste de danse.

- Musique: colorée, rythmée, tonitruante, langoureuse, saccadée, vibrante, retentissante.
- Danseurs: nerveux, haletants, essouflés, raides, sautillants, excentriques, roides, gauches, maladroits, nonchalants, flegmatiques.
- Décor: tapis, velours, lambris, stroboscope, cuir, éclairage tamisé.
- Odeurs âcres de tabac, d'alcool, de parfums, de sueur.
- Couples à leurs tables: silencieux, enlacés, distants, en conversation intime.
- Hommes seuls ou femmes seules: maussades, perplexes, renfrognés, curieux, inquisiteurs, indépendants, indifférents, moroses, rechignés, boudeurs, joyeux.
- Gamme de réactions émotives: abasourdi, hébété, sidéré, stupéfié, révolté, jaloux, cynique, ébahi, consterné, envieux, effronté, hardi.

Canevas de rédaction 2

Le thème de la mort

Synopsis

Sur l'autoroute se produit un accident mortel. La voiture d'un jeune homme file à toute allure et soudain dérape, va heurter le terre-plein et capote. Le jeune homme est éjecté du véhicule et meurt sur le coup au moment où sa tête heurte violemment une grosse roche.

Articulation du thème

Suivez l'ordre de présentation des faits en vous référant au synopsis:
- La voiture file à toute allure.
- Dérape.
- Heurte le terre-plein.
- Capote.
- Le jeune homme est éjecté.
- Il meurt lorsque sa tête heurte une grosse roche.

Consignes

Le narrateur spectateur a une vision extérieure neutre. Donc, faites une description objective.
Longueur: maximum de deux pages.

NOTES

1 - Jean-Paul Weber, «*L'analyse thématique: hier, aujourd'hui, demain*», dans *Études françaises*, Montréal, P.U.M., Vol. 2, n° 1, pp. 29-71.

2 - Serge Doubrovsky, *Pourquoi la nouvelle critique*, Paris, Denoël/Gonthier, 1966, 271 pages, p. 121.

3 - *Théorie de la littérature* (textes présentés et traduits du russe par Tzvetan Todorov), Paris, Seuil, 1965, 313 pages, p. 263.

4 - *Ibid.*, p. 265.

5 - Vraisemblable: ce qui peut sembler crédible en tenant compte de la logique interne du roman. Vérifiable: ce qui existe réellement à «*l'extérieur*» du roman. Par exemple, le quartier Saint-Henri où se situe l'histoire de *Bonheur d'occasion* est bel et bien un quartier de la ville de Montréal.

6 - Tzvetan Todorov, *op. cit.*, p. 266.

7 - *Ibid.*, p. 266.

8 - Émile Zola, *Thérèse Raquin*, Paris, Fasquelle, Coll. «Le Livre de Poche», 1958, 246 pages, pp. 51-52.

9 - Émile Zola, *op. cit.*, p. 55.

10 - Émile Zola, *op. cit.*, p. 54.

11 - Les références renvoient à l'édition Gallimard, Coll. «Folio», Paris, 1949, 190 pages.

12 - Albert Camus, *La peste*, Paris, Gallimard, Coll. «Folio», n° 42, 1947, 279 pages, pp. 11-12.

13 - Albert Camus, *L'étranger*, Paris, Gallimard, Coll. «Folio», n° 2, 1957, 186 pages, p. 173.

14 - *La peste, op. cit.*, p. 198.

15 - *Ibid.*, pp. 198-199.

16 - *L'étranger, op. cit.*, pp.182 à 184.

17 - *Ibid.*, p. 186.

18 - *La peste, op. cit.*, p. 120.

19 - Roger Lemelin, *Les Plouffe*, Ottawa, Institut littéraire du Québec, 1954, 344 pages, p. 134.

20 - *Ibid.*, p. 9.

21 - *Ibid.*, p. 337.

CHAPITRE 8

Le guide de lecture: un outil de synthèse

A - LE GUIDE DE LECTURE

On trouvera ici, en synthèse, et regroupées selon les grandes dimensions romanesques abordées précédemment, des questions qui permettront au lecteur de mieux interroger un roman et donc de tirer davantage parti de sa lecture.

1 - Le titre du roman

Avant d'amorcer la lecture du roman

- Quel genre d'histoire le titre du roman vous laissait-il imaginer?
- Quel type de personnage vous suggérait ce titre?
- Si la jaquette du volume comprend une photo, une image composée..., quelles questions soulève-t-elle en vous, quel genre d'histoire (légende? conte? récit historique? etc.) vous suggère-t-elle?
- Comparez différentes jaquettes, établissez des différences et cernez ce qui les explique.

Après avoir lu le roman

- Le titre choisi par l'auteur vous semble-t-il significatif? (Blaise Cendrars: «*Je trouve d'abord le titre [...]; quand j'ai mon titre, je me mets à rêvasser [...]. Cela peut durer des années*».
- Trouvez deux autres titres possibles. Dites à quoi ils réfèrent.

2 - Les épisodes et l'intrigue

• Identifiez l'événement dominant et les coordonnées spatio-temporelles de chaque chapitre ou des parties du livre.
• À partir des principaux épisodes, faites un bref résumé de l'intrigue.
• Si vous ne deviez retenir que deux ou trois épisodes, ceux qui vous plaisent ou vous impressionnent le plus, lesquels choisiriez-vous?
• Quelles sont les épisodes clés de l'oeuvre, ceux qui correspondent à des moments forts du roman?
• Dégagez la structure globale de l'intrigue (état initial, fait déclencheur, etc.).

3 - La voix narrative et le point de vue de narration

• Quel est le pronom de narration?
• Quel est le narrateur et le personnage principal?
• Le narrateur est-il un narrateur omniscient, neutre; un narrateur héros ou un narrateur témoin...?
• Si le narrateur est intégré à l'histoire, y joue-t-il le rôle de personnage principal ou secondaire?
• Le narrataire est-il intégré au récit? Quel rôle y joue-t-il?
• S'agit-il d'un récit simple ou y a-t-il plusieurs niveaux narratifs?
• Quel lien unit les différents niveaux?
• Quel est le point de vue dominant utilisé dans l'oeuvre? (Vision omnisciente, vision intérieure, vision extérieure neutre?).
• Que sait le narrateur du personnage?
• Que sait-il de l'histoire?
• Y a-t-il des variations de point de vue? Comment s'expliquent-elles?

4 - Les personnages

• Identifiez les apparitions les plus significatives de chaque personnage important. Quelles sont les techniques utilisées pour les caractériser?
• Est-ce le discours du narrateur ou du personnage central qui prime? Identifiez les diverses techniques utilisées pour donner la parole au personnage.
• Quel est le registre de langue utilisé? Y en a-t-il plusieurs? Est-il ou sont-ils justifié(s)?
• Quel est le profil psychologique du personnage?
• Dégagez le schéma actantiel général pour ce roman.
• Quelles relations ce personnage entretient-il avec les personnages secondaires importants? Quelle est la situation du personnage central par rapport aux autres personnages?

5 - *Les techniques romanesques*

- Quelles sont les techniques romanesques vraiment caractéristiques du tissu narratif de l'oeuvre?
- Les techniques utilisées vous semblent-elles adaptées au récit?
- Y a-t-il des chapitres très contrastés dans l'emploi des techniques romanesques? Qu'est-ce qui explique ces variations?
- Quel est le rythme du récit? Y a-t-il des variations de rythme importantes?

6 - *Le temps et l'espace*

- Quels sont les principaux repères géographiques et chronologiques qui vous permettent de situer l'histoire dans l'espace et dans le temps?

Le temps

- Est-ce une histoire passée, actuelle ou anticipée?
- Quelles sont les principales caractéristiques de l'organisation du temps? Y a-t-il des retours en arrière, des ellipses, des anticipations, des retours cycliques, des temps parallèles reliés à des intrigues différentes, etc.?
- Y a-t-il succession d'événements ou approfondissement de quelques événements clés?
- Comment les événements sont-ils situés dans le temps (schéma logique, datés de façon absolue, situés par rapport à des événements extérieurs, etc.)?
- L'organisation du temps joue-t-elle un rôle important par rapport au rythme du récit?
- Le temps devient-il un thème?

L'espace

- Y a-t-il des lieux qui sont particulièrement importants dans l'oeuvre?
- Comment sont-ils présentés: tableaux descriptifs, commentaires des personnages, notations éparses...?
- Quels sont les liens entre les principaux lieux et le personnage central?
- L'espace devient-il un thème?

7 - *Les thèmes*

- Quels sont les principaux thèmes de l'oeuvre?
- Précisez l'orientation propre à ces thèmes en explicitant les sous-thèmes.
- Quels sont les thèmes mineurs?
- Connaissez-vous d'autres oeuvres qui explicitent les mêmes thèmes majeurs? Comparez ces oeuvres.
- Dégagez les thèmes de chacune des séquences et donnez votre interprétation de l'oeuvre en tenant compte du thème dominant.
- Si vous aviez à donner cinq citations de ce volume, lesquelles vous sembleraient les plus significatives (celles qui vous disent personnellement quelque chose)?

8 - *Les liens avec d'autres oeuvres ou certains films*

Si vous aviez à comparer ce roman à d'autres oeuvres ou à certains films, quels rapports (liens / oppositions) établiriez-vous?

9 - *L'appréciation de l'oeuvre*

Inscrivez les phrases, les notes personnelles, les commentaires que vous a inspirés la lecture de ce volume: notes d'accompagnement volontairement créatrices. Précisez de plus si vous recommanderiez ce volume à tous vos amis... ou à certains d'entre eux?

10 - *Les fiches vocabulaire*

Une bonne connaissance du vocabulaire est certes un atout de lecture. Aussi, se servir de ses lectures pour enrichir son vocabulaire n'est pas un objectif sans intérêt. À cette fin, on pourra utiliser la fiche qui suit.

La fiche vocabulaire

Toute lecture fait découvrir des mots nouveaux. Dans la majorité des cas, le contexte livre suffisamment d'information pour qu'on puisse *deviner* le sens de ces mots, mais cette approximation nous permet rarement de faire pénétrer ces nouveaux vocables dans le vocabulaire actif. C'est pourquoi est proposé un outil didactique qui facilitera le travail d'appropriation de nouveaux mots.

Voici comment il faut remplir cette fiche. Pour chaque nouveau mot rencontré:
— on retranscrira la phrase où ce mot apparaît;
— on cherchera le sens de ce mot dans le dictionnaire;
— on lui trouvera un synonyme dans le stock de mots dont on dispose;
— on construira avec ce nouveau mot deux phrases pour en vérifier la compréhension.

L'enrichissement du vocabulaire est un travail de longue haleine. La démarche proposée permettra de poursuivre un cheminement constant. Ces fiches devraient d'ailleurs être conservées dans un cahier à anneaux qui deviendra rapidement une banque de mots et d'expressions.

La fiche vocabulaire		
nouveau mot	phrase d'où provient ce mot	phrases construites à partir de ce mot
synonymes		sens du mot dans ce contexte
nouveau mot	phrase d'où provient ce mot	phrases contruites à partir de ce mot
synonymes		sens du mot dans ce contexte
nouveau mot	phrase d'où provient ce mot	phrases construites à partir de ce mot
synonymes		sens du mot dans ce contexte

B - TROIS EXEMPLES D'UTILISATION DU GUIDE DE LECTURE

Premier exemple
«Le petit Prince [1]»
d'Antoine de Saint-Exupéry

Introduction

Dans *Le petit Prince*, Saint-Exupéry présente la rencontre d'un aviateur et d'*«un petit bonhomme tout à fait extraordinaire»*, venu d'une autre planète *«à peine plus grande que lui»*. Peu à peu nous apprenons l'objet de son voyage, son itinéraire (son départ, l'exploration des premières planètes, son arrivée sur terre et ses rencontres). Cette quête d'un ami lui révélera un secret qui donnera sens à sa vie.

En fait, on pourrait isoler trois grandes parties dans ce récit:
I - La rencontre du pilote et l'histoire du petit prince, de sa fleur et de sa planète (chapitres 1 à 7).
II - Le départ du petit prince et l'exploration des six premières planètes (chapitres 8 à 16).
III - Ses aventures sur terre et son retour (chapitres 17 à 27).

Chacune de ces parties comprend un chapitre de transition. Ainsi, le chapitre 7 amorce l'histoire de la fleur du petit prince. Le chapitre 8 efface la présence du pilote qui n'intervient plus directement dans le récit puisqu'il s'agit de l'histoire du petit prince avant son arrivée sur la terre, la septième planète. Le chapitre 16 constitue là encore une transition. C'est le narrateur qui s'adresse directement au lecteur fictif et lui livre des renseignements sur la terre. Le pilote, toujours à titre de narrateur, nous rendra compte des péripéties du petit prince sur terre. Il faudra attendre le chapitre 24 pour qu'il réintègre pleinement le récit à titre de personnage.

1 - Le titre du roman

- Quel genre d'histoire le titre et la jaquette du volume vous suggéraient-ils?
- Le titre choisi par l'auteur vous semble-t-il significatif? Trouvez deux autres titres qui auraient pu être donnés à ce livre. Quelles modifications entraînent-ils par rapport au titre originel?

2 - Les épisodes et l'intrigue

• Situez brièvement les coordonnées de l'histoire: lieu, milieu, époque. Quels indices vous permettent de le faire?
• Identifiez l'événement principal de chacun des chapitres. Exemple: chapitre deux: la rencontre du pilote et du petit prince.
• Situez-les les uns par rapport aux autres.
• Si vous ne deviez retenir que deux épisodes, ceux qui vous plaisent le plus, lesquels choisiriez-vous?
• Si vous deviez modifier la fin du récit, coment se terminerait-il? Par exemple: le petit prince, revenu dans sa planète, écrit à l'aviateur. Vous pourriez rédiger cette nouvelle fin.
• Dégagez la structure globale de l'intrigue (état initial, fait déclencheur, etc.).

3 - La voix et le point de vue de narration

• Quel est le personnage central du livre? Quel est le narrateur?
• Quel est le narrataire du récit? Expliquez les variations du pronom de narration. À qui le narrateur s'adresse-t-il quand il affirme «nous qui comprenons la vie» (chapitre 4, page 17; voir également chapitre 24, page 98).
• Y a-t-il plusieurs niveaux narratifs? Expliquez.
• Quel est le point de vue de narration utilisé par l'auteur? Y a-t-il des variations importantes et significatives? Reportez-vous en particulier aux chapitres suivants: chap. 2 (pp. 5, 6), chap. 3 (p. 12), chap. 3 (p. 17), chap. 6 (p. 24), chap. 16 (p. 67), chap. 17 (p. 68), chap. 27 (p. 111).
• Quelles variations importantes cela entraînerait-il si le récit était conté à la manière d'un conte de fées: «Il était une fois». Qu'en pense le narrateur? Son opinion vous semble-t-elle justifiée?

4 - Les personnages

• Quelles sont les techniques utilisées pour la caractérisation du pilote et du petit prince?
• Quel est le registre de langue utilisé? Y en a-t-il plusieurs? Est-il ou sont-ils justifiés?
• Quel est le profil psychologique du petit prince? Parmi la liste des mots suivants, retenez cinq termes pouvant s'appliquer au petit prince. Justifiez votre réponse par des références précises au texte.

conciliant; patient; spontané; crédule;
insensible; moqueur; discret; étourdi;
résolu; pénétrant; pusillanime; méfiant;
obstiné; craintif; sagace; mesuré; fidèle;

lucide; apathique; sensible; téméraire;
illogique; flegmatique; pur; sentimental.

- Identifiez cinq termes qui ne peuvent s'appliquer à ce personnage et justifiez votre réponse par des références précises au texte.
- Dégagez le schéma actantiel global de ce récit.
- Quelles relations ce personnage entretient-il avec les personnages secondaires importants?
- Retracez les principales étapes de la relation entre le pilote et le petit prince: chap. 2 (pp. 8-10), chap. 3 (p. 11), chap. 4 (p. 19), chap. 7 (pp. 27-31), chap. 24, chap. 26, chap. 27.
- Pourquoi le petit prince ne répond-il pas aux questions posées par le pilote? Analysez quelques exemples: chap. 3 (p. 11), chap. 5 (p. 20), chap. 6 (p. 27), chap. 17 (p. 72), chap. 24 (pp. 91, 92), chap. 25 (p. 98), chap. 26 (pp. 102, 103).
- Retracez les principales étapes de la relation entre le petit prince et sa fleur: chap. 6, 7, 8, 15 (pp. 65, 66), chap. 17 (p. 70), chap. 19 (p. 76), chap. 20 (p. 77), chap. 21 (pp. 80, 88), chap. 24 (p. 93), chap. 26 (p. 94), chap. 26 (p. 101).
- Pourquoi l'allumeur de réverbères parut-il moins absurde que les autres au petit prince (pp. 59-61)? Comparez avec sa réaction au roi, au vaniteux, au buveur, au businessman.

5 - Les techniques romanesques

- Le tissu narratif est relativement homogène. Quelles sont les techniques qui en sont vraiment caractéristiques?
- Y a-t-il des chapitres dont la texture narrative diffère? Analysez les chapitres 4 et 16.

6 - Le temps et l'espace

- Quelle a été la durée du voyage du petit prince? On sait que le narrateur nous présente une rencontre qui a eu lieu six ans auparavant. Comment le temps de la fiction est-il indiqué par la suite? Relevez les principales notations de temps et précisez leur rôle. Chap. 1 (p. 3), chap. 2 (p. 5), chap. 6 (p. 24), chap. 7 (pp. 27, 30), chap. 24 (pp. 91, 92), chap. 25 (p. 97).
- Combien de temps dure la narration des souvenirs du petit prince?
- Au temps linéaire passé (l'histoire date de 6 ans) s'ajoute un temps antérieur rendu par des retours en arrière sur la vie des deux principaux personnages. Retracez-les:
— le pilote: chap. 1, chap. 24 (p. 93), chap. 25 (p. 96);
— le petit prince.

• L'espace est particulièrement important dans ce roman. Il représente un itinéraire et se structure par des oppositions (espace planétaire/espace cosmique, nomade/sédentaire, le clos et l'ouvert, etc.). Retracez les principaux lieux et dégagez-en la signification. Quelle est la structure de l'organisation de l'espace dans ce récit?

7 - Les thèmes

• Dégagez, pour chaque épisode, le thème le plus important, ou les thèmes, s'il y en a plusieurs.
• L'amitié, les contacts humains, les rapports avec les choses, la vision du «coeur» sont des thèmes importants du livre. Comment les autres thèmes s'y rattachent-ils?
• Donnez cinq citations tirées du livre, celles qui vous semblent les plus significatives.
• Certains symboles sont employés par l'auteur: quelles significations leur prêtez-vous? Par exemple: les baobabs, la rose, les autres planètes, la fontaine, le serpent.
• Quel est le thème développé dans le premier chapitre? Retracez son évolution à travers l'oeuvre: chap. 4, chap. 7, chap. 10 (p. 47), chap. 11 (p. 50), chap. 12 (p. 52), chap. 13 (p. 57), chap. 17 (pp. 68-70), chap. 22 (pp. 88, 89), chap. 27 (p. 111).

8 - Les liens avec d'autres oeuvres ou certains films

• Connaissez-vous des romans, des contes ou des films qui explorent des aspects similaires à ceux exploités dans ce livre? Quelles sont les différences majeures?
• Comparez par exemple Le petit Prince au film E.T.

9- L'appréciation de l'oeuvre

Donnez, sous la forme d'un texte critique, votre appréciation de l'oeuvre. Justifiez votre point de vue en faisant largement appel aux principales dimensions analysées.

10 - Les fiches vocabulaire

N'oubliez pas de remplir vos fiches vocabulaire.

Deuxième exemple
«Des souris et des hommes [2]»
de John Steinbeck

Introduction

Des souris et des hommes raconte l'histoire de George et de Lennie qui nourrissent le même rêve: celui, un jour, de posséder une ferme. George protège Lennie qui est un faible d'esprit. La durée des événements de ce récit est courte. Les deux compères travaillent quelque temps dans un ranch pour amasser la somme nécessaire à la réalisation de leur projet. Mais le projet avorte lorsque Lennie tue accidentellement la femme de Curley. George se verra dans l'obligation de tuer Lennie pour éviter que les autres le fassent à sa place.

Le roman ne comprend que six chapitres, mais on peut y déceler trois temps forts: l'offre monétaire de Candy (chapitre 3), la mort de la femme de Curley (chapitre 5), celle de Lennie (chapitre 6).

1 - Le titre du roman

- Quel genre d'histoire vous suggère le titre du roman?
- De prime abord, selon vous, quelle serait la signification du titre?
- À quels épisodes le titre réfère-t-il?
- La jaquette vous met-elle sur la piste?

2 - Les épisodes et l'intrigue

- Si vous ne deviez retenir que deux épisodes, ceux qui vous plaisent le plus, lesquels choisiriez-vous, et pourquoi?
- Si la femme de Curley n'avait pas été tuée par Lennie, comment auriez-vous pu imaginer la fin du roman?
- En relation avec la signification globale de l'oeuvre, est-ce que sa portée aurait été la même?
- Dégagez les schémas actantiels des trois temps forts de l'oeuvre.
- Dégagez la structure globale de l'intrigue.

3 - La voix et le point de vue de narration

- Quels sont les pronoms employés dans le récit?
- Quel est le pronom de narration?
- Quel est le personnage principal du livre? Quel est le narrateur?

- Le narrataire est-il intégré au récit?
- Quel est le point de vue du récit?
- Dans un chapitre, il y a une modification de point de vue; identifiez-la, ainsi que le passage en question.
- Imaginez un changement de point de vue axé sur un personnage, par exemple, Lennie. Le roman pourrait-il s'articuler avec la même logique interne? Compte tenu de son handicap, quelle(s) technique(s) romanesque(s) dominerait(aient) le récit?

4 - Les personnages

- Dans le premier chapitre, quelles sont les techniques utilisées pour présenter George et Lennie? Quelles techniques spécifiques permettent de faire ressortir certains traits de caractère propres aux deux personnages?
- Quel est le profil psychologique de George et de Lennie?
- George est un personnage tragique et Lennie, un personnage pathétique. Justifiez cette affirmation.
- Trois personnages du roman peuvent être plus ou moins considérés comme des marginaux et cette marginalité les rapproche momentanément: Lennie, Crooks et la femme de Curley. Ces trois personnages sont marginaux par rapport à quoi? S'agit-il d'un rapprochement moral ou circonstanciel?
- Au deuxième chapitre, quelles sont les techniques narratives utilisées pour la présentation des principaux personnages du ranch (Candy, le patron, Curley, la femme de Curley, Slim et Carlson)?
- L'amitié peut-elle durer entre les différents protagonistes? Tirez vos conclusions.
- Comparez l'attitude de Carlson et de Slim dans les deux scènes suivantes: celle de la mort du chien de Candy, celle de la mort de Lennie.

5 - Les techniques romanesques

- Tous les débuts de chapitre s'ouvrent sur la même technique; identifiez-la.
- Faites une étude comparative du premier et du sixième chapitre. Dégagez les similitudes et les différences: comparez
— les descriptions,
— les scènes dialoguées (identifiez le sujet de discussion de chaque scène),
— les récits dialogués (y a-t-il retours en arrière, anticipations?),
— les indications d'actions et de sentiments.

- Vous avez constaté que les chapitres I et VI se déroulent au même endroit. Le rythme est-il le même dans les deux chapitres? Pour le savoir, comparez aussi les alternances des descriptions, des scènes dialoguées, des indications d'actions, etc.
- Compte tenu du point de vue, quelle est la technique romanesque dominante du roman?
- Quelle est la principale caractéristique des descriptions?

6 - *Le temps et l'espace*

- Quelle est la durée du temps de la fiction? Quelle est sa principale caractéristique (histoire passée, actuelle, anticipée)?
- Quant au temps de la narration, qu'est-ce qui le caractérise:
  — retour en arrière?
  — anticipation?
  — retour cyclique?
  — suspension du récit?
  — chevauchement d'actions?

- Identifiez quelques passages qui se rapportent à une de ces catégories.
- L'appréhension du temps, sa conscientisation diffère s'il s'agit de George ou de Lennie. À quel élément concret, tangible le temps est-il lié aux yeux de George (en fonction de la réalisation du projet)?
- À quel moment y a-t-il rupture définitive avec le temps du rêve et quel événement est relié à cette rupture chez Crooks, chez Candy et chez George?
- Face à cette rupture, quelles sont les réactions de chacun d'eux?
- Identifiez les deux espaces précis où se déroule toute l'action du roman.
- Quelles techniques romanesques sont les plus utilisées pour rendre l'espace?
- Pourquoi les événements du dernier chapitre se situent-ils au même endroit que ceux du premier?
- Quels sont les principaux sentiments qui habitent le temps et l'espace dans le roman?
- Lennie partage-t-il ces sentiments? Pourquoi?
- En fonction du temps et de l'espace, que symbolise la Salinas? Le ranch?

7 - *Les thèmes*

- On a vu au chapitre 7 l'évolution du thème du rêve. Quelle serait sa principale modulation?
- Identifiez le personnage qui donne corps au sous-thème du rêve.
- Quels sont les thèmes mineurs qui gravitent autour du thème majeur?

- Peut-on établir une relation entre le thème majeur et les thèmes mineurs?
- Certains thèmes mineurs peuvent être incarnés par des personnages. Identifiez-les.
- Si vous aviez à désigner un extrait caractéristique de chaque thème mineur, lesquels choisiriez-vous?

8 - Les liens avec d'autres oeuvres ou certains films

Connaissez-vous des romans ou des films qui se rapprocheraient de la signification globale du roman? Pouvez-vous établir des différences et des similitudes?

9 - L'appréciation de l'oeuvre

La signification globale de l'oeuvre déborde le cadre même du roman pour rejoindre l'universel. Quels commentaires cela vous inspire-t-il? Pourriez-vous recommander ce roman à vos amis? Pour quelles raisons?

10 - Les fiches vocabulaire

N'oubliez pas de tenir à jour votre fichier vocabulaire.

Troisième exemple
«L'étranger [3]»
d'Albert Camus

Introduction

L'étranger raconte l'histoire de Meursault, employé de bureau qui, entre autres, dépouille des connaissements. Après l'enterrement de sa mère, il rencontre, à l'établissement de bains du port, Marie Cardona avec qui il va, le soir même, au cinéma. Ils passent la nuit ensemble. Le dimanche suivant, Raymond les invite au cabanon d'un nommé Masson. Raymond avait déjà malmené une Algérienne. Sur la plage, deux Algériens semblent surveiller les trois hommes. Il y aura altercation. Un peu plus tard, Meursault, retournant seul sur les lieux pour aller se désaltérer à une source derrière un rocher, croise un des deux Arabes. Abasourdi par le soleil, il le tue à coups de révolver. Ainsi se termine la première partie du roman.

Dans la deuxième partie, le récit est centré sur les trois dominantes suivantes: l'incarcération de Meursault, son procès et sa condamnation à mort.

La première partie comprend six chapitres et la deuxième cinq. Dans la première partie, chaque chapitre joue un rôle important en fonction d'un événement capital qui se retrouve dans la deuxième partie: le procès.

1 - Le titre du roman

- *Avant de lire le roman.* Quel genre d'histoire vous suggère le titre du roman?
- Le dessin de la jaquette est-il significatif du titre?
- *Après avoir lu le roman.* Le titre vous semble-t-il significatif?
- L'étranger est étranger par rapport à qui? par rapport à quoi?

2 - Les épisodes et l'intrigue

- Pour la première partie (chapitres I à VI), identifiez l'événement dominant et les coordonnées spatio-temporelles de chaque chapitre.
- Relevez les événements en retenant surtout ceux qui vont revêtir une signification spéciale lors du procès dans la deuxième partie du roman.
- Décrivez brièvement l'attitude de Meursault devant chacun de ces événements ou faits.
- En fonction de sa logique, comment s'expliquent ses comportements?
- Si vous ne deviez retenir qu'un épisode, lequel retiendriez-vous? Justifiez votre choix.
- Dégagez la structure globale de l'intrigue.

3 - La voix et le point de vue de narration

- Quel est le pronom de narration?
- Qui est le narrateur? Est-il le personnage principal?
- Le narrateur est-il intégré au récit?
- Quel rôle joue-t-il dans la première partie? Son rôle est-il le même dans la deuxième partie?
- Le récit efface-t-il toute trace de référence à un narrataire?
- À qui s'adresse Meursault lorsqu'il dit: «*Cela ne veut rien dire.*» (p. 9). «*Ils avaient tous beaucoup de peine pour moi.*» (p. 10). «*J'ai dormi pendant presque tout le trajet,*» (p. 10). «*Je trouvais ce qu'il racontait juste et intéressant.*» (p. 16). «*Je crois que j'ai somnolé un peu.*» (p. 18). «*J'avais même l'impression que cette morte, couchée au milieu d'eux, ne signifiait rien à leurs yeux.*» (p. 21). «*Il y a des choses*

dont je n'ai jamais aimé parler.» (p. 113)? Pourquoi dit-il parfois:
«*Peu importe*»?
- S'il y a un narrataire, est-il intégré au récit?
- Le narrateur a-t-il une vision omnisciente, une vision intérieure ou une vision extérieure neutre de lui-même, des personnages et des événements?
- À ce sujet, existe-t-il une différence entre la première et la deuxième partie du roman? Par exemple (deuxième partie), quand il est seul dans sa cellule; devant le juge d'instruction; lors de son procès; face à l'aumônier?

4 - *Les personnages*

- Comment les personnages, Meursault lui-même, Marie Cardona, Salamano, Raymond, l'Arabe, le concierge de l'asile, le directeur, Thomas Pérez, le juge d'instruction, l'avocat, le procureur, l'aumônier sont-ils caractérisés? Quelles sont les techniques utilisées pour ce faire?
- Quels sont les traits caractéristiques qui attirent l'attention du narrateur sur chacun d'eux?
- Quels sont les personnages qui vous semblent les plus sympathiques dans le roman?
- Quel est le registre de langue utilisé?
- Y a-t-il changement de tonalité lorsque l'on passe de Meursault au juge d'instruction; du juge d'instruction au procureur; du procureur à l'aumônier?
- Quel est le profil psychologique de Meursault?
- Vous semble-t-il un personnage de roman ou l'illustration *déshumanisée* d'une idée?
- À ce sujet, existe-t-il une différence sensible entre la première et la deuxième partie du roman?
- Dégagez le schéma actantiel global de l'oeuvre.
- Quelles relations Meursault entretient-il avec Marie Cardona?
- Pourquoi, lorsque Marie lui demande s'il l'aime, répond-il: «*Non*»? Pourquoi, toutefois, est-il prêt à l'épouser (p. 69)?
- Quelles relations établit-il avec les autres personnages?
- Partagez-vous la morale ou la conception de vie de ce personnage?

5 - *Les techniques romanesques*

- Quelles sont les techniques qui prédominent dans le récit?
- Qu'est-ce qui caractérise les descriptions?
- Quel est le rythme du récit? Comparez la première à la deuxième partie.

6 - *Le temps et l'espace*

• Quelle est la durée du temps de la fiction dans la première partie? Procédez chapitre par chapitre.
• Quels sont les principaux repères chronologiques et géographiques? Comment sont-ils présentés?
• Procédez de la même manière pour la deuxième partie (pp. 110, 125, 127).
• Quelles sont les principales caractéristiques du temps de la narration?
• Y a-t-il dans chacune des parties des retours en arrière? des anticipations?
• Dans la première partie, identifiez les trois principaux endroits où évolue Meursault et cernez-en la portée symbolique.
• Dans la deuxième partie, Meursault finit par s'adapter à sa cellule. Énumérez les principales étapes de son adaptation et montrez comment il revit et se libère mentalement et physiquement de certaines habitudes, de certains types de comportements propres à l'espace physique dans lequel il évoluait avant son arrestation (macro-espace). Comment échappe-t-il à l'ennui (pp. 122-123)?
• Quelle est la nature du temps (par opposition à celui qui s'écoule dans la première partie) qui passe dans la cellule de Meursault? Donnez des indices et tirez vos propres conclusions (pp. 122, 123, 125, 126).
• S'agit-il d'une histoire passée, actuelle ou anticipée? Pour le savoir, établissez un parallèle entre les événements de la première partie (déjà relevés) qui concernent directement Meursault (en tenant compte de ses attitudes face à ces événements) et l'interprétation qu'on en donne lors du procès, dans la deuxième partie. Y a-t-il des contradictions?
• Le narrateur, dans la première partie, n'a retenu des événements que ce qui ressortira au procès. Peut-on, dans ce cas, parler d'une histoire qui s'actualise au fur et à mesure de son déroulement?
• L'organisation du temps joue-t-elle un rôle important par rapport au rythme du récit? Comparez les deux parties à ce propos.
• Peut-on parler ici de thématisation du temps?

7 - *Les thèmes*

• Qu'est-ce qui caractérise la vie quotidienne de Meursault (en fonction de ses actions et non de ses réflexions) dans la première partie? Comment pourriez-vous la qualifier?
• Pourquoi Meursault ne partage-t-il pas certaines conventions sociales? Pourquoi refuse-t-il d'aller travailler à Paris?
• Quel rôle joue le soleil dans la vie de Meursault?

- Pourquoi Meursault donne-t-il l'impression d'être étranger à son propre procès?
- Pourquoi s'acharne-t-on à vouloir le condamner?
- Quelle prise de conscience engendre sa condamnation à mort?
- Que déclenche en lui sa rencontre avec l'aumônier?
- Comment Meursault se sent-il après son départ?
- Pourquoi dit-il à la fin, avant de mourir: «*Et moi aussi, je me suis senti prêt à tout revivre*» (p. 185)? Et, un peu plus loin: «*Pour que tout soit consommé, pour que je me sente moins seul, il me restait à souhaiter qu'il y ait beaucoup de spectateurs le jour de mon exécution et qu'ils m'accueillent avec des cris de haine*» (p. 186)?
- Meursault incarne donc, en partie, la philosophie de Camus. Expliquez en dégageant le thème majeur de l'oeuvre.
- Ce thème majeur se module en sous-thèmes. Identifiez-les.
- Quels sont les thèmes mineurs de l'oeuvre?
- Si vous aviez à donner cinq citations de ce volume, lesquelles choisiriez-vous?

8 - Les liens avec d'autres oeuvres ou certains films

- Si vous aviez à comparer ce roman à d'autres oeuvres ou à certains films, quels rapports (liens/oppositions) établiriez-vous?
- Si vous avez vu le film *L'étranger*, comparez-le au roman. Croyez-vous qu'il rend bien l'oeuvre de Camus? Justifiez votre réponse.

9 - L'appréciation de l'oeuvre

Inscrivez les phrases, les notes personnelles, les commentaires que vous a inspirés la lecture de ce volume: notes d'accompagnement volontairement créatrices. Précisez de plus si vous recommanderiez ce volume à tous vos amis... ou à certains d'entre eux?

10 - Les fiches vocabulaire

N'oubliez pas de remplir vos fiches vocabulaire.

NOTES

1 - Toutes les références renvoient à l'édition suivante: *Le petit Prince*, New York, Harbrace Paperbound Library, 1943, 113 pages.

2 - Toutes les références renvoient à l'édition suivante: *Des souris et des hommes*, Paris, Gallimard, Coll. «Folio», 1949, 190 pages.

3 - Toutes les références renvoient à l'édition suivante: *L'étranger*, Paris, Gallimard, Coll. «Folio», n° 2, 1957, 186 pages.

CHAPITRE 9

Une méthode d'analyse et d'interprétation

On est maintenant familiarisé avec les différentes composantes d'une oeuvre romanesque. Dans un premier temps, en effet, on a lu la **théorie** relative à chaque composante, pour ensuite répondre aux questions des extraits dans la partie du chapitre intitulée **Observation et analyse.** Enfin, grâce aux canevas de rédaction présentés dans la dernière partie **Production,** les acquis ont davantage été consolidés.

Mais l'effort intellectuel que ce travail a demandé, si satisfaisant soit-il, ne prend toute sa valeur que si on cherche à établir des relations entre les différentes composantes d'un roman. De ces relations se dégageront des significations qui permettront une interprétation personnelle de l'oeuvre romanesque. Et c'est à ce niveau de lecture qu'on devient réellement *créateur de sens.* Ainsi peut-on parler ici de lecture vraiment active, plurielle et personnelle.

Pour favoriser la mise à jour de telles relations qui déboucheront sur des interprétations personnelles, on peut suivre une méthode de traitement et d'analyse des données accumulées lors de la lecture globale du roman, méthode qui se veut progressive dans la mesure où elle achemine celui qui l'adopte vers une meilleure appréhension de l'oeuvre. Si on tient compte des chapitres précédents, on reconstruira un itinéraire dont les étapes seront les suivantes: première étape, *l'accumulation des données*; deuxième étape, *la synthèse des données*; troisième étape, *la vérification à l'aide du* Guide de lecture; quatrième étape, *l'établissement des réseaux de relations.*

Première étape: l'accumulation des données

Lors d'une première lecture, il serait bon, à la fin de chaque chapitre, de dresser la liste des événements. On isolera, une fois la lecture terminée, les épisodes du roman. Le chapitre 2 du présent volume offre différentes possibilités de découpages en épisodes: on peut s'y référer pour avoir un modèle. On aura soin, est-il besoin de le rappeler, d'identifier, pour chaque épisode, la voix narrative et le point de vue, l'événement dominant, les événements qui s'y rattachent, le lieu et le temps.

Mais en plus, pour faciliter par la suite l'analyse des différentes composantes du roman, on peut se doter d'un système de repérage simple correspondant aux dimensions du projet de lecture: on inscrira en marge ces signes qui permettront, une fois la lecture terminée, d'effectuer une relecture sélective pour approfondir des aspects importants du livre. Ce système peut se réduire à quelques signes, VN (voix narrative), PV (point de vue), CP (caractérisation du personnage), DP (discours du personnage), RSP (relation personnage principal/personnages secondaires), T (temps), E (espace), TH (thème). Comme on le constate, l'épisode sert ici d'encadrement à l'accumulation de données reliées à d'autres composantes que celles propres à l'intrigue. L'application de ce système de repérage se fera la plupart du temps de façon sélective. On se limitera, par exemple, en ce qui a trait à la caractérisation d'un personnage ou à ses relations avec d'autres personnages, à des passages particulièrement riches en données. Ainsi, dès une première lecture, on accumule une certaine quantité de matériel. Une des modalités pour classer ce matériel serait, entre autres, de se servir de fiches. Une série de fiches correspondrait à un épisode; on y consignerait les renseignements obtenus.

Dans le cas de *Des souris et des hommes*, si l'on fait le découpage en fonction des épisodes, se dégageront la voix narrative et le point de vue, les événements principaux, la liste des événements secondaires (correspondant à chaque événement principal), les allusions au temps (fictif) et à l'espace, les principaux traits physiques et psychologiques des personnages, quelques extraits significatifs du type de relation qu'ils établissent entre eux par le discours (ce qui peut permettre le tracé d'une première esquisse thématique) et quelques extraits qui, justement, pourraient être révélateurs de la configuration thématique, laquelle se dégagera avec plus de netteté dans les étapes subséquentes. Il serait bon d'avoir sur les fiches les références des pages pour pouvoir rapidement retourner aux sources si besoin est. Il va de soi que quelque autre système de classement, s'il est efficace, sera tout aussi approprié.

La lecture globale et linéaire du roman terminée, on est donc prêt, avec ce matériel en main, à aborder la deuxième étape du processus.

Deuxième étape: la synthèse des données

À partir du matériel accumulé, on fera la synthèse de chaque composante du projet de lecture en reliant les épisodes les uns aux autres. Si besoin est, on procédera - grâce au système de repérage - à une relecture sélective. Se dégageront plus facilement la ou les voix narrative(s), le ou les point(s) de vue, les portraits physiques et psychologiques des personnages, les relations entre les personnages, le temps, l'espace et la configuration thématique. Pour ce qui est des thèmes, ils seront, à cette étape-ci, mieux identifiés. Quant aux principales phases de leur évolution, elles seront davantage circonscrites lorsqu'on établira des relations entre les thèmes et les autres composantes de l'oeuvre à la dernière étape du processus.

Dans le cas de *Des souris et des hommes*, le point de vue dominant, comme on le sait, est la vision extérieure neutre et, momentanément, au sixième chapitre, la vision omnisciente. À partir des épisodes reliés les uns aux autres, on peut facilement cerner les événements, le profil psychologique et le physique de George et de Lennie: les deux sont vêtus de pantalons et de vestes en serge de coton bleue; l'un est petit et vif, tout délicat, l'autre, énorme et plutôt balourd. Mais on peut pousser plus loin et s'interroger sur les effets créés par le choix de ce point de vue et sur les conséquences de ce choix sur la narration. Par exemple dans la scène où George tue Lennie, comment la tension intérieure de George est-elle rendue? Grâce à quelles techniques le rythme de la scène est-il donné? etc. Quant au temps et à l'espace dans lesquels évoluent les événements, on constatera que toute l'action se déroule du jeudi soir au dimanche soir dans deux endroits bien spécifiques: la rive de la Salinas et le ranch. Pourront alors être soulevées les questions reliées à ce resserrement du temps et à cet isolement dans l'espace qui s'opposent à l'errance de leur mode de vie.

Troisième étape: la vérification à l'aide du Guide de lecture

Répondre aux questions du *Guide de lecture* (cf. chapitre 8) est une bonne manière de s'assurer que l'on a fait, à partir de chaque composante du roman, le *tour de la question* sous ses aspects les plus importants. Ce guide sert de récapitulation avant d'aborder la quatrième et dernière étape.

Quatrième étape: l'établissement des réseaux de relations

À ce stade du processus d'analyse, le lecteur devient réellement créateur de sens, dans la mesure où il s'efforce d'établir des **relations** entre les différentes composantes du roman. De ces relations ressortiront des significations nouvelles qui n'auront, par la plupart des lecteurs, qu'été plus ou moins entrevues lors de la première lecture linéaire. Grâce au matériel accumulé et aux synthèses élaborées, on peut maintenant donner corps à ces significations et mieux percevoir la logique interne, l'unité organique d'une oeuvre.

Ces relations sont multiples et s'entrecroisent. Tout dépend du roman et de la personne qui le lit: son degré d'intérêt, sa sensibilité, sa perspicacité, son vécu, son bagage culturel, etc. Voilà pourquoi deux lecteurs supposent deux lectures différentes d'un même roman. Mais la méthode proposée (qui n'est qu'une méthode parmi tant d'autres, cela va de soi) peut aider à éviter le piège des jugements à l'emporte-pièce, mordants, incisifs, des affirmations gratuites ou le feu de paille des exaltations épidermiques.

Si on reprend l'exemple de *Des souris et des hommes*, on peut établir une relation entre le profil psychologique de Lennie et les dimensions spatio-temporelles. Aux yeux de Lennie, le temps s'est-il vraiment écoulé entre le jeudi soir et le dimanche soir? Ne revient-il pas exactement se réfugier au même endroit où il avait campé trois jours plus tôt: la rive de la Salinas? Ce faible d'esprit n'est pas conscient de la fuite du temps et c'est la raison pour laquelle le projet de la ferme s'actualise à ses yeux au moment où George fait, une dernière fois, miroiter devant lui la douceur de leur rêve. Lennie voit la ferme et veut la posséder *tout de suite*: «*Faisons-le tout de suite. Achetons-la tout de suite, notre petite ferme.*» [1] Cette ferme, il la voit par-dessus la rivière (au-delà du temps qui coule...) dans un espace irréel, paradisiaque, mais surtout incorruptible (par opposition à l'espace physique dans lequel évoluent un George et un Crooks, esprits conscients, hommes désabusés; espace dans lequel rien ne tient, aucun projet ne peut être réalisé: voilà pourquoi Lennie ne pourra rejoindre *son espace* que dans la mort).

Pour créer d'ailleurs l'illusion de *l'éternel présent* aux yeux de Lennie, le narrateur, ce *il* extérieur neutre, ne reprend-il pas au sixième chapitre certaines images que l'on retrouve dans le premier chapitre (un serpent à la tête dressée comme un petit périscope...) et Lennie ne refait-il pas certains gestes (boire à la rivière, s'asseoir en ramenant ses jambes vers soi)? Il est intéressant, d'ailleurs, à ce sujet, de comparer les premier et sixième chapitres (au niveau du comportement des personnages et des dialogues également).

Evidemment, d'autres relations entre les différentes composantes du roman peuvent être établies, mais à chacun les pistes qui peuvent mener vers une synthèse de l'oeuvre d'où se dégagera une signification globale, une interprétation personnelle.

On trouvera ici quelques exemples sommaires de réseaux de relations possibles, à partir d'un choix de romans.

Point de vue et discours du personnage

Dans *Le vieil homme et la mer*, il est intéressant d'établir une relation entre le point de vue et le discours de Santiago. Cette relation permettra de saisir le profil psychologique du vieil homme.

Le point de vue est celui d'une vision extérieure neutre. En principe ce point de vue se caractérise par une distanciation du narrateur (non intégré au récit) par rapport à l'objet observé. Le narrateur regarde de l'extérieur les faits et gestes; il n'entre pas dans la conscience de son personnage.

Or, Santiago évolue dans un espace très vaste, la mer, pour pêcher l'espadon. Il est seul en barque durant la majorité du récit. Et c'est justement lorsqu'il est en mer qu'on apprend à mieux le connaître. Mais comment le narrateur s'y prend-il pour traduire les pensées de Santiago sans modifier son point de vue ou à peine? En mettant justement l'accent sur le soliloque (se parler à haute voix). Santiago, d'ailleurs, ne s'adresse-t-il pas à sa main, à l'oiseau, aux poissons? On apprend donc par le dialogue fictif et le soliloque à mieux connaître Santiago. C'est ainsi que l'on découvre en lui un homme persévérant, courageux, stoïque dans la douleur, capable de tendresse envers l'enfant, respectueux de la nature et des êtres qui l'habitent.

Thème et espace

C'est un *je* narrateur héros à vision intérieure qui se raconte dans *Le Horla* de Guy de Maupassant. Les principales étapes de l'évolution de la folie seront donc relatées par le narrateur lui-même. La folie est en lui mais il la personnalise dans le Horla, personnage mystérieux, insaisissable qui évolue dans le même espace que lui. En réalité, c'est sa folie qu'il projette dans son espace environnant: un espace qu'il cherchera à circonscrire, à dominer, espérant ainsi se libérer du Horla en le détruisant. Mais pour parvenir à éliminer le Horla, il lui faut détruire l'espace dans lequel celui-ci évolue. L'espace est donc indissociable du thème et du point de vue, mais il revêt dans ce récit une double dimension: physique et mentale. Donc, pour détruire l'espace, il faudra que le narrateur mette le feu à sa maison (destruction de l'espace physique), mais, encore hanté par la présence du Horla en lui, qu'il songe à se suicider (destruction de la conscience, espace mental).

L'espace s'amenuise dans *L'écume des jours* de Boris Vian au fur et à mesure qu'évolue la maladie de Chloé et tombe, pour ainsi dire, en déchéance. S'agit-il ici de la projection de l'univers mental de Colin sur son environnement? «*L'amenuisement de la maison de Colin,* écrit en postface Jacques Bens, *peut symboliser le rétrécissement d'un univers mental obsédé par la maladie d'un être aimé.*» [2] Le thème de la maladie, aux yeux de Colin surtout, peut être lié au rétrécissement de l'espace physique et à la déchéance de l'environnement. La porte d'entrée se rétrécit, le tapis s'amincit et devient terne, une odeur de cave s'empare des murs, etc. Les personnages eux-mêmes subissent le contrecoup de la maladie de Chloé. Nicholas *baisse*; il vieillit de sept ans en huit jours. Quant à Colin, il se rabaissera (du moins le voit-il ainsi) au rang de la machine en allant travailler. On le retrouvera, après la mort de Chloé, guettant la remontée d'un nénuphar pour le tuer.

Voix narrative, point de vue et thématisation du temps

Le temps, l'obsession du temps qui passe devient le thème majeur de réflexion dans *Le voyageur distrait* de Gilles Archambault. Exorcisation par le voyage intérieur, passé remémoré, déception, peur, misanthropie, futilité, vieillissement, destruction, tous ces sous-thèmes ne sont que des facettes du même thème majeur, celui du temps qui rend inutile tout projet, tout espoir. Mais ici, puisqu'il s'agit d'un narrateur à vision intérieure (qui emploie des pronoms différents: je, tu, il), la couleur du temps, ses variantes, ses conséquences seront le reflet du tempérament d'un Michel désabusé, entre autres, devant la déchéance de son ex-femme Andrée, qui préférera retourner se réfugier avec Mélanie dans sa «*coquille*».

C'est donc le *je* narrateur héros qui crée son propre temps et qui lui donne une connotation péjorative. Il ne voit en lui que ce qu'il veut bien y voir.

Relation personnage principal/personnages secondaires et thème

Sophie, dans *Moi d'abord* de Katherine Pancol, est à la recherche de son autonomie. Ce thème est intimement lié à quatre personnages qui jouent un rôle important dans sa vie. L'évolution psychologique de Sophie, en effet, se fait grâce à l'intervention de trois hommes et d'une femme.

Le premier homme, Patrick, fera connaître à Sophie, lors d'une relation sexuelle, la fameuse crampe qui la déroutera dans la mesure où elle confondra momentanément amour avec plaisir sexuel, en affectant à ce dernier un coefficient trop élevé. Patrick, à ses yeux, deviendra pour quelque temps un dieu et, elle, s'inféodant à lui, se percevra ni plus ni moins comme une espèce d'esclave. Une esclave qui, sans résistance, glissera vers un mariage des plus conventionnels.

Ramona se chargera de la ramener à la raison en lui faisant comprendre que chaque être humain porte en lui-même sa propre sexualité et, qu'à toutes fins pratiques, ce qu'elle ressent avec Patrick, elle pourra éventuellement le ressentir avec un autre homme. Elle lui présentera Antoine.

Du coup, Patrick n'a plus aucun rôle à jouer dans sa vie. Antoine la fera pâtir pendant dix jours avant de passer la nuit avec elle. Il lui offrira un certain dépaysement en Italie, lui fera connaître, à Lausanne, une période d'austérité économique et la trompera.

Finalement, Antoine désirera l'emmener aux États-Unis pour y faire carrière et... pour l'épouser. Sophie ne se sentira pas prête, même fiancée à lui.

Entre temps, elle a rencontré Eduardo, plus âgé qu'elle, qui deviendra son confident, son «*oracle personnel*», bref qui jouera le rôle de substitut du père. C'est lui qui lui fera lentement prendre conscience du fait qu'elle revit avec Antoine ce qu'elle avait vécu avec Patrick: fréquentations, fiançailles, mariage, la véranda quoi!

Pour lui permettre de voir plus clair en elle-même, Eduardo lui présentera le rédacteur en chef du journal *La tribune*, M. Chardon. Après un temps de probation d'une durée de quinze jours, elle sera engagée au journal.

À partir de ce moment, pour la première fois de sa vie, Sophie pense réellement à elle. Elle aura un choix à faire entre le journal et le mariage. Ce n'est pas sans un dur combat contre elle-même qu'elle choisira le journal et rompra avec Antoine.

> Eduardo a déclenché mon vagabondage, se dira-t-elle. Il a été l'initiateur magique, m'a révélé un monde que je ne soupçonnais pas: moi. J'ai envie de poursuivre, seule, le voyage au fond de ma liberté.
> Seule: sans père, sans mère, sans amant tutélaire. [3]

Ramona, son amie d'enfance, aura, elle aussi - bien qu'à partir d'un itinéraire fort différent - la révélation de ce même message: BE YOU.

Espace et personnages

Pour mieux saisir certains traits de caractère du héros du *Libraire* de Gérard Bessette, il est intéressant de se pencher sur l'espace dans lequel il évolue. Hervé Jodoin, en effet, se meut dans trois endroits bien identifiés: sa chambre, la librairie et la taverne.

Dans sa chambre, il dort, fait l'amour une ou deux fois avec Mme Bouthiller et, le dimanche, pour tuer le temps, écrit son journal.

À la librairie *Léon*, bien installé au fond de la pièce, près du capharnaüm, la visière sur les yeux, il somnole, espérant ne pas être trop dérangé par les clients.

À la taverne, assis seul, près des latrines, il boit de la bière sans parler à personne.

Paresseux, indifférent, taciturne, effacé sont des termes qui viennent à l'esprit lorsque l'on observe son comportement dans ces différents endroits.

Hervé Jodoin, fin observateur capable de cynisme, refuse les combats qui pourraient entraîner une remise en question de sa façon d'être, mais recherche la présence indifférente et silencieuse des autres.

L'espace joue également un rôle, capital celui-ci, dans l'évolution psychologique de Catherine dans *Les chambres de bois* d'Anne Hébert. Catherine étouffe, s'enténèbre, se dépersonnalise dans la pénombre de son appartement avec son mari Michel et sa belle-soeur Lia.

Après une maladie, elle quittera les chambres de bois pour renaître à la vie, près de la mer. L'air sain, l'eau, le feu du soleil, un amant, Bruno, en chair et en os, quel contraste avec cette chambre de mort dans laquelle elle a croupi! Deux espaces diamétralement opposés, deux Catherine; une mort à la nuit, une renaissance au jour; une désincarnation, une réincarnation.

L'évolution psychologique de Catherine, non seulement est indissociable de l'espace comme dans tout roman, mais est la résultante d'un changement d'espace.

*
* *

Les grandes étapes du processus d'analyse d'un roman viennent d'être présentées à partir de quelques exemples. Le processus de création de sens devrait presque naturellement déboucher sur un travail de formalisation qui dépend du contexte d'utilisation du manuel. Cependant il semble essentiel de pousser jusqu'à ce point la démarche afin d'en tirer tout le profit possible.

Voici quelques exemples qui pourront, selon leurs modalités propres, mener à l'accomplissement de ce réinvestissement des données et des synthèses accumulées lors du processus d'analyse:

- l'entrevue individuelle ou de petits groupes avec une personne-ressource;
- le travail en atelier et la mise en commun sous forme de table ronde ou de plénière; [4]
- la production de textes (dissertations, articles de journal, notes, gloses et commentaires); [5]
- les ateliers d'écriture romanesque;
- les discussions en club de lecture.

Ces possibilités d'exploitation basées sur l'oral et l'écrit, le travail collectif ou individuel, en plus d'être des moyens efficaces pour l'approfondissement de l'oeuvre romanesque, sont des prolongements stimulants du travail déjà accompli.

NOTES

1 - John Steinbeck, *Des souris et des hommes*, Gallimard, Coll. «Folio», Paris, 1949, p. 188.

2 - Boris Vian, *L'écume des jours*, Union générale d'éditions, Coll. «10/18», Paris, 1963, 184 pages, p. 181.

3 - Katherine Pancol, *Moi d'abord*, Éditions du Seuil, Coll. «Points», Paris, 1979, 190 pages, p. 190.

4 - Pour le lecteur qui veut apprendre comment faire un exposé oral, lire *Apprendre à communiquer en public* de Francine Girard, Mont-Saint-Hiliare, La Lignée, 1982, 218 p.

5 - Pour le lecteur désireux d'apprendre à organiser ses idées en vue d'écrire un texte cohérent, lire *La dissertation. Outil de pensée, outil de communication* de Pierre Boissonnault, Roger Fafard et Vital Gadbois, Mont-Saint-Hilaire, La Lignée, 1980, 256 p.

CONCLUSION

Le projet de lecture

Le rôle du projet de lecture

Fournir au lecteur un instrument d'analyse et de compréhension du récit; réunir les concepts essentiels de l'analyse du récit, dégagée d'une visée encyclopédique; présenter une approche intégrante visant à donner à quiconque une méthode permettant de tirer le maximum de la lecture d'oeuvres romanesques littéraires: tels étaient les buts poursuivis.

Le déroulement du projet

L'avant-propos: une amorce de réflexion sur la lecture active. Le point de départ: des définitions du roman selon les codes narratifs, une vue d'ensemble cohérente de l'objet étudié avant d'en analyser les parties; la volonté de pressentir comme imbriquées, interdépendantes et simultanées des dimensions qui, pour le besoin de l'analyse, auront été présentées successivement. Le noeud: un approfondissement progressif des dimensions du projet. Un ordre de présentation du matériel: théorie, observation et analyse, production. Mais des suggestions diverses d'utilisation pédagogique: démarche inductive à partir des extraits; approche centrée sur la production avec formalisation progressive des données théoriques; analyse d'oeuvres et découverte intuitive des composantes théoriques, puis objectivation. Aussi, la valorisation de multiples activités d'écriture signifiantes et exigeantes: article de journal ou de revue, dissertation, journal d'accompagnement, texte critique... Bref, une volonté manifeste de réconcilier analyse et production, lecture et écriture, et, de façon plus générale, langue et littérature.

Les suites

La phase la plus importante du projet demande maintenant à être actualisée. Seule la réalisation complète du projet donnera sens à ce volume. Essentiellement transitif, il ne prendra vraiment forme qu'à travers des activités nombreuses et variées de lecture. D'ailleurs, le *Guide de lecture* et les exemples d'utilisation du guide sont les chemins qui mèneront tout naturellement le lecteur à l'accomplissement du projet.

Suite et fin

Certes, d'autres dimensions restent à explorer: le style, utilisation patiente et minutieuse, ou touffue et foisonnante, ou impulsive et incisive de la langue; les liens entre l'oeuvre et le contexte social, les idéologies, la situation de l'oeuvre dans le corpus littéraire, les relations intertextuelles, la création romanesque... Au demeurant, elles pourront mieux être exploitées grâce à ce projet qui prend en compte ce que Gilles Marcotte appelle les *«conditions particulières d'existence»* [1] d'une oeuvre littéraire. Ainsi, la lecture active pourra devenir une *«écriture à haute voix»* de l'oeuvre, du lecteur et de l'Imaginaire.

NOTES

1 - André Brochu et Gilles Marcotte, *La littérature et le reste*, Montréal, Quinze, 1980, 185 pages, p. 47.

Autres publications
des Éditions La Lignée

- Vital Gadbois, Michel Paquin et Roger Reny. *20 grands auteurs pour découvrir la nouvelle*. 1990, 320 p.

Cet ouvrage propose une lecture guidée de récits littéraires, brefs, complets, reconnus pour leur qualité, variés quant au style, aux thèmes, à la structure, de plusieurs pays et d'époques différentes.

- Denis Girard et Daniel Vallières. *Le théâtre. La découverte du texte par le jeu dramatique*. 1988, 184 p.

Les auteurs ont conçu spécialement cet ouvrage comme une initiation au théâtre. À partir de deux courtes pièces, les étudiants sont amenés à développer une capacité d'analyse d'un texte dramatique et on leur accorde les moyens de le bien jouer devant un public. Prix du Ministre 1988.

- Élisabeth Vonarburg. *Comment écrire des histoires. Guide de l'explorateur*. 1986, 232 p.

Ce guide s'adresse à tous les explorateurs de l'écriture narrative. L'auteure présente d'abord les grandes structures narratives, propose ensuite des jeux-exercices déclencheurs; elle procède enfin à une analyse détaillée des problèmes rencontrés en cours d'écriture (conseils et mises en garde, pièges à éviter, stratégies...). Un ouvrage fondé sur la vaste expérience d'une auteure de fiction, d'une professeure de littérature et d'une animatrice d'ateliers d'écriture.

- Francine Girard. *Apprendre à communiquer en public* (2ᵉ éd.). 1985, 280 p.

Dans un monde dominé par les communications, prendre la parole devant des groupes est devenu un défi quotidien. Francine Girard aborde ici toutes les dimensions de l'oral en public: comment organiser son exposé (information et persuasion), comment analyser son auditoire de façon utile, comment se documenter, comment assumer son trac, comment répondre aux questions... Un ouvrage primé par le ministère de l'Éducation du Québec.

- Francine Girard. *Réussir son diaporama. Un guide d'apprentissage.* 1985, 96 p.

  L'auteure confie ici tous les secrets de fabrication de ce puissant mode d'information, d'expression et d'animation. Elle explique comment concevoir un projet, élaborer un scénario, combiner l'image et le son, choisir un équipement adéquat, réaliser une projection dynamique; bref, comment rejoindre son public cible. Un guide méthodique pour réussir sa communication audio-visuelle.

- Viateur Beaupré. *Paroles allant droit. Faut-il encore penser, lire, écrire?* (4e éd.). 1985, 120 p.

  Une série de courts essais sur les rapports langue et pensée. L'humour constant et la connivence que l'auteur établit avec son public étudiant font de cet ouvrage un déclencheur dynamique de discussions fécondes en classe sur l'écrit, la langue, la lecture, la pensée, la personnalité, le style, la créativité, les registres de langue...

- Pierre Boissonnault, Roger Fafard et Vital Gadbois. *La dissertation. Outil de pensée, outil de communication.* 1980, 256 p.

  Un ouvrage de base pour développer l'habileté à organiser et à communiquer une pensée claire, structurée et personnelle, d'une façon durable et dans une période de temps assez courte. Une méthode complète et éprouvée de préparation à la rédaction de textes bien écrits, à travers la technique de la dissertation.

- Pierre Boissonnault, Roger Fafard et Vital Gadbois. *La dissertation. Outil de pensée, outil de communication. Guide pédagogique.* 1982, 16 p.

  Conseils et mises en garde pour faciliter la pratique par l'étudiant de chacune des trois parties du manuel. Trois modes d'utilisation par l'étudiant. Un modèle de planification de l'enseignement. Conseils pour l'évaluation. Fiches d'évaluation de dissertations.

Achevé d'imprimer
en novembre 1990 sur les presses
des Ateliers Graphiques Marc Veilleux inc.
Cap-Saint-Ignace (Québec)